دختران شاهزاده خانم سلطانه

دختران
شاهزاده خانم سلطانه

زوایای پنهان زندگی
یک شاهزاده خانم عربستان سعودی
در مورد عشق، ازدواج و روابط جنسی
و سرنوشت دختران زیبایش در پشت پرده‌های بسته

جین ساسون

ترجمهٔ منیژه شیخ‌جوادی (بهزاد)

چاپ دوم

نشر پیکان
تهران، ۱۳۸۴

Sasson, Jean P.
ساسون، جین
دختران شاهزاده خانم سلطانه: زوایای پنهان زندگی یک شاهزاده خانم عربستان سعودی در مورد عشق، ازدواج و روابط جنسی و... / جین ساسون؛ برگردان منیژه شیخ جوادی (بهزاد). ـ تهران: پیکان، ۱۳۸۱.
ISBN 964-328-346-1
۲۶۹ ص.
فهرستنویسی بر اساس اطلاعات فیپا.
Princess sultana's daughters.
عنوان اصلی:
چاپ دوم: ۱۳۸۴
۱. زنان ـ عربستان سعودی ـ اوضاع اجتماع. ۲. شاهزادگان ـ عربستان سعودی ـ سرگذشتنامه. الف. شیخ جوادی، منیژه، ۱۳۲۸ - ، مترجم.
ب. عنوان. ج. عنوان: زوایای پنهان زندگی یک شاهزاده خانم عربستان سعودی در مورد عشق، ازدواج و روابط جنسی و...
۳ د ۲ س / HQ ۱۷۳۰ ۳۰۵/۴۲۰۹۵۳۸
۱۳۸۱
کتابخانه ملی ایران ۸۱م - ۴۱۵۴۵

PRINCESS SULTANA'S DAUGHTERS
Windsor-Brooke Books, U.S.A., 2001
Jean Sasson

دختران شاهزاده خانم سلطانه

جین ساسون

مترجم: منیژه شیخ جوادی (بهزاد)
ویراستار: ارمغان جزایری
آماده‌سازی و اجرا: دایرهٔ تولید نشر پیکان، فهیمه محبی زنگنه

حروفچین : امیرعبّاسی
طراح جلد : ستاره نورونی
لیتوگرافی: صحیفه نور
چاپ: چاپخانهٔ سهند
صحافی: پیکان
نوبت چاپ: دوم، ۱۳۸۴ (اول، ۱۳۸۲)
تیراژ: ۲۰۰۰

دفتر نشر: تهران، خ شهید بهشتی، خ اندیشه، اندیشه ۳ شرقی، پلاک ۱۴
تلفن و دورنگار: ۹ ــ ۸۴۴۹۲۳۷
www.paykanpress.com

مرکز پخش: مؤسسهٔ گسترش فرهنگ و مطالعات
تلفن و دورنگار: ۸۷۹۴۲۱۹ ◦ ۸۷۹۴۲۱۸ ◦ ۸۷۷۲۲۶۷ ◦ ۸۷۷۲۰۲۹

دختران

شاهزاده خانم سلطانه

دختران شـاهزاده خـانم سـلطانه داسـتانی واقعی است. اسـامی تـغییر یـافته و رویدادهای گوناگون اندکی عوض شده‌اند تا هویت قـهرمان داستان مـحفوظ بماند.

هدف از نقل این داستان، نه برای نگارنده و نه برای شاهزاده خـانم سـلطانه، تقبیح اصول و ارزشهای اسلامی نیست.

کتاب شاهزاده خانم، که پیشتر به چاپ رسیده است، زمینه را برای نگارش کتاب فعلی آماده ساخته است. این کتاب ادامۀ زندگی شاهزاده خـانم سلطانه و تصویری از زندگی دخترانش و سایر زنان عربی است که سلطانه با آنها آشناست. خوب است که خواننده کتاب نخست را بخواند، امـا دخـتران شـاهزاده خـانم سلطانه به خودی خود کتابی مستقل است و به تنهایی زوایای پـنهان زنـدگی‌ای پشت پرده را آشکار می‌سازد.

کتاب سوم نیز در ادامۀ این دو کتاب، تحت عنوان حلقۀ حـمایت شاهزاده خانم سلطانه اخیراً به چاپ رسیده است.

اگرچه حقایق بی‌شماری در مورد سرزمینی که برای غربیان چندان قابل درک نیست عیان می‌گردد، هیچ‌یک از سه کتاب قصد توصیف تاریخ عربستان سعودی

و یا انعکاسی از زندگی زنانی را که در این سرزمین زندگی می‌کنند، ندارد.

تنها وقوف به این نکته ضروری است که این سه کتاب، کـه تـوسط یک زن، قهرمان داستان، شاهزاده خانم سلطانه، به یکـدیگر اتـصال یـافته‌انـد، بـه نتیجهٔ واحدی منتهی می‌شوند: اینکه تحقیر و اهانت به زنان سنتی کهنه است. اگرچـه چنین ضوابطی در کشورهای دیگری نیز وجود دارد، زمان آن رسـیده است کـه تسلط مردها بر زنها خاتمه یابد.

دختران شاهزاده خانم سلطانه

خوانندگان داستان واقعی و خارق‌العادهٔ شاهزاده خانم به شدّت تحت تأثیر اسرار تاریک زندگی پشت پردهٔ زنان خاندان سلطنت عربستان قرار گرفتند. اکنون جین ساسون و شاهزاده خانم، توجّه خود را به جانب دو دختر نوجوان او، مها و امانی، سوق می‌دهند.

شاهزاده خانم سلطانه در دوران جوانی به شدّت از سنتهای اجتماعی ظالمانه‌ای که بر زندگی‌اش حاکم بود، رنج می‌برد. امروز، او به رغم ثروت و امتیازات نامحدود، قادر به خریدن حقوق و آزادیهایی که زنان سایر فرهنگها دارند، نمی‌باشد؛ نه برای خود و نه برای دخترانش. اگرچه سلطانه با ترسی دائمی از عقوبت ــ حتی کشته شدن به دست پدر و برادرش ــ زندگی می‌کند، شور و حرارتش در جهت تأمین زندگی بهتر برای دخترانش، ترس او را کمرنگ می‌کند و عشق و حرارت او را برای ایجاد تغییرات شعله‌ور می‌سازد.

مها و امانی به عنوان دومین نسل خاندان سلطنت عربستان که از ثروت و رفاه ناشی از نفت این سرزمین بهره‌مند شده‌اند، هرگز چون سایر شهروندان عربی که قبل از اکتشاف چاههای نفت عربستان دچار فقر و فاقه بودند، با طعم فقر و مسکنت آشنا نیستند. دختران سلطانه از بدو تولد در ثروت و تجمل بیکران

غوطه‌ور بوده‌اند و این امتیازات را نه به صورت موهبت، که از اجزای غیر قابل اجتناب زندگی ویژه‌شان می‌پندارند. با این حال، فشار نامحدود زندگی سنتی این مرز و بوم آنها را به جان آورده است و همچون مادرشان، ناامیدانه با چنگ و دندان با نظام حاکم به ستیز برخاسته‌اند.

سلطانه با صراحت و تواضع، «تاریکی عمیق ترسهایش» را چه به عنوان همسر و چه مادر، با ما در میان می‌گذارد. او جزئیات سنت تربیت دختران را در چنین اجتماع رعب‌انگیزی توصیف می‌کند و اسرار نهانی را آشکار می‌سازد.

- مها، دخترک نوجوان شاهزاده خانم که بسیار خودرأی و سرسخت است، به دلیل ترس و وحشت از دستگاه قضایی سرزمینش به انزوا پناه می‌برد. او، دختری که پدرش همواره او را «زیبایی با ذهنی پر تلألؤ» می‌خواند، نمی‌تواند ذهن غنی و پر تلألؤ خود را بر هدفی متمرکز سازد. مادرش او را فردی «انقلابی» می‌داند و همواره نگرانش است. مها، این نوجوان انقلابی، همجنس‌بازی را تجربه می‌کند که به فروپاشی عاطفی‌اش منجر می‌گردد و به درمانگر روی می‌آورد.
- امانی، خواهر کوچک‌تر، در طی یکی از سنتهای دیرینهٔ اسلام ــ حج ــ شخصیت اصلی‌اش را ظاهر می‌سازد. او که دخترکی شیرین و عاشق حیوانات است، ناگهان «تقریباً در طول یک شب، احساسات مذهبی خفته‌اش را عیان می‌کند و با شدّت و حدّت خود را غرق در شعائر اسلامی می‌سازد.» این گرایش افراطی دخترک به جانب مذهب، به مقابله با تلاشهای مادر در جهت تغییر جایگاه زن در سرزمین اسلامی‌اش می‌پردازد.

کتاب دختران شاهزاده خانم سلطانه جدال روزانهٔ یک زن را در جهت کسب آزادی برای خویشتن و نسل آینده به تصویر می‌کشد. اگرچه موفقیتهای این زن ناچیز است، او مرزهای سنتهای زندگی زناشویی و مادری را به عقب رانده است و دریچه‌ای به روی تغییرات بطیء اما قابل دسترس را برای زنان سرزمین خود گشوده است.

پیشگفتار

من از سال ۱۹۷۸ تا ۱۹۹۰ در عربستان سعودی زندگی می‌کردم، کشوری کـه به تمایز کامل دو جنسیت معروف است. خیلی زود دریافتم کـه هـمین تـمایز موجب گشته است که زنها به همدیگر هرچه نزدیک‌تر شوند.

در طول آن دوره، من با گروهی از زنان سعودی آشنا و نزدیک شدم. پس از پنج سال زندگی در این کشور، با زنی خارق‌العاده آشنا شـدم کـه امـروزه بـا نـام شاهزاده خانم سلطانه در سراسر جهان شناخته شده است. چه زن باشهامتی! من شهامت این زن را تحسین می‌کنم، زیرا برای نقل این داستان واقعی، زندگی‌اش را کاملاً در معرض خطر نهاد.

پس از موفقیت باورنکردنی این کتاب، شاهزاده خانم سلطانه از من خواست که داستان زندگی‌اش را ادامه دهم، و من به این میل او تن در دادم. درست چون سایر زنهایی که احساس مادری را تجربه کرده‌اند، بزرگ‌ترین نگرانی سلطانه نیز با زندگی دخترانش در ارتباط است، و با این حال باور دارم که قاطعیت سلطانه در جهت «تغییر نادرست به درست» از خوبی فطری و میل باطنی‌اش بـرای کـمک به انسانیت ریشه می‌گیرد.

اگرچه زندگی کوچک و محقّر من در شهری کوچک در آمریکا بـا زنـدگی

پُر تجمّل سلطانه قابل مقایسه نیست، ما دارای ویژگیهای مشترکی هستیم. هر دومان مایل به کمک به زنانی هستیم که قادر به کمک به خود نیستند؛ هر دو قاطعانه به جنگ با زنان و مردانی می‌پردازیم که در سر راهمان قرار گرفته‌اند و مانع از آشکار کردن حقایق می‌شوند؛ و هر دو افراد خوش‌بینی هستیم. من و شاهزاده خانم سلطانه باور داریم که با بیان این داستانهای واقعی، تغییری در زندگی زنها ایجاد خواهیم کرد.

زمانی که جوان بودم، خوش‌بینی‌هایم در هر زمینه‌ای حد و مرز نداشت. صمیمانه احساس می‌کردم که قادر به حل هر مشکلی و درست کردن هر نادرستی‌ای هستم. شاید این امر ناشی از این واقعیت است که من در عمیق‌ترین نقطهٔ جنوبی آمریکا، در لوییز ویل در آلاباما بزرگ شده‌ام ـ شهری که تنها ۸۰۰ نفر سکنه داشت. شهرهای کوچک از نوعی شادی معصومانه برخوردارند که همواره در ساکنان آنها به چشم می‌خورد. ساکنان لوییز ویل نیز افرادی بسیار مهربان و شاد بودند. به دلیل این «خوبی» موروثی در ساکنان لوییز ویل، من هیچ خاطره‌ای از تحقیر و اهانت به زنها و فرودست شمردن آنها در این شهر در ذهن ندارم.

اگرچه سلطانه در محیطی پُر تجمّل پرورش یافته که من در دوران جوانی حتی قادر به تصور آن نبودم، اکنون دریافته‌ام که من، دخترکی فقیر و ساده، به مراتب خوشبخت‌تر از این شاهزاده خانم عرب بودم، زیرا هرگز خود را فرودست و مردان را فرادست نمی‌یافتم. این اعتماد به نفس عمیق، ریشهٔ خوش‌بینی‌ام در هر حرکت و هر احساسی است.

پس از ۵۳ سال زندگی، زندگی پُر ماجرایی که مرا به ۵۵ کشور جهان کشانده است، هنوز هم خوش‌بینی‌ام پابرجاست، اگرچه گه‌گاه به دلیل دیدن واقعیات زندگی زنان دیگر تا حدی تغییر یافته است. من دریافته‌ام که سرکوبی زنان و فشار اجتماعی‌ای که به آنان تحمیل می‌گردد، مسئله‌ای جهانی است. متأسفانه پاره‌ای از حکومتها و نظامهای اجتماعی نسبت به زنان رفتار خصومت‌آمیزی در پیش گرفته‌اند. بسیاری از زنان جهان محکوم به تحمّل تبعیض و زندگی نکبت‌بار

هستند و بسیاری از مردها که رهبران سیاسی و اجتماعی جهان‌اند، چشمان خود را به روی این «جنگ نابرابر» بسته‌اند.

چگونه انسانی که دارای احساس و عاطفه است، می‌تواند چشمانش را بر ظلم و وحشتی که بر زنان تحمیل می‌گردد، ببندد؟ این برای من قابل درک نیست. می‌دانم کژرفتاریهای متعددی که به زنان تحمیل شده، زندگی مرا تحت تأثیر قرار داده است، و با اندوه بسیار، حوادث زیر را که خود شاهدشان بوده‌ام، برایتان شرح می‌دهم:

- خود شاهد آن بوده‌ام که زنان جوان آسیایی به بالاترین قیمت پیشنهادی به فروش رفته و برای زمانی نامحدود در اختیار مالک خود قرار گرفته‌اند تا مورد بهره‌برداری جنسی قرار گیرند.
- من از روسپی‌خانه‌ای در آسیا بازدید کردم که زنان جوان و زیبا را خریداری می‌کرد و به عنوان بردگان جنسی در اختیار مردها می‌نهاد. این بردگان در طول روز ناچار به کار در کارخانه‌های مالکان خود بودند و شبها به طبقهٔ همکف روسپی‌خانه برمی‌گشتند و در اختیار مردان بیگانه قرار می‌گرفتند و درآمدشان را در اختیار مالکان خود قرار می‌دادند.
- یک بار زن جوانی را از گمراهی نجات دادم و سالها به حمایت از او پرداختم. همین زن سالها بعد دخترک سه ساله‌اش را در اختیار گروهی از مردها قرار داد تا بتواند تمامی وقت خود را صرف بزرگ کردن پسر دُردانه‌اش بنماید.

بسیاری از افراد خوش‌نیّت اغلب مرا اندرز داده‌اند که این کژرفتاری و سوءرفتارها را نادیده بگیرم و به گونهٔ دیگری واکنش نشان دهم، زیرا تغییرات اجتماعی به کُندی صورت می‌گیرد و من باید شکیبا باشم. اگرچه تاریخ گواه بر این امر است، این تغییرات بطیء در زندگی زنان پریشانی که تحت جور و ستم مردان قرار گرفته‌اند، مرا راضی نمی‌کند.

پس شاهزاده خانمی از عربستان و زنی اهل یکی از شهرهای کوچک آمریکا، رسالت خود را ادامه می‌دهند و این امید را در سر می‌پرورانند که خوانندگان

شجاعت و شهامت خود را به‌کمک طلبیده، تغییرات موردنیاز را در کرهٔ زمین تأمین نمایند.

من آوای نارسای شاهزاده خانم سلطانه را به‌گوش جهانیان می‌رسانم و از اینکه دومین کتاب از کتابهای سه‌گانهٔ شاهزاده خانم را عرضه کرده‌ام، به خود می‌بالم. این شما و این دختران شاهزاده خانم سلطانه...

حاکمان عربستان سعودی

نخستین پنج پادشاه عربستان

عبدالعزیز ابن سعود
۱۸۷۶ - ۱۹۵۳

سعود، پسر عبدالعزیز
۱۹۶۹-۱۹۰۲، دومین پادشاه عربستان

فیصل، پسر عبدالعزیز
۱۹۷۵-۱۹۱۲، سومین پادشاه عربستان

خالد، پسر عبدالعزیز
۱۹۸۲-۱۹۱۲، چهارمین پادشاه عربستان

فهد، پسر عبدالعزیز
متولد سال ۱۹۲۲، در قید حیات و پنجمین پادشاه عربستان

نقشهٔ

منطقهٔ عربستان

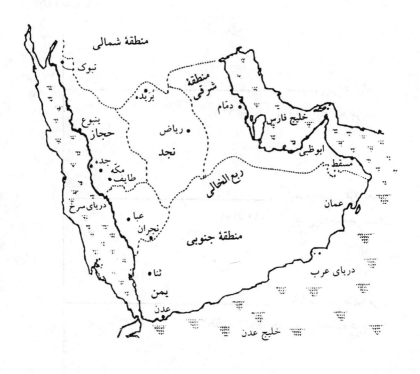

عربستان سعودی

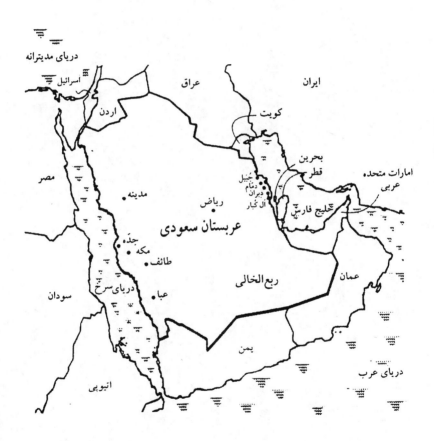

معرفی شخصیتهای کتاب

(به ترتیب الفبا)

اسد آل سعود برادر شوهر شاهزاده خانم سلطانه (شوهر سارا).

الحان دختری مصری که برخلاف میلش ختنه می‌شود. او نوهٔ فاطمه است.

الهام زنی مصری که دختر فاطمه و عبدل است.

امانی آل سعود دختر کوچک‌تر شاهزاده خانم سلطانه.

تهانی آل سعود خواهر شاهزاده خانم سلطانه.

جعفر کارمند فلسطینی شاهزاده کریم و دوست نزدیک عبدالله، پسر شاهزاده کریم. او با فائزه از عربستان می‌گریزد.

حنّان خواهر کوچک‌تر شاهزاده کریم (خواهر شوهر سلطانه).

خمینی رهبر مذهبی ایرانیان که به مخالفت با شاه برخاست و حکومت جمهوری اسلامی ایران را بنیان نهاد.

ریما عروس خردسال یمنی.

ریما آل سعود خواهر شاهزاده خانم سلطانه.

سارا آل سعود خواهر شاهزاده خانم سلطانه که در جوانی به عقد پیرمردی درآمده بود.

سامیه یکی از اعضای خاندان سلطنت که با فؤاد ازدواج کرده و مادر فائزه است.

سلیم شوهرخواهر شاهزاده خانم سلطانه. سلیم با ریما ازدواج کرده است.

سمیرا دوست دوران کودکی تهانی، خواهر سلطانه. سمیرا تا زمان مرگش در «اتاق زن» زندانی بود.

شاه عبدالعزیز آل سعود پدربزرگ سلطانه، نخستین پادشاه و بنیانگذار عربستان سعودی که در سال ۱۹۵۳ درگذشت.

شاه فؤاد چهارمین پادشاه عربستان سعودی که محبوبیت زیادی میان مردم داشت. او در سال ۱۹۸۲ درگذشت.

شاه فَهَد حکمران کنونی عربستان سعودی که برادرزاده‌اش، شاهزاده خانم سلطانه، به او بسیار احترام می‌گذارد.

عایشه دلدادهٔ شاهزاده خانم مها.

عبدالله آل سعود پسر شاهزاده خانم سلطانه.

عبدل از کارکنان مصری شاهزاده خانم سلطانه (شوهر فاطمه).

علی آل سعود برادر شاهزاده خانم سلطانه.

فائزه دختر یکی از دوستان شاهزاده خانم سلطانه که با جعفر فلسطینی از عربستان می‌گریزد.

فاطمه کدبانوی مصری شاهزاده خانم سلطانه (همسر عبدل).

فؤاد پدر فائزه.

کانی مستخدم فیلیپینی که در خانهٔ یکی از دوستان شاهزاده خانم سلطانه استخدام شده بود.

کریم آل‌سعود شاهزاده‌ای از خاندان سلطنت که همسر سلطانه است.

کورا مستخدم فیلیپینی شاهزاده خانم سلطانه.

لاواند آل سعود یکی از عموزادگان کریم که در «اتاق زن» محبوس شده بود.

مجید آل سعود پسر علی (برادرزادهٔ سلطانه).

محمّد شوهرخواهر شاهزاده کریم.

موسی رانندهٔ مصری سلطانه و خانواده‌اش.

مها آل سعود دختر بزرگ شاهزاده خانم سلطانه.

میشائیل دختر عموی سلطانه که به جرم ارتکاب زنای محصنه به مرگ محکوم شد.

ندا دوست دوران کودکی سلطانه که به دلیل بر باد دادن حیثیت خـانوادگـی بـه دست پدرش کشته شد.

نَشوا خواهرزادهٔ شاهزاده خانم سلطانه و دختر سارا.

نورا آل سعود بزرگ‌ترین خواهر سلطانه.

نوره مادر شاهزاده کریم و مادرشوهر سلطانه.

هدیٰ کنیزی آفریقایی که در دوران کودکی سلطانه در خانهٔ آنهاکـار مـی‌کرد و اکنون درگذشته است.

یاسر عرفات رهبر فلسطین.

یوسف مردی مصری که دوست دوران دانشگاه شاهزاده کریم بود و بـعدها بـه افراطیون مذهبی مصری پیوست.

مقدمه

تخته‌سنگ بزرگ با وزش باد تکان نمی‌خورد؛ ذهن انسان عاقل نیز تحت تأثیر بی‌عدالتی قرار نمی‌گیرد.

— بودا

یک بار در جایی خواندم که قلم قادر و شیوا می‌تواند هر پادشاهی را از پا درآورد. درحالی‌که به تصویر عمویم، فهد ابن عبدالعزیز، پادشاه عربستان، نگاه می‌کنم، به این نتیجه می‌رسم که من خیال از پا درآوردن شاه و یا برانگیختن خشم این مرد مهربان را نداشته‌ام.

انگشتانم را بر روی چهره‌اش می‌کشم و او را، شاه‌فهد را، از همان زمان کودکی‌ام به خاطر می‌آورم. تصویر، عمویم را در لباس نظامی نشان می‌دهد، که کوچک‌ترین شباهتی به مرد جوانی که به خاطر می‌آورم، ندارد. ابروهای در هم کشیده و چانهٔ محکمش، نمایشگر مرد جذّابی نیست که در ذهنم جای دارد. افکارم به گذشته پرواز می‌کند و شاه را قبل از تاجگذاری می‌بینم. او، قد بلند و چهارشانه، دست بزرگش را با خرمایی به جانب کودکی که با تحسین و اعجاب او را می‌نگرد، دراز می‌کند. این کودک کسی نیست جز من. فهد چون پدرش مردی

پُر بنیه و قدرتمند بود و در چشم من، چون رزم‌آوری شجاع می‌نمود. من، به رغم شجاعت و شهامتم، در مقابل او با ترس و بزدلی رفتار کردم و با اکراه خرما را از او گرفتم و بعد دوان دوان خود را به آغوش مادرم رساندم و درحالی‌که خرمای شیرین اهدایی را مزه مزه می‌کردم، از پشت سر صدای خنده‌های فهد را شنیدم.

بر طبق سنت سعودی ما، من از سنّ بلوغ بدون حجاب در مقابل شاه ظاهر نمی‌شدم. از آن زمان سالها گذشته و او سالخورده شده است. اکنون با تماشای عکس شاه به این نتیجه رسیده‌ام که اگرچه سالها حکومت به او قدرت بخشیده است، فشار مسئولیتهای رهبری درسهای لازم را به او آموخته و اگرچه هنوز هم تنومند و پُر بنیه است، دیگر مرد جذّابی محسوب نمی‌شود. پلک چشمانش پایین افتاده است و دماغش بر روی لب بالایی سایه افکنده؛ لبی که دهان ظریفی را در بر گرفته است. در این عکس که از نظر سعودیها و دیدارکنندگان از این کشور بسیار آشناست، عکسی تشریفاتی که در هر سازمان و دفتری از کشورم به دیوار آویزان است، او تصویر ذهنی مرا از شاه فهد نمایان نمی‌سازد. این تصویر مردی ترسناک و بی‌احساس است.

به رغم قدرت بیکران و ثروت نامحدودش، کسی غبطهٔ جایگاه او را نمی‌خورد. او که وارث مطلق یکی از ثروتمندترین کشورهای جهان است، عهده‌دار مبارزه‌ای سخت و بی‌وقفه میان نو و کهنهٔ سرزمینی داغ و ملتهب است.

در حالی که بسیاری از ملتها با طرد سنتهای قدیم خود را به نظامی تازه مسلح می‌سازند که رایحهٔ تمدن را به مشام می‌رساند، پادشاه ما هرگز دارای چنین اختیاری نیست. او که نماد اخلاقیات محض است، باید تمامیّت چهار گروه کاملاً متمایز اتباع خود را حفظ نماید: بنیادگران مذهبی، مردانی خشن و سرسخت و قدرتمند که فکر بازگشت به گذشته را در سر می‌پرورانند؛ گروه تحصیلکردهٔ طبقهٔ متوسط که در جهت رهایی از خفقان سنتهای قدیم تلاش می‌کنند؛ قبایل بدوی که شور رهایی از قید و بندها و پیوستن به زرق و برق و تلألؤ شهری را

دارند؛ و سرانجام اعضای خاندان سلطنت که چیزی جز کسب ثروت بیشتر را در سر نمی‌پرورانند.

با به هم پیوستن این چهار گروه، تنها گروهی خاص به دست فراموشی سپرده شده‌اند: زنان عربستان سعودی که مردانشان بر آنها حکومت می‌کنند.

با این حال عجیب است که من، یک زن، زنی عاجز و درمانده، خشم چندانی نسبت به پادشاهمان احساس نمی‌کنم، زیرا باور دارم که او نیازمند حمایت شوهران، پدران و برادران عادی این سرزمین است تا قدرت مقابله با سنتهای خشن مردان قدرتمند مذهبی را کسب کند. این مردان مذهبی ادعا می‌کنند که به درستی قوانین و ارزشهای اسلامی را در کشور خود به اجرا درآورده‌اند و بر اساس این ارزشها، زنها بایستی تحت قیمومت مردها قرار گیرند. بسیاری از مردان سرزمینمان با اوضاع حاکم سازگاری می‌نمایند، زیرا دریافته‌اند تحمل غر و لند زنهایشان آسان‌تر از تبعیت از پادشاه در جهت مذاکره با بنیادگران برای تغییرات بطیء است.

به رغم دشواریها، بیشتر اتباع سعودی به حمایت از شاه می‌پردازند. تنها بنیادگران مذهبی‌اند که طالب سقوط او هستند و سایر شهروندان، او را مردی بخشنده و خوش‌خلق می‌پندارند.

من به خود یادآوری می‌کنم که زنانِ خاندان سلطنتی به خوبی واقف‌اند که همسران پادشاه او را ستایش می‌کنند، و چه کسانی بهتر از همسران یک مرد، او را می‌شناسند؟

در حالی که شاه فهد نسبت به پدر و سه برادرش رفتار ملایم‌تری دارد، کتاب من، کتابی که تحت عنوان شاهزاده خانم شناخته شده است، سیلی سختی به گونهٔ مردی خواهد بود که بر این سرزمین حکومت می‌کند.

آگاهی از این حقیقت مرا متأثر می‌سازد. من خود را به دلیل اینکه تصمیم گرفته‌ام اسرار خانواده‌ام را برملا سازم ملامت می‌کنم، و اکنون برای نخستین‌بار از خودم سؤال می‌کنم که آیا در این تصمیم‌گیری احساسم بر عقلم غلبه نکرده است.

من در تلاشی که برای مقابله با احساس گناه و فـرو نشـاندن وحشت خـود
به عمل می‌آورم، به وضوح خشم خود را نسبت بـه مـردان خـانواده‌ام بـه خـاطر
می‌آورم؛ کسانی که با مهارت، رنجهای زنان این سرزمین را به دست فـرامـوشی
سپرده‌اند.

۱

پرده‌ها کنار می‌رود

ناامیدی چشمانمان را می‌بندد و نور را از آنها می‌گیرد. چیزی جز غم و اندوه نمی‌بینیم و چیزی جز ضربان قلب شکسته‌مان نمی‌شنویم.

ــ خلیل جبران

ماه اکتبر سال ۱۹۹۲ است و من، سلطانه آل سعود، قهرمان کتاب شاهزاده خانم، روزهای تقویم را با ترکیبی از هیجان تب‌آلود و افسردگی جانکاه پشت سر می‌گذارم. کتابی که زندگی عریان زنان عرب را به نمایش نهاد، در ماه سپتامبر در آمریکا به بازار آمد. از زمان چاپ این کتاب، من احساس شومی را با خود حمل می‌کنم، انگار به طور مخاطره‌آمیزی در فضا معلق مانده‌ام، زیرا به خوبی آگاهم که هیچ عملی، کوچک یا بزرگ، بد یا خوب، ممکن نیست بدون تأثیر باقی بماند.

نفس عمیقی می‌کشم و با امیدواری به خود یادآوری می‌کنم که در خاندان سلطنتی پُر جمعیت سعودی، امکان مصونیت و ایمنی من بسیار زیاد است و کسی به هویّتم پی نخواهد برد، و با این حال غریزهٔ قابل اعتمادم به من گوشزد می‌کند که رازم برملا شده است.

با تلاش بر ترس و احساس گناهم غلبه می‌کنم، و درست در همین زمان

شوهرم، کریم، از در وارد می‌شود و فریادزنان خبر می‌دهد که برادرم زودتر از موعد مقرّر از سفر اروپا برگشته و پدرم یک جلسهٔ فوری خانوادگی اعلام کرده است. چشمان سیاهش در صورت رنگ‌پریده‌ای که از شدّت خشم در بعضی نقاط رگه‌های قرمزرنگی بر آن نقش بسته، برق می‌زند. شوهرم از سگی خشمگین، خشمگین‌تر به نظر می‌رسد.

ناگهان فکر رعب‌انگیزی به ذهنم خطور می‌کند. کریم چیزی در مورد کتاب شنیده است؟

با تجسّم سلول تاریک و مرطوبی در قعر زندان و محرومیت از دیدار فرزندانم، وحشت سراپایم را در بر می‌گیرد و با صدای ضعیفی که شباهتی به صدای من ندارد، با التماس می‌پرسم: «چه اتفاقی افتاده؟»

کریم شانه‌هایش را بالا می‌اندازد و می‌گوید: «چه می‌دانم؟» و در حالی که پره‌های دماغش از خشم به لرزه درآمده، ادامه می‌دهد: «به پدرت گفتم فردا در زوریخ جلسهٔ مهمی دارم و پس از بازگشتم من و تو به ملاقاتش خواهیم رفت، امّا او قاطعانه دستور داد که باید برنامه‌ام را لغو کنم و امشب همراه تو به قصر پدرت بروم.»

کریم چون گردبادی به درون دفترش می‌رود، در حالی که فریاد می‌زند که ناچار است سه وعدهٔ ملاقات مهم را به هم بزند.

نفس راحتی می‌کشم و با زانوان لرزان خودم را بر روی مبل راحتی رها می‌کنم. شاید بهتر بود پیشداوری نمی‌کردم. خشم کریم ارتباطی با من نداشت! دوباره شهامت از دست رفته‌ام را بازیافته‌ام.

با این حال هنوز هم خودم را در معرض تهدید می‌یابم، و هنوز هم باید ساعتها تا شروع جلسهٔ خانوادگی خانهٔ پدرم صبر کنم.

در حالی که تظاهر به شادی دروغین می‌کنم، من و کریم لبخندزنان و گفتگوکنان وارد راهروی ورودی عریض قصر جدید پدرم می‌شویم، از روی قالیهای زیبای ایرانی عبور می‌کنیم و به اتاق نشیمن می‌رویم. پدرم هنوز وارد نشده است، امّا

من و کریم آخرین نفرات ورود به جلسه هستیم. ده فرزند دیگر مادرم بدون همسرانشان به جلسهٔ خانوادگی احضار شده‌اند. می‌دانم که سه تن از خواهرانم خود را از جدّه به ریاض رسانده‌اند و دو تن دیگر از طائف به ریاض پرواز کرده‌اند. به اطراف اتاق نگاهی می‌اندازم. کریم تنها عضو بیگانهٔ این جمع است. حتی همسر بزرگ پدرم و فرزندانش غایب‌اند. می‌اندیشم که پدرم طالب حضور آنها در جلسه نبوده است.

فوریت این جلسه، از نو ذهن مرا به کتاب شاهزاده خانم می‌کشاند و سینه‌ام از شدّت ترس منقبض می‌شود. با خواهرم، سارا، نگاههای نگرانی رد و بدل می‌کنیم. سارا تنها کسی است که از ماجرای کتاب اطلاع دارد، و به نظر می‌رسد که اسیر همان افکار اضطراب‌آلود من است. همهٔ خواهرانم با گرمی از من استقبال می‌کنند، اما برادرم، علی، با نگاههای مزورانه‌اش دائم مرا تعقیب می‌کند.

چند لحظه‌ای پس از ورودمان، پدر وارد اتاق می‌شود. ده دختر او با احترام به پا می‌خیزند و همه‌مان به مردی که به ما زندگی، و نه عشق و محبت، بخشیده است، سلام می‌کنیم.

ماههاست که پدرم را ندیده‌ام، و ناگهان احساس می‌کنم که او بسیار خسته و پیر به نظر می‌رسد؛ پیری پیش از موعد. به جلو خم می‌شوم تا گونه‌اش را ببوسم، اما او با بی‌حوصلگی صورتش را برمی‌گرداند و جواب خوشامدگویی‌ام را نمی‌دهد. اکنون وحشت و اضطراب سراپای وجودم را تسخیر کرده است. چه ساده‌لوح بودم که فکر می‌کردم خاندان سلطنتی عربستان آن‌چنان غرق جمع‌آوری ثروت‌اند که توجهی به رویدادهای خارجی نخواهند داشت. ترس دارد خفه‌ام می‌کند.

پدرم با لحنی خشن از ما می‌خواهد که بنشینیم، و اعلام می‌دارد که خبرهای بدی دارد.

نگاهم به صورت علی می‌افتد. علی با آن ویژگی نفرت‌آورش که همواره از رنج کشیدن دیگران غرق شعف می‌شود، با بی‌احساسی به صورت من خیره شده است. تردیدی ندارم که ماجرای امشب بر اثر آتشی است که او روشن کرده است.

پدرم دستش را به درون کیف سیاهرنگش می‌برد و کتابی بیرون می‌کشد که هیچ‌کدام از ما قادر به خواندن عنوانش نیستیم. کتاب به زبانی خارجی نوشته شده است. ذهنم مغشوش است. با خودم فکر می‌کنم که ترسم بی‌اساس بوده، و از خود می‌پرسم این کتاب چه ارتباطی با خانوادهٔ من دارد.

پدرم با صدایی مملو از خشم می‌گوید که اخیراً علی این کتاب را از آلمان خریده، و کتاب در مورد زندگی شاهزاده خانمی سعودی است، زنی احمق که تعهدات سلطنتی و خانوادگی‌اش را به دست فراموشی سپرده است. او در حالی که به دور اتاق می‌چرخد، کتاب را در دستانش می‌فشارد. تصویر روی جلد، زنی مسلمان را نشان می‌دهد، زیرا حجاب بر سر دارد و در مقابل مناره‌ای به سبک عثمانی ایستاده است. با خود فکر می‌کنم که این کتاب را شاهزاده خانمی عثمانی و یا مصری نوشته است، امّا به زودی درمی‌یابم که چنین کتابی در سرزمین من مورد توجه قرار نخواهد گرفت.

پدرم به من نزدیک‌تر می‌شود، ناگهان عنوان کتاب را می‌بینم: شاهزاده خانمی از دربار عربستان سعودی.

این داستان من است!

از زمانی که کتابم به انتشارات ویلیام مارو، یک شرکت بسیار معظم آمریکایی، فروخته شد، من با نویسندهٔ کتاب تماسی نداشتم و نمی‌دانستم که کتاب شاهزاده خانم با موفقیت بسیار روبه‌رو شده و به کشورهای متعددی فروخته شده است. به یقین کتابی که در مقابل چشمانم قرار داشت، چاپ آلمانی آن بود.

لحظه‌ای بسیار کوتاه شوق و شعف بر وحشت و اضطرابم غلبه می‌کند، امّا به زودی هجوم ترس را در وجودم احساس می‌کنم. خون به چهره‌ام می‌دود. کرخت شده‌ام و به زحمت قادر به شنیدن صدای پدرم هستم. او می‌گوید که علی پس از دیدن کتاب در فرودگاه فرانکفورت، سخت کنجکاو شده و با تلاش و خرج زیاد، کتاب را ترجمه کرده است، زیرا نام خانوادگی‌مان را بر روی کتاب دیده است.

در آن زمان تصور علی بر این بوده که شاهزاده خانمی سبک‌سر و بی‌مسئولیت از خاندان سعودی این اطلاعات را بر ملا ساخته است، امّا پس از خواندن کتاب، به ویژه بخش فاجعه‌آمیز دوران کودکی‌مان، به هویت قهرمان کتاب پی برده است. او برنامهٔ سفرش را لغو کرده و شتابزده و در اوج خشم به ریاض بازگشته است.

پدر نسخه‌های ترجمه شده را برای افراد خانواده آورده است.

او سرش را به جانب علی تکان می‌دهد و با دست به وی اشاره می‌کند. برادرم با دستهٔ قطوری کاغذ که در کنارش نهاده شده، از جایش بلند می‌شود و به هر یک از اعضای خانواده، دسته‌ای از اوراق را که محکم با کِش بسته شده، می‌دهد.

کریم که گیج شده است، آهسته به پهلویم می‌زند و ابروهایش را بالا می‌اندازد و چشمانش را به اطراف می‌چرخاند.

تا آخرین لحظهٔ ممکن خودم را بی‌خبر نشان می‌دهم. شانه‌هایم را بالا می‌اندازم و به کاغذها خیره می‌شوم، بی‌آنکه قادر به دیدن چیزی باشم.

پدرم با فریاد مرا می‌خواند. «سلطانه!»

احساس می‌کنم که بدنم از جا کنده می‌شود و در فضا معلّق می‌ماند.

پدر با سرعت شروع به حرف زدن می‌کند، درست مثل تپانچه‌ای که گلوله‌ها را یکی پس از دیگری پرتاب می‌کند. «سلطانه، تو از دواج و طلاق خواهرت سارا را به خاطر داری؟ و شیطنتهای دوستان بچگی‌ات را؟ مرگ مادرت را؟ سفرت به مصر را؟ از دواجت با کریم را؟ و تولّد پسرت را؟ سلطانه؟»

نفسم بند آمده است.

پدرم همچنان اتهامات خود را ادامه می‌دهد. «سلطانه، اگر در یادآوری این رویدادها مشکل داری، می‌توانی این کتاب را بخوانی!» و کتاب را به طرفم پرت می‌کند.

قدرت حرکت را از دست داده‌ام. خاموش به کتابی که جلوی پایم افتاده است خیره می‌شوم.

پدرم دستور می‌دهد: «سلطانه، کتاب را بردار!»

کریم کتاب را چنگ می‌زند و به روی جلد خیره می‌شود. بعد به نفس نفس می‌افتد ــ نفسی مـمـلو از خشـم ــ و بـه جـانب مـن بـرمی‌گردد. «سـلطانه، ایـن چیست؟»

از شدّت ترس فلج شده‌ام. ضربان قلبم متوقف شده است. ساکت و خاموش بر جا می‌مانم.

کریم که اختیار خود را از دست داده است، کتاب را بـه زمـین مـی‌انـدازد و شانه‌هایم را می‌گیرد و مرا درست مثل دستمال کهنه‌ای تکان می‌دهد.

دوباره ضربان آشنای قلبم را احساس می‌کنم: فکر بچگانه‌ای از ذهنم عبـور می‌کند ــ ای کاش در هـمان لحـظه مـی‌مردم و شـوهرم را بـرای هـمـیشه دچـار عذاب وجدان می‌کردم.

عضلات گردنم از شدت فشار دستهای کریم بر شانه‌هایم بیرون زده است.

پدرم فریاد می‌کشد: «سلطانه، جواب شوهرت را بده!»

ناگهان سالهای عمرم دود می‌شود و به هوا می‌رود. از نو بـچّه شـده‌ام و در اختیار پدرم قرار دارم. چقدر دلم می‌خواست مادرم زنده بود. هیچ چیز جز عشق مادرانه نمی‌توانست مرا از چنین موقعیت وحشتناکی نجات دهد.

احساس می‌کنم ناله‌ای در گلویم می‌شکند.

در گذشته همواره به خـود گـفته‌ام کـه آزادی هـرگز بـدون شـهامت کسب نمی‌شود. با این حـال در لحـظاتی کـه بـه شـهامت نیاز دارم، از وجـودم رخت برمی‌بندد. می‌دانم که خواهرانم با خواندن کتاب به رازم پی خواهند بـرد، و مـن احمقانه فکر می‌کردم که در خانواده‌ام تنها ساراست که کتابخوان است. حتی فکر می‌کردم که با رسیدن شایعهٔ چاپ چنین کتابی به گوش خـانواده‌ام، آنـها رغـبتی به خواندنش نشان نخواهند داد، مگر آنکه ذکر پاره‌ای از حوادث مهم که مربوط به زندگی خصوصی‌شان بود، آنها را ترغیب به خواندن کتاب کند.

اکنون با حیرت می‌بینم که برادرم، مردی که هـمواره حـقوق زنـها را تـقبیح می‌کرد، به خواندن کتابی پرداخته بود که از بـی‌عدالتی مـردهای سـرزمینش و ناله‌های زنان دردکشیده داستانها سر داده بود. او بود که به هویت من پی برده بود.

با ترس و لرز به اطراف اتاق و به پدرم نگاه می‌کنم. همهٔ خواهرانم با همدیگر، به صورتی که انگار حرکاتشان را تمرین کرده‌اند، نخست با حیرت و خشم به من نگاه می‌کنند و بعد به صورتم زُل می‌زنند.

تنها پس از یک ماه، رازم بر ملا شده است.

در حالی که تلاش می‌کنم صدایم را پیدا کنم، با ضعف اعتراض می‌کنم و کردارم را به تقدیر و سرنوشت نسبت می‌دهم و همان چیزهایی را می‌گویم که هر مسلمانی در زمان گرفتاری و انتظار عقوبت بر زبان می‌آورد: «خدا این‌طور می‌خواست. تقدیر الهی بود.»

علی به سرعت واکنش نشان می‌دهد. «خواست خداوند نبود، خواست شیطان بود.» بعد با صورتی جدّی به طرف پدرم برمی‌گردد و می‌گوید: «از روز تولّد، شیطان زیر پوست سلطانه جا داشت. این کتاب هم خواست همان شیطان است.»

خواهرانم با سرعت شروع به ورق زدن کاغذها می‌کنند تا دریابند که بر ملا ساختن اسرار خانوادگی حقیقت دارد یا نه.

تنها ساراست که حمایتش را از من دریغ نمی‌کند. او به آرامی از جایش بلند می‌شود و پشت سرم می‌ایستد. دستهایش را بر روی شانه‌هایم می‌گذارد و با انگشتان ظریفش به من اطمینان‌خاطر می‌بخشد.

کریم پس از هیاهوی اولیه‌اش، اکنون ساکت شده است. او را می‌بینم که مشغول خواندن کتاب است. به طرفش خم می‌شوم. مشغول خواندن فصلی از کتاب است که آشنایی و پس از آن ازدواجمان را شرح می‌دهد. شوهرم درحالی‌که کاملاً بی‌حرکت مانده است، کلماتی را که برای اولین‌بار می‌بیند، با صدای بلند می‌خواند.

فریادهای خشم‌آلود پدرم، کینه و نفرت پنهانی برادرم نسبت به مرا شدت می‌بخشد. آن دو با شلاق کلمات به جانم می‌افتند و من در میان غوغا و آشوب، صدای علی را می‌شنوم که مرا متهم به خیانت می‌کند.

خیانت؟ من خدایم را، کشورم را و پادشاهم را دوست دارم. من نیز فریاد

می‌کشم: «نه! من خائن نیستم! تنها ذهنهای آشفته و مغشوش‌اند که این عمل مرا خیانت می‌پندارند.»

با شعله‌ور شدن آتش خشمم، ترس کاهش می‌یابد.

با خودم فکر می‌کنم که مردان خانواده‌ام شاهد زنده‌ای هستند برای اثبات این واقعیت که صلح و صفای زن و مرد تنها در صورتی امکان‌پذیر است که مرد اختیار کامل زن را به دست بگیرد و زن آن را بپذیرد. حال که ما زنهای سعودی به تحصیلات رو آورده‌ایم و به تنهایی قدرت اندیشیدن و تصمیم‌گیری یافته‌ایم، زندگی‌مان مملو از ستیز و جدالی بی‌انتها خواهد بود. و با این حال اگر این ستیز بی‌وقفه حقوق زنان را تأمین کند، من از آن استقبال خواهم کرد، زیرا صلح و صفای کاذب نتیجه‌ای جز حقارت بیشتر زن نخواهد داشت.

امّا می‌دانم که حال لحظهٔ مناسبی برای جر و بحث نیست.

شعله‌های خشم افراد خانواده‌ام همچنان زبانه می‌کشد، و من در این میان گم شده‌ام. ترسی که وجود را فرا گرفته، حافظه‌ام را فلج کرده است و علّت تقاضایم را از نویسنده، جین ساسون، برای نگارش این کتاب به خاطر نمی‌آورم. ناگهان از گوش دادن به اتهامات دست می‌کشم و خودم را مجبور می‌کنم که مرگ فاجعه‌آمیز دوستم، نادیا را به خاطر بیاورم. در آن زمان من نوجوان بودم و رهبران مذهبی دوستانم، نادیا و وفا را همراه مردانی بیگانه دستگیر کرده بودند. از آنجایی که هر دو دختر باکره بودند، از نظر قانونی تحت تعقیب قرار نگرفتند و فقط تسلیم پدرانشان شدند تا به عقوبت لازم گرفتار شوند. وفا با مردی ازدواج کرد که سالها از او بزرگ‌تر بود، و نادیا بر طبق تصمیم خانوادگی در استخر خانه‌شان غرق شد. پدر نادیا بود که حکم مرگ او را صادر کرد، زیرا اعتقاد داشت که حیثیت خانوادگی‌اش به دلیل رفتار نادرست دخترش لکه‌دار شده است. با غرق کردن نادیا، او حیثیت برباد رفته‌اش را از نو کسب کرد!

و بعد افکارم به جانب زندان بهترین دوست خواهرم، سمیرا، کشانده می‌شود. سمیرا زن جوانی بود که پدر و مادرش را در تصادف اتومبیل از دست داده بود و زمانی که مورد تهدید عمویش قرار گرفت، با دلداده‌اش به آمریکا

گریخت. عموی سمیرا پس از مرگ پدر و مادرِ او قیومیت سمیرا را به عهده داشت. او با تمهیدات مختلف سمیرا را به عربستان بازگرداند، و در آنجا بود که فاجعهٔ بزرگی رخ داد. عموی سمیرا که از رفتار سمیرا دچار خشمی بی‌انتها شده بود، او را ناچار به ازدواج با مردی کرد که مورد علاقهٔ سمیرا نبود، و پس از آنکه باکره نبودن سمیرا برملا شد، او را به «اتاق زن» فرستادند، زندانی که هنوز هم در چهار دیواری آن به سر می‌برد.

یادآوری سرنوشت نکبت‌بار دوستانم، قدرت تازه‌ای به من می‌بخشد. با خشمی که هر لحظه افزایش می‌یابد، به خودم می‌گویم که هر طالب آزادی‌ای باید بهای آن را با جانش بپردازد. اکنون بدترین حادثهٔ ممکن اتفاق افتاده بود و راز من برملا شده بود. حالا چه؟

لحظهٔ بااهمیتی بود. با بازگشت قوای از دست داده‌ام، از جا بلند می‌شوم و در مقابل دشمنانم می‌ایستم. احساس می‌کنم که خون مبارز پدربزرگم، عبدالعزیز، در رگهایم روان است. از زمان کودکی‌ام در لحظهٔ خطر به موجودی عاصی، سرکش و نترس مبدل می‌شدم.

با شهامتی که در خود حس می‌کنم، قاطعانه تصمیم می‌گیرم. با اندیشیدن به گذشته، چهرهٔ مردی را به خاطر می‌آورم که با مهربانی، خرمایی را به جانب دخترک کوچکی دراز می‌کند. اکنون فکر عجیبی در سر دارم. بی‌هیچ تردیدی، این کلمات تهورآمیز را بر زبان می‌آورم: «مرا پیش شاه ببرید!»

علی با خارج کردن صدای ناهنجاری از دهانش، فریاد می‌زند: «شاه تو را نخواهد پذیرفت.»

«چرا، خواهد پذیرفت. دلم می‌خواهد دلایل نگارش این کتاب را با او در میان بگذارم. دلم می‌خواهد زندگیِ فاجعه‌آمیز زنان سرزمینی را که بر آن حکومت می‌کند، در مقابلش عیان کنم. من اعتراف می‌کنم، امّا فقط در حضور شاه.»

پدرم با رنگ و روی پریده به علی نگاه می‌کند. نگاهشان قفل می‌شود. انگار فکرشان را می‌خوانم. «هر کسی باید غرور داشته باشد، امّا نه این همه!»

از نو می‌گویم: «من باید به حضور شاه بروم.» من پادشاه را می‌شناسم. او از

رویارویی و اختلاف نفرت دارد، و با این حال باز هم مرا به دلیل عملی که انجام داده‌ام، مجازات خواهد کرد. با خود فکر می‌کنم که من به کسی نیاز دارم که خارج از عربستان سعودی باشد و یاد مرا زنده نگه دارد. با صدای بلند می‌گویم: «امّا قبل از آنکه به حضور شاه بروم، بایستی با کسی از روزنامه‌های خارجی حرف بزنم و هویّتم را به او بشناسانم. حتی اگر قرار است مجازات شوم، دلم نمی‌خواهد فراموش شوم. بگذارید دنیا بداند که چه رفتاری با برملا کنندگان حقایق می‌شود.»

به طرف میز کوچک تلفن که در گوشهٔ سرسرا قرار گرفته است حرکت می‌کنم و با خود فکر می‌کنم که باید کسی را از فاجعهٔ زندگی‌ام باخبر سازم. ناامیدانه تلاش می‌کنم شماره تلفن یک روزنامهٔ بین‌المللی را به خاطر آورم؛ شماره‌ای که پیشتر از روی احتیاط به ذهنم سپرده بودم.

خواهرانم شروع به شیون می‌کنند و از پدرم می‌خواهند که جلوی مرا بگیرد.

کریم از جا می‌پرد و به جانب من می‌دود. شوهرم با هیکل بلند و تنومندش راه را بر من می‌بندد و با چهره‌ای عبوس و بازوهای گشاده، مانع از حرکتم می‌شود و به من اشاره می‌کند که به صندلی‌ام برگردم.

به رغم بحرانی بودن موقعیت، حالات کریم مرا به خنده می‌اندازد. با صدای بلند می‌خندم. شوهر من مرد احمقی است که هنوز درنیافته است برای ساکت کردنم بایستی زنده به گورم کند، و او قدرت چنین کاری را ندارد. دانستن این نکته که کریم هرگز قادر به اِعمال خشونت نیست، به من قدرت می‌بخشد.

نه کریم از جایش حرکت می‌کند و نه من. من که عمق فاجعه را درک می‌کنم، فریاد می‌کشم: «زمانی که شکار در گوشه‌ای به تله می‌افتد، شکارچی در معرض خطر قرار می‌گیرد.» دلم می‌خواهد ضربه‌ای با سر به شکمش وارد کنم. هنوز با این فکر کلنجار می‌روم که بزرگ‌ترین خواهرم، نورا، با صدای آرامش وارد میدان می‌شود.

«بس است دیگر. این راه حل مسئله نیست.» مکثی می‌کند و به علی و پدرم خیره می‌شود. «علی این‌قدر فریاد نزن. خدمتکارها همهٔ حرفهایت را می‌شنوند، و آن وقت است که دردسر واقعی شروع می‌شود.»

نورا تنها فرزند دختری است که عشق و علاقهٔ پدرم را به خودش جلب کرده است. پدرم همه را دعوت به سکوت می‌کند.

کریم بازویم را می‌گیرد و مرا به سوی صندلی‌ام هدایت می‌کند. پدرم و علی همچنان در سکوت ایستاده‌اند.

از زمان چاپ کتاب، احساس ضعف و ترس می‌کردم. اکنون پس از هفته‌ها برای نخستین‌بار در خود احساس قدرت می‌کنم، زیرا دریافته‌ام که مردان خانواده هرگز مرا تحویل مقامات نخواهند داد.

جلسه با آرامش بیشتری ادامه می‌یابد و همه در تلاش‌اند تا راهی برای پنهان ساختن هویت من بیابند. همه به خوبی آگاه‌اند که حرف و حدیث مفصلی در عربستان سعودی به راه خواهد افتاد تا هویت قهرمان داستان شناخته شود. خانواده‌ام این‌گونه نتیجه‌گیری می‌کنند که افراد عادی عربستان هرگز قادر به شناسایی من نخواهند بود، زیرا خارج از دایرهٔ خانوادگی ما قرار دارند. از جانب مردان خانوادهٔ بزرگ سعودی نیز خطری مرا تهدید نخواهد کرد، زیرا به تصور آنها اعمال و رفتار زنان کاملاً تحت سلطهٔ مردان قرار دارد. به عقیدهٔ پدرم خطر واقعی از جانب زنان خانواده بود، زیرا اغلب در جلسات خصوصی خانواده شرکت می‌کردند.

خواهرم، تهانی، به خاطر می‌آورد که یکی از عمه‌هایمان که در ازدواج نافرجام سارا فعال بود، هنوز هم زنده است. این فکر، ترس و وحشت را در میان افراد خانواده‌ام دامن می‌زند. اما نورا با آرامش به همه می‌گوید که عمه‌مان همین چند روز پیش بر اثر سن زیاد دچار یک بیماری لاعلاج مغزی شده است و گفتارش مختل شده و به ندرت می‌توان به مفهوم کلماتش پی برد، و اگر هم او به طور تصادفی خبر این کتاب را بشنود، قضاوتش به طور جدّی پذیرفته نخواهد شد. همه نفس راحتی می‌کشند.

من، خود، ترسی از عمهٔ سالخورده‌ام ندارم. او در زمان خودش زنی غیرعادی بود. من شخصیت بازیگوش او را بهتر از دیگران می‌شناسم. آگاهی من از گفتگویی ناشی شده است که پیشتر با او داشتم، و او آهسته در گوشم نجوا کرده که

از آزادی زنان حمایت خواهد کرد. عمه خانم ادّعا می‌کرد که نخستین زن طرفدار حقوق زنان بوده است، خیلی پیشتر از نهضتهای آزادی زن در اروپا. او می‌گفت که در شب ازدواجش به شوهر هاج و واجش گفته بود که بایستی درآمد گله‌ها را در اختیار او بگذارد، زیرا او می‌تواند ارقام را در ذهنش جمع و ضرب کند، حال آنکه شوهرش با تکه چوبی بر روی شنها این کار را انجام می‌داد. علاوه بر این، شوهر عمه‌ام هرگز زن دیگری اختیار نکرد، زیرا زنانگی عمه خانم را کافی می‌دانست.

عمه‌ام با دهان بی‌دندان می‌خندید و به من اعتراف می‌کرد که راز تحت سلطه درآوردن مرد در ارضای جنسی اوست. در کودکی مفهوم کلماتش را درک نمی‌کردم، امّا بعدها با خود فکر می‌کردم که چه شور و حرارتی چادر عمه و شوهر عمه‌ام را به لرزه درمی‌آورد.

پس از مرگ زودهنگام شوهرش، عمه‌ام اعتراف می‌کرد که جای خالی نوازشهای ملایم شوهرش را احساس می‌کند، و همین خاطره‌هاست که مانع از ازدواج مجدد او می‌شود.

و من در طول سالها، با غبطه و حسرت راز عمه‌ام را حفظ کرده بودم.

افراد خانواده‌ام ساعتها به خواندن کتاب می‌پردازند و سرانجام خود را دلداری می‌دهند که هیچ فرد زنده‌ای در خارج از خانوادهٔ نزدیکان، از اسراری که در کتاب بر ملا شده است، آگاه نیست.

احساس می‌کنم که افراد خانواده‌ام نفس راحتی می‌کشند. به علاوه، سایهٔ تحسینی را در چشمان آنها می‌بینم؛ تحسین این واقعیت که من با مهارت، رویدادهای بااهمیت را تغییر داده و مانع از هجوم مقامات مذهبی به درِ خانه‌ام شده‌ام.

پدرم به خواهرهایم اخطار می‌کند که در مورد موضوع بحث جلسهٔ خانوادگی چیزی به شوهرانشان نگویند، زیرا شوهرها نیز احتمالاً این موضوع را با خواهر و یا مادرانشان در میان خواهند گذاشت. جلسه خاتمه می‌یابد.

پدرم مصرانه از من می‌خواهد که در مجامع ظاهر نشوم و عمل خلافم را

به گوش همگان نرسانم و این راز باید تنها در میان افراد خانواده باقی بماند. پدرم هشدار می‌دهد که در صورت برملا شدن راز کتاب نه تنها احتمال دستگیری و زندانی شدنم وجود خواهد داشت، بلکه تنها پسرم، عبدالله، نیز از اجتماع ویژه‌ای که چیزی را بالاتر از سلطهٔ کامل مرد بر زنانش نمی‌داند، رانده خواهد شد.

من به نشانهٔ مصالحه چشمانم را پایین می‌اندازم و قول همکاری می‌دهم. امشب قلبم روشن است. من به راز بزرگی پی برده‌ام: مردان خانواده‌ام چون دانه‌های زنجیری به من متصل‌اند و وحشت آنها از عدم سلطه بر زنان خانواده‌شان آنها را محبوس ساخته است، همان‌گونه که آنها مرا محبوس ساخته‌اند.

در حالی که به پدر و برادرم شب‌به‌خیر می‌گویم، با خودم فکر می‌کنم قدرت و استبداد کامل، دست صاحب قدرت را سمّی می‌سازد.

علی که نتوانسته خونم را بریزد، در زمان خداحافظی دلخور و گرفته است. چیزی بیش از دستگیری من او را راضی نمی‌کند، امّا در عین حال تحمّل این خواری را که همخون من است، نخواهد داشت.

من با گرمی فراوان با او خداحافظی می‌کنم و در گوشش نجوا می‌کنم: «علی، باید بدانی که همه‌کس در زیر غل و زنجیر تسلیم نمی‌شود.»

این پیروزی بزرگی است!

کریم در طول راه گرفته و ساکت است. سیگار پشت سیگار دود می‌کند و به بهانه‌های مختلف به رانندهٔ فیلیپینی ناسزا می‌گوید.

من سرم را به شیشهٔ پنجرهٔ اتومبیل تکیه داده‌ام و بیرون را نگاه می‌کنم، اما چیزی از خیابانهای ریاض نمی‌بینم. خودم را برای جدال بعدی آماده می‌کنم، زیرا به خوبی می‌دانم که نمی‌توانم از خشم فراوان کریم بگریزم.

در اتاق خوابمان، کریم کتاب را به دست می‌گیرد و صفحاتی از آن را که به نظرش اهانت‌آمیز می‌رسد، با صدای بلند می‌خواند: «شوهرم که ظاهری

مهربان و با درایت دارد، در درون موجودی خودخواه است، و من با نفرت دریافتم که او تنها پوستهای از یک مرد است!»

ناگهان دلم برای شوهرم میسوزد. هیچکس دوست ندارد که نقاط ضعفش آشکار شود. امّا با احساساتم مبارزه میکنم و اعمال شوهرم را که مرا به درد و رنجی فراوان مبتلا ساخت و در کتاب به تصویر درآمد، به خودم یادآوری میکنم.

بر سر دوراهی قرار گرفتهام. نمیدانم بخندم یا گریه کنم.

کریم با رفتار افراطیاش مشکلم را حل میکند. دستهایش را با شدّت تکان میدهد و پایش را به زمین میکوبد. به یاد نمایش خیمهشببازیای میافتم که هفتهٔ گذشته در قصر خواهرم تماشا کردم. هر چه بیشتر او را نگاه میکنم، بیشتر به شباهتش با «گوها»، شخصیت خیالی دوستداشتنی امّا عجیب و غریب دنیای عرب، پی میبرم. گوها در نمایش خیمهشببازی شخصیت احمقی بود که روی صحنه بالا و پایین میپرید و سعی میکرد خود را از موقعیتهای پیچیده رهایی بخشد.

لبهایم از شدّت خندهای که به زحمت پنهان کردهام، به لرزه درمیآید. هر لحظه انتظار دارم که شوهرم خودش را به زمین بیندازد و حرکات بچگانهای به نمایش بگذارد.

کریم ناسزا میگوید. صورتش از شدت شرم و خشم برافروخته است. شاید به دلیل عدم توانایی سلطه بر همسرش دچار خشم شده است.

کریم با نفرت به من خیره میشود. «سلطانه، لبخند نزن. من واقعاً عصبانیام.»

در حالی که هنوز هم با احساسات مختلفی دست و پنجه نرم میکنم، میگویم: «چیزهایی را که در کتاب میخوانی، انکار میکنی؟»

کریم حرف مرا ناشنیده میگیرد و احمقانه فصلی از کتاب را که در آن به توصیف خصوصیات ناپسندش پرداخته و دلایل گریز از زندگی زناشوییام را توصیف کردهام، دنبال میکند.

حالا دیگر کلمات کتاب را با فریاد میخواند. «وای چقدر دلم میخواست با

مبارزی شجاع پیوند زندگی می‌بستم؛ مردی که بتواند با شور و حرارت زندگی‌اش را هدایت کند.»

با خواندن هر کلمه، خشمش افزایش می‌یابد. کتاب را جلوی صورتم می‌گیرد و به کلماتی اشاره می‌کند که اهانت‌آمیزشان می‌یابد. «شش سال پیش سلطانه دچار نوعی بیماری مقاربتی شد. کریم اعتراف کرد که هر هفته با زنان بدکاره‌ای که از خارج از عربستان به همین منظور وارد کشور می‌شوند، همخوابه می‌شود. کریم به سلطانه قول داد که از چنین مجالسی اجتناب کند. امّا سلطانه اعتقاد دارد که شوهرش در قبال چنین موقعیتی قدرت مقاومت ندارد و به یقین هنوز هم بدون هیچ شرمی به این کار ادامه می‌دهد. عشق باشکوه آنها تنها در خاطره‌شان زنده است. سلطانه می‌گوید که به خاطر دخترانش در کنار همسرش باقی می‌ماند.»

شدّت خشم کریم از خواندن این کلمات آن‌قدر زیاد است که انتظار دارم هر لحظه به گریه بیفتد. شوهرم مرا متهم به «سمی کردن بهشت زندگی‌مان می‌کند.» او ادعا می‌کند که «زندگی‌مان کامل است.»

باید اعتراف کنم که در سال گذشته، تا اندازه‌ای عشق و اعتماد گمشده‌ام نسبت به کریم را از نو کسب کرده‌ام. امّا در لحظاتی از این دست است که ترس و وحشت از بزدلی مردان خانواده‌ام، سراپای وجودم را تسخیر می‌کند. من دریافته‌ام که کریم هرگز به دلیلِ واقع در پسِ عملی که انجام داده‌ام، و اینکه چرا زندگی و موهباتش را به خطر افکنده‌ام، فکر نخواهد کرد، و یا به رویدادهای حقیقی فاجعه‌آمیزی که به زندگی زنان معصوم سرزمینش خاتمه می‌بخشد. تنها نگرانی کریم به دلیل تصویری است که از او در کتاب شاهزاده خانم رسم شده است، و اینکه شخصیت بارزی از او در فصول متعدد کتاب به نمایش در نیامده است.

به شوهرم می‌گویم که تنها او و مردان دیگر سعودی‌اند که می‌توانند تغییرات لازم را در این سرزمین ایجاد کنند. آنها به آرامی و با رفتاری سنجیده قادر به ایجاد دگرگونی‌اند. و زمانی که او ساکت می‌ماند، درمی‌یابم که مردان عربستان سعودی قدرتشان را به خاطر همسرانشان به خطر نمی‌افکنند. آنها دیوانه‌وار

به تاج سلطنتشان عشق می‌ورزند.

به کریم می‌گویم که خارج از اعضای خانواده، کسی جز نویسندهٔ کتاب به هویتش پی نخواهد برد، و آنهایی که او را می‌شناسند، با خصوصیات خوب و بدش آشنا هستند، حتی بدون خواندن کتاب.

کریم در کنارم می‌نشیند و چانه‌ام را با انگشتش بلند می‌کند و با حالتی التماس‌آلود می‌پرسد: «تو در مورد بیماری مقاربتی من با جین ساسون حرف زدی؟»

و با شنیدن پاسخ من، سرش را با تأسف از سویی به سویی تکان می‌دهد. حالا دیگر از همسرش ناامید شده است. «سلطانه، هیچ چیز برای تو مقدس نیست؟»

بسیاری از جنگ و جدالها به عاقبت خوشی ختم می‌شود. امشب نیز فرجام غیرمنتظره‌ای دارد، و با حیرت می‌شنوم که کریم می‌گوید هرگز مرا این همه دوست نداشته است.

ناگهان گرایش غریبی نسبت به شوهرم احساس می‌کنم. او احساسی را در من بیدار کرده است که سالهاست به دست فراموشی سپرده‌ام. حیران مانده‌ام که چگونه می‌توانم در آنِ واحد مردی را دوست بدارم و از او نفرت داشته باشم.

ساعتی بعد، زمانی که کریم به خواب می‌رود، من در کنارش بیدار می‌مانم و لحظه‌ها و حوادث روز را از نو در ذهنم زنده می‌کنم. به رغم فرجام خوش امشب ــ کسب تضمین حمایت از سوی خانواده‌ام (صرفاً به دلیل ترس از مجازات دربار) و تجدید حیات زندگی زناشویی‌ام ــ هنوز هم احساس آرامش نمی‌کنم، تا زمانی که تغییرات اجتماعی لازم برای زنان سرزمینم انجام گیرد؛ زنانی که در غم و اندوهشان سهیم هستم. این نیاز مرا وادار می‌سازد که برای کسب آزادی شخصی‌ام تلاش کنم و در جهت آزادی زنان سعودی گام بردارم.

از خودم می‌پرسم: من مادر دو دختر نیستم؟ تعهدی در قبال دخترانم و دختران آنها ندارم؟

لبخند می‌زنم و باز هم خاطرهٔ نمایش خیمه‌شب‌بازی‌ای را که در کنار

فرزندان سارا و در قصر او به تماشا نشستم به یاد می‌آورم، و کلمات گوها را. «آیا سگ بیابانی با دیدن تکه استخوانی که جلویش پرت می‌شود، دیگر برای دفاع از اربابش پارس نمی‌کند؟»

فریاد می‌کشم: «نه!» کریم بیدار می‌شود و می‌نشیند و چشمهایش را می‌مالد. من با کلماتی شیرین او را می‌خوابانم.

در آن لحظه درمی‌یابم که هرگز صدایم را در نطفه خفه نخواهم ساخت. تنها جامعۀ جهانی است که برای من تصمیم خواهد گرفت و زمان سکوت و خاموشی‌ام را تعیین خواهد کرد. تا زمانی که انسانها گوششان را به روی ناله‌های زنان دردمند می‌بندند، من با آوایی بلند حقایق را به گوش جهانیان خواهم رساند ــ آنچه را در زیر حجابی سیاه‌رنگ اتفاق می‌افتد. این تقدیر من است.

تصمیم خود را گرفته‌ام. به رغم قولی که از روی ترس به پدرم داده‌ام، در سفر بعدی به خارج از عربستان سعودی، با دوستم جین ساسون تماس خواهم گرفت. هنوز وظایفم به آخر نرسیده است.

زمانی که چشمهایم را می‌بندم تا به خواب بروم، به زن دیگری مبدل شده‌ام؛ زنی که با سلطانۀ دیروز متفاوت است، متمرکزتر و در عین حال غمگین‌تر است، زیرا به خوبی آگاهم که به رغم مجازاتی که در انتظارم خواهد بود ــ حتی مجازات مرگ ــ باز هم به استقبال خطر خواهم رفت. امّا شکست از چنین مجازاتی دردناک‌تر و تلخ‌تر خواهد بود، زیرا آن را برای همیشه احساس خواهم کرد.

۲

مــهـا

هرچه ممنوعیتهای بیشتری بر تو اعمال شود، کمتر احتمالش هست که فرد بافضیلتی شوی.

ــ دائو دِ جینگ

یک نکته برای من و کریم ثابت شده است: هر که را بیشتر دوست داشته‌ایم، بدتر از آب درآمده است. عبدالله، پسرمان و نخستین فرزندمان، آزارمان می‌دهد؛ مها، بـزرگ‌تـرین دخـترمان، مـا را دچـار وحشت می‌سـازد؛ و امـانی، کـوچک‌تـرین دخترمان، ما را دچار حیرت می‌کند.

زمانی که تنها پسرمان، عبدالله، با لبخندی کودکانه موفقیتهایش را در میدان فوتبال برایمان نقل می‌کرد، هرگز آینده را پیش‌بینی نمی‌کردم. من و کریم با حالتی طلسم‌شده به او نگاه می‌کردیم و تحسینش می‌کردیم. عبدالله از دوران کـودکی مهارتهای ورزشی‌اش را عیان ساخته بود، و این مایهٔ مباهات پدر ورزشکار و ورزش‌دوستش بود. ما با افتخار و سربلندی به داستانهای موفقیت پسرمان گوش می‌کردیم و به دخترها توجهی نشان نمی‌دادیم. آن دو نیز با بـازیهای ویـدیویی خود را سرگرم می‌کردند.

روزی با صدای فریاد امانی من و کریم به خود آمدیم. و ناگهان عبدالله را در شعله‌های آتش یافتیم. لباسهایش آتش گرفته بود.

پسرمان در آتش می‌سوخت!

کریم طبق غریزه‌اش عبدالله را روی زمین انداخت و با پیچاندن او در قالی ایرانی، شعله‌ها را خاموش ساخت.

پس از آنکه از نجات یافتن فرزندمان از چنگال حریق اطمینان یافتیم، کریم در صدد یافتن منبع حریق غیرمنتظره برآمد.

من فریاد زدم که آتش نتیجهٔ چشم شوری است که زندگی‌مان را تهدید می‌کند، و پسر زیبایمان را.

در حالی که اشکهایم را از صورتم پاک می‌کردم، به طرف دختر‌ها رفتم تا آرامشان کنم. امانی بیچاره! هق‌هق گریه بدنش را به لرزه درآورده بود. او را در آغوش کشیدم و با دست دیگر مها را نیز به آغوش دعوت کردم، و ناگهان با وحشت قدمی به عقب رفتم، زیرا چهرهٔ مها را نقاب ترسناکی از نفرت و انزجار پوشانده بود.

پس از تحقیق در مورد علت حریق، به حقیقت تلخی پی بردیم: مها لباس برادرش را به آتش کشیده بود.

مها که به معنی «غزال» است، نام مناسبی برای دخترم نیست. او از ده سالگی روشن ساخته که از انرژی پایان‌ناپذیر مادرش برخوردار است. اغلب با خودم فکر می‌کنم که ارواح شیطانی و ارواح پاک و منزّه در اطراف مها در جدال‌اند، و اغلب روح شیطانی است که غلبه می‌یابد. نه زندگی اشرافی و نه عشق بی‌قید و شرط خانواده، نتوانسته روح مها را مهار کند.

تا آنجا که امانی و عبدالله به خاطر می‌آورند، مها همیشه آنها را آزار داده است بی‌آنکه توجیهی برای کژرفتاری‌اش داشته باشد. کمتر کودکی است که چون مها خانواده‌اش را دچار بحرانهای متعدد نماید.

در ظاهر، مها دختری بی‌نهایت جذاب و زیباست و شخصیتی بسیار اغواگر دارد. او چهرهٔ زیبای یک رقاصهٔ اسپانیایی را دارد با موها و چشمهایی سیاه، و در

کنار این زیبایی خارق‌العاده، ذهنی بارور نیز دارد. از بدو تولدش همواره فکـر می‌کردم که دخترم از موهبات بی‌شماری برخوردار شده است. امّا مها با وجـود توانایی‌های وافرش قادر به تمرکز بر هیچ هدفی نیست، و بنابراین قادر به استفاده از ذهن بارورش در هیچ زمینهٔ واحدی نبوده است. من در طول سالها شاهد آغاز صدها برنامهٔ رنگارنگ و سپس کنار گذاشته شدن سریع آنها از سوی او بوده‌ام.

یک بار کریم به من گفت که دخترمان زیبارویی است با ذهنی پر تـلألؤ، کـه متأسفانه هرگز قادر به رسیدن بـه هیـچ یـک از هـدفهایـش نـخواهـد شـد. ایـن بزرگ‌ترین ترس کریم در مورد مهاست و بزرگ‌ترین ترس من در این زمینه، روحیهٔ انقلابی اوست که دنبال بلوا می‌گردد.

من از آنجایی که خود نیز از چنین روحیه‌ای برخوردارم، به خـوبی بـا درد و عذاب ناشی از آن آگاهم.

در سالهای کودکی مها، این امر مسئلهٔ بزرگی به نظر نمی‌رسید. او دیوانه‌وار پدرش را می‌پرستید و با بالا رفتن سنش، بر شدّت این عشق افزوده شد.

اگرچه کریم به دخترانش چون تنها پسرش عشق مـی‌ورزیـد و هـرگز رفتار ظالمانهٔ پدرم را نسبت به دخترانش در پیش نمی‌گرفت، سنتها کریم و عبدالله را در خارج از محیط خانه بیشتر به یکدیگر نزدیک می‌ساخت. این اصل بسیار مهم فرهنگ اسلامی ما، نخستین ضربه‌ای بود که به مها وارد شد.

حسادت غریب مها نسبت به رابطهٔ محبت‌آمیز کریم و عبدالله، دوران غمناک کودکی‌ام را به خاطر می‌آورد ــ دخترک نوجوانی که به وسیلهٔ سنتهای خشـن اجتماعی که در آن تولد یافته بود، به غل و زنـجیر کشـیده شـده بـود. و درسـت به همین دلیل نتوانستم به عمق نارضایی دخترم پی ببرم.

پس از آنکه مها لباس عبدالله را به آتش کشید، ما دریافتیم کـه احسـاس مالکیتش نسبت به کریم ماورای عشق طبیعی دختری به پدرش است. مها ده ساله بود و عبدالله دوازده ساله. امانی فقط هفت سال داشت، اما خواهرش را دیده بود که بازی ویدیویی را رها کرده و به جانب فندک طلای کریم رفته بـود و گـوشهٔ لباس عبدالله را به آتش کشیده بود. و اگر امانی فریاد نکشیده بود، عبدالله دچار

جراحات سنگینی می‌شد.

دومین حادثهٔ تکان‌دهنده زمانی رخ داد که مها یازده ساله بود. ماه گرم اوت بود. خانوادهٔ ما بیابان گرم ریاض را رها کرده و عازم قصر ییلاقی خواهرمان، نورا، در منطقهٔ کوهستانی طائف شده بود. پس از سالهای متمادی، نخستین‌بار بود که پدرمان در گردهمایی فرزندان همسر اولش شرکت می‌کرد، و تمامی توجّه خود را به نوه‌های پسری مبذول کرده بود. پدرم در حالی که قد و بالای عبدالله را می‌ستود، مها را کاملاً نادیده گرفت. مها مصرانه آستین پدرم را می‌کشید و می‌خواست لانهٔ مورچه‌ای را که بچه‌ها ساخته بودند و با افتخار نمایش می‌دادند، به پدرم نشان دهد. پدرم را دیدم که مها را به گوشه‌ای راند و عبدالله را در آغوش کشید.

روح مها زخمی شده بود و بی‌توجهی پدرم او را آزرده‌خاطر ساخته بود. قلبم به درد آمد، زیرا من نیز با درد مها آشنا بودم.

من که از تواناییهای شیطانی مها به خوبی آگاه بودم، به جانب دخترم حرکت کردم تا او را دلداری دهم، امّا مها حالت مردانه‌ای به خود گرفت و سیل ناسزا و کلمات رکیک را به جانب پدرم روان کرد.

گردهمایی خانواده در همان لحظه در هم شکست. اگرچه در این میان مها تحقیر شده بود، این فکر به سرعت از ذهنم عبور کرد که دخترم نقطه ضعف پدرم را به او گوشزد کرده بود.

پدرم که هرگز نظر خوشی نسبت به جنس مؤنث نداشت، اکنون بدون هیچ تظاهری احساسات واقعی‌اش را نمایان ساخت و فریاد کشید: «این موجود وحشتناک را از جلوی چشمانم دور کنید!»

من به سادگی می‌دیدم که دخترم احساس حقارت و نفرت پدرم نسبت به مرا بیدار کرده است. او با نگاهی تحقیرآمیز مادر و دختر را می‌نگریست و من زمزمه‌اش را شنیدم که گفت: «گرگ‌زاده عاقبت گرگ شود.»

در یک چشم به هم زدن، کریم مها را از زمین بلند کرد و ناسزاگویان از جلوی چشم پدرم دور ساخت تا دهانش را با صابون بشوید. صدای گریه‌های خفهٔ مها از

درون باغ به گوش می‌رسید.

پدرم خیلی زود ما را ترک کرد، امّا قبل از آن به خانواده اعلام کرد که خون شیطانی من در رگهای دخترانم نیز جاری است.

امانی کوچک که نسبت به چنین اتهاماتی بسیار حساس است، از حال رفت. از آن روز به بعد پدرم هرگز نام دختران مرا بر زبان نیاورده است.

رفتار خصومت‌آمیز مها پس از حادثهٔ طائف اندکی تغییر یافت و گه‌گاه نشانه‌هایی از مهربانی را به نمایش درمی‌آورد. من و کریم تلاشهای خود را افزون ساختیم تا به مها ثابت کنیم که دخترانمان را کمتر از عبدالله دوست نداریم، و اگرچه شیوه‌مان در چهاردیواری خانه مؤثر واقع گشت، مانع از آن نبود که مها به تبعیضات اجتماعی زن و مرد پی نبرد. این سنت آزاردهنده نه تنها در میان تمام خانواده‌های سعودی، بلکه در خانوادهٔ من نیز رایج است و آنها تمامی توجّه و محبت خود را نثار فرزندان پسر کرده، فرزندان دختر را نادیده می‌گیرند.

مها دخترکی باهوش بود که به آسانی فریب نمی‌خورد و حقایق ظالمانهٔ دنیای عرب در روحش نفوذ کرده بود. من با قاطعیتی هراس‌آور اعتقاد داشتم که مها قله‌ای آتشفشانی است و روزی دهان بازخواهد کرد.

و درست چون بسیاری از مادران امروزی، نمی‌دانستم چگونه به دخترک پریشان‌حال خود کمک کنم.

مها هنگام جنگ خلیج پانزده ساله بود؛ جنگی که هیچ یک از افراد سعودی فراموشش نخواهد کرد. بوی دگرگونی به مشام می‌رسید، و هیچ‌کس به اندازهٔ مها از امکان دگرگونی و آزادی زنها هیجان‌زده نبود. زمانی که شکایات ما به گوش گروهی از روزنامه‌های خارجی رسید، بسیاری از زنان تحصیلکردهٔ سرزمین من به امید روزی نشستند که عباهایشان را بسوزانند و پشت فرمان اتومبیلهایشان بنشینند.

من خود آن‌چنان غرق شعف و هیجان بودم که رابطهٔ بسیار نزدیک مها را با

دختری که بی‌محابا دَم از آزادی زنان می‌زد، نادیده گرفتم.

در نخستین ملاقات با عایشه، احساس ناآرامی کردم ــ نه به دلیل آنکه او به خاندان سلطنتی تعلق نداشت، زیرا من خودم نیز دوستان بسیاری در خارج از خاندان سلطنت داشتم. عایشه از یک خانوادهٔ بسیار معروف سعودی بود کـه ثروت خود را از طریق وارد کردن وسایل و اثاث خارجی به عـربستان و تـزئین کردن ویلاها برای خارجیان کسب کرده بود.

با خودم فکر کردم که دخترک بزرگ‌تر از سنّش به نظر مـی‌رسد. او رفتاری خشن داشت که بوی دردسر می‌داد.

عایشه و مها لحظه‌ای از یکدیگر جدا نمی‌شدند و عایشه ساعات زیادی را در خانهٔ ما می‌گذراند. او نسبت به دخترهای سعودی از آزادی فراوانی بـرخـوردار بود، و بعدها دریافتم که والدینش او را نادیده گرفته بودند و اهمیتی به حضورش در خانه نمی‌دادند.

عایشه در میان یازده خواهر و برادر بزرگ شده بود و بزرگ‌ترین آنها بود. مادر عایشه که تنها همسر قانونی پدرش بود، کاری جز جنگ و جدال با شوهرش بر سرِ مسئلهٔ صیغه کردن زنها نداشت. او اعتقاد داشت که شوهرش از این سنّت اسلامی سوءاستفاده می‌کند و زنهای متعددی را صیغهٔ خود می‌سازد. عقد صیغه‌ای مـی‌تواند از یک ساعت تا نود و نُه سال دوام بیاورد، و زمانی که مرد به صیغه‌اش می‌گوید که زمان جدایی فرا رسیده است، بدون نیازی به اجرای مراسم طلاق، آن دو از هم جدا می‌شوند. فرقه سنّی اسلام که بخش اعظم جمعیت عـربستان را تشکیل مـی‌دهد، صیغه را امری غیراخلاقی می‌پندارد و آن را چیزی جز فاحشگی قانونی نمی‌داند، و با این حال هیچ مقامی در کشور نمی‌تواند مانع از این عمل مرد شود.

مادر عایشه که زنی عرب و متعلق به فرقهٔ سنّی بود، ایـن عـمل شـوهرش را ناشایست می‌یافت و از اینکه عروسهای متعددی به مدت یک شب و یا یک هفته مهمان خانه‌اش می‌شوند، شکایت می‌کرد. پدر عایشه غر و لندهای همسرش را با استناد به روایتی رد می‌کرد. بر طبق این روایت مردی که دارای ثروت و مکـنت بود، می‌توانست در جستجوی زنان متعددی برآید، به شرط آنکه در زمان جدایی

پاداشی برایشان در نظر بگیرد و دستِ خالی رهایشان نسازد.[۱] این روایت تأییدی بر اعمال فرقهٔ شیعهٔ اسلامی محسوب می‌شود، اما در میان سنیها صیغه کردن زنان کمتر رایج است. پدر عایشه در این میان استثنا بود. او زنان جوان را جهت ارضای میل شهوانی خود صیغه می‌کرد.

من در مورد ماجرایی که خواهرم، سارا، از زبان زن بحرینی شیعه‌ای شنیده بود که سالها پیش در لندن با او آشنا شده بود، از عایشه سؤال کردم.

عایشه می‌گفت که پدرش تمایلی به پذیرش مسئولیت دائمی چهار زن عقدی و فرزندان آنها را ندارد، بنابراین هر ماه آدم امینی را که مورد اعتمادش است به اطراف عربستان و به مناطق فقر زده شیعه‌نشین می‌فرستد و در قبال پرداخت پول اندکی، دخترکان باکرهٔ شیعه را برای زمانی کوتاه به خانه‌اش می‌آورد.

عایشه گه‌گاه با این دخترکان جوان طرح دوستی می‌ریخت؛ دخترکانی که چند شبی با وحشت عازم ریاض شده بودند. پدر عایشه پس از رفع نیاز حیوانی‌اش، دخترها را به خانه‌هاشان بازمی‌گرداند و به آنها طلاجات و کیسه‌ای پُر از پول نقد هدیه می‌کرد. عایشه می‌گفت که بیشتر دخترها یازده، دوازده ساله‌اند. آنها از خانواده‌هایی فقیر و بی‌سواد بودند و به نظر می‌رسید که از آنچه بر سرشان می‌آید ناآگاه‌اند. همهٔ آنها دچار وحشت بودند و مردی که عایشه پدر خطابش می‌کرد، به روشهای مختلف آزارشان می‌داد. عایشه می‌گفت که همهٔ دخترها با اشک و ناله می‌خواستند نزد مادرشان برگردند.

این دخترک سنگدل با یادآوری قصهٔ ریما، دخترک سیزده ساله‌ای که از یمن به عربستان آورده شده بود، اشکهایش سرازیر شد. یمن کشور فقیری است که اغلب اتباع آن شیعه‌اند. عایشه می‌گفت که ریما به زیبایی آهو بود.

ریما به قبیله‌ای بدوی تعلق داشت که در اطراف یمن ییلاق و قشلاق می‌کردند. پدر ریما تنها یک زن داشت، اما صاحب بیست و سه فرزند بود که هفده تن از آنها دختر بودند. مادر ریما در دوران جوانی بسیار زیبا بود و اگرچه به دلیل زایمانهای

---

۱. این روایت عیناً از متن اصلی برگردانده شده و صرفاً منعکس‌کنندهٔ شنیده‌های نویسنده است. ــم

مکرر پیر و فرتوت و خمیده شده بود، هفده دختر زیبا به دنیا آورده بود. ریما با افتخار می‌گفت که آوازهٔ زیبایی خانواده‌اش تا صنعا، پایتخت یمن نیز رسیده است.

خانوادهٔ ریما بسیار فقیر بود و تنها مالک سه شتر و بیست و دو گوسفند بود. به علاوه، دو تن از شش برادر ریما به دلیل زایمان دشوار مادر علیل شده بودند. یکی از آنها با داشتن پاهایی کج و معوج قادر به راه رفتن نبود، دیگری دارای حرکاتی غریب بود که مانع از کار کردنش می‌شد. به همین علت پدر ریما درصدد برآمد که دخترانش را به بالاترین قیمت پیشنهادی بفروشد. در طول تابستان، خانوادهٔ ریما از میان گذرگاههای کوهستانی عبور می‌کرد و به شهر می‌آمد و دختری که بر اساس ارزشهای اسلامی به سن ازدواج رسیده بود، به فروش می‌رفت.

ریما یک سال قبل، در دوازده سالگی بالغ شده بود. او فرزند محبوب مادرش بود و همواره از برادران علیلش پرستاری می‌کرد. خانوادهٔ ریما به پدر التماس کردند تا اجازه دهد ریما چند سالی بیشتر در کنارشان بماند، امّا پدر با حزن و اندوه اعلام داشت که نمی‌تواند. پس از ریما دو پسر به دنیا آمده بودند و خواهر بعدی تنها نُه سال داشت. خواهر کوچکتر به دلیل سوءتغذیه لاغراندام و کوچک بود و پدر ترس از آن داشت که دخترک هرگز بالغ نشود. پس راهی جز فروش ریما نداشت.

ریما به صنعا برده شد. درحالی‌که پدر در جستجوی داماد پولداری بود، ریما و خواهران و برادرانش در یک کلبهٔ کوچک گِلی اقامت کردند. در روز سوم پدر ریما با نمایندهٔ مرد پولدار عربی به کلبه برگشت. ریما می‌گفت که پدرش بسیار هیجان‌زده به نظر می‌رسید، زیرا نمایندهٔ مرد پولدار مقدار هنگفتی طلا برای خریدن این دخترک زیبا پیشنهاد کرده بود.

نماینده اصرار داشت که قبل از پرداخت پول، ریما را ببیند. معمولاً مرد یمنی چنین پیشنهادی را با شمشیر پاسخ می‌دهد، امّا این پول هنگفتی بود و پدر ریما پیشنهاد را پذیرفت. ریما می‌گفت که نمایندهٔ مرد سعودی سراپای او را بررسی کرد، درست مثل پدرش که شترها و گوسفندها را در بازار معاینه می‌کرد. گفت که

او از قبل خود را برای رویارویی با چنین صحنه‌ای آماده کرده بود، زیرا می‌دانست که به زودی به خانوادهٔ ثروتمندی فروخته خواهد شد. امّا با نزدیک شدن نمایندهٔ مرد سعودی که قصد داشت دندانهای ریما را معاینه کند، دخترک او را با انزجار به عقب راند.

نمایندهٔ مرد سعودی وضعیت ریما را رضایت‌بخش اعلام کرد و بخشی از قیمت دخترک را پرداخت. خانوادهٔ ریما این پیروزی بزرگ را جشن گرفتند و گوسفند چاق و چلّه‌ای قربانی کردند، و نماینده مدارک ریما را برای پرواز به عربستان آماده کرد. پدر ریما با خوشحالی اعلام کرد که با پول به دست‌آمده می‌توانند چهار سال دیگر زندگی کنند، تا زمانی که خواهر کوچکتر ریما به سن بلوغ برسد.

ریما نگرانیهایش را به دست فراموشی سپرد و حتی احساس هیجان می‌کرد، زیرا پدرش به او گفته بود که از خوش‌اقبال‌ترین دختران عالم است. ریما به زودی در سایهٔ زندگی تجمل‌آمیزی دور از فقر و فاقه قرار می‌گرفت. هر روز گوشت می‌خورد، خدمتکاران متعددی می‌داشت و کودکانش از تحصیلات و تغذیهٔ درست برخوردار می‌شدند. ریما از پدرش سؤال کرد که آیا مرد سعودی برایش عروسکی خواهد خرید که شبیه عروسکی باشد که عکسش را در مجلهٔ کهنه‌ای دیده بود که بچه‌ها در سطل زبالهٔ شهر صنعا پیدا کرده بودند.

پدر ریما به او قول داد که چنین تقاضایی را از مرد سعودی بنماید.

زمانی که نماینده به صنعا برگشت، ریما از حقیقت تلخی آگاه شد. مرد سعودی او را به عقد دائمی خود درنمی‌آورد، بلکه صیغه‌اش می‌کرد و او به طور موقتی در خانهٔ آن مرد زندگی می‌کرد. پدر ریما بسیار خشمگین بود، زیرا حیثیتش به خطر افتاده بود. او دلش نمی‌خواست دخترش با چنین رفتار اهانت‌آمیزی رویاروی شود. به مرد عرب التماس کرد و گفت که پس از این ماجرا، دخترش قادر به یافتن شوهر نخواهد شد، زیرا تازگی خود را از دست خواهد داد و وی ناچار خواهد شد که سالهای متمادی زندگی ریما را تأمین کند تا شوهری او را به عنوان زن بیوه و حقیر بپذیرد.

مرد عرب معامله‌اش را با دسته‌ای اسکناس اضافی چرب و نرم‌تر کرد و تهدید کرد پدر ریما اگر مقاومت کند، بایستی بلافاصله پول را برگرداند.

پدر ریما با اکراه تسلیم شد و گفت که مقداری از پول را خرج کرده است، و با شرم و خجالت چشم به زمین دوخت و به ریما گفت که چاره‌ای جز رفتن با مرد سعودی ندارد و این تقدیر خداوند است، و بعد از مرد عرب خواست که در زمان ترک ریما، شوهری دائمی برای او در عربستان بیابد، زیرا کارگران یمنی بسیاری در سرزمین ثروتمند عربستان کار می‌کردند.

نمایندهٔ مرد سعودی قول داد که هر چه از دستش برآید برای ریما انجام دهد و در صورت عدم موفقیت، ریما را به عنوان خدمتکار در خانه‌اش بپذیرد.

ریما با خانواده‌اش خداحافظی کرد و در میان هق هق گریه‌های برادران علیلش، آنها را ترک گفت.

در طول سفر، مرد عرب به ریما که از همان لحظه دلتنگی می‌کرد، قول داد که برایش عروسکی بخرد، اگرچه مردان مذهبی خرید عروسک را مذموم می‌پنداشتند.

ریما نیز چون اغلب دختران عرب، از مسئولیتهای یک زن به خوبی آگاه بود. او از بدو تولد در اتاق والدینش خوابیده بود و می‌دانست که زن باید در هر زمینه‌ای از شوهرش اطاعت کند.

عایشه می‌گفت که پذیرش و سکوت دخترک در برابر بردگی خود بود که قلب او را به درد می‌آورد. ریما شش روزی را که در خانهٔ عایشه به سر می‌برد فقط گریه کرد، امّا به پدر عایشه اجازه داد که مطابق خواسته‌اش با او رفتار کند.

عایشه می‌گفت که نمایندهٔ پدرش به راحتی کارگری یمنی را که مستخدم یکی از دفاترش بود، به عنوان همسر آیندهٔ ریما انتخاب کرد؛ مردی که حاضر بود ریما را به عنوان همسر دوم خود بپذیرد. همسر اول این مرد در یمن بود و او برای پختن غذا و نگهداری از خانه‌اش به زنی نیاز داشت.

مادر عایشه که زن سنّی متعصبی بود، از وضع ریما دلش به درد آمد و به خانوادهٔ شوهرش شکایت کرد. این عمل موجب هیاهوی زیادی در خانوادهٔ

پدر عایشه گشت، امّا والدین مرد سعودی نمی‌توانستند در این مورد کاری انجام دهند و پسرشان را متقاعد سازند که رفتار ناپسندش را عوض کند. آنها فقط از مادر عایشه خواستند که برای هدایت روح شوهرش به درگاه خداوند دعا کند.

من اغلب از خودم سؤال می‌کنم که بر سر این بچه‌ها، این عروسهای صیغه‌ای، چه می‌آید، زیرا در دنیای اسلام یافتن شوهری خوب برای دختری که باکره نیست، دشوار است. تصور من بر این است که چنین دخترانی که از خانواده‌های فقیری نیز هستند، در نهایت چون ریما و یا دوست دوران نوجوانی من، وفا، با مردی که تفاوت سنّی زیادی با آنها دارد، به عنوان زن دوم و یا سوم ازدواج می‌کنند.

برای دختری چون عایشه که دارای فهم و شعور بود، تحمل زندگی خانوادگی‌اش غیرممکن بود و اعمال ناشایست پدرش سرانجام او را به سقوط غیرقابل اجتناب دوران نوجوانی‌اش سوق داد.

مها که شخصیتی گستاخ داشت، مسحور عایشه شده بود و من که خود سالهای سرکشی‌ام را خوب به خاطر داشتم، بی‌ثمر بودن هشدارهایم را در مورد نزدیک شدن مها به عایشه درک می‌کردم.

در اوج جنگ خلیج، شاه فهد یکی از افراطی‌ترین دستورهای مذهبیون را مهار کرد و آنها را از ایجاد مزاحمت برای خارجیانی که وارد کشورمان می‌شدند، منع کرد. برای مردان خانوادهٔ ما روشن بود که خبرنگاران خارجی به واقعیت زندگی‌شان پی نخواهند برد. خوشبختانه زنان سعودی از این دستور شاه سود بردند. فقدان چشمان تیز و نافذ پلیس مذهبی که همهٔ شهرهای عربستان را تحت نظارت شدید داشتند و در جستجوی زنانی بودند که برخلاف شعائر آنها قدم برمی‌داشتند تا رگبار چوبدستی خود را بر سرشان فرود آورند و یا رنگ قرمز بر سر و رویشان بپاشند، باور کردنی نبود. البته متأسفانه چنین سیاستی تنها تا خاتمهٔ جنگ ادامه یافت، و با این حال ما زنان سعودی در طول آن چند ماه کوتاه توانستیم نفسی به راحتی بکشیم. در طول این زمان، از همهٔ زنان سعودی دعوتی جهانی به عمل آمد تا جایگاه مناسب خود را در اجتماعشان بیابند، و ما احمقانه

تصور می‌کردیم که چنین نهضتی ادامه خواهد یافت.

برای گروهی از زنان ما، چنین آزادی شتاب‌زده‌ای چیزی جز نکبت و بدبختی به بار نیاورد. مردان ما از دیدن رفتار دگرگون‌شدهٔ زن‌ها مأیوس شـده بـودند، بی‌آنکه سردرگمی زن‌ها را که نـاشی از تـناقضات زنـدگی فـعلی‌شان بـود، درک کنند.

حالا می‌فهمم که عایشه و مها، دو دختر سعودی، هنوز از نظر روانی آمادگی پذیرش آزادی کامل را نداشتند.

به دلیل وضع غیرعادی آن زمان، عـایشه بـا مـتقاعد سـاختن خـانواده‌اش داوطلبانه در بیمارستانی به کار پرداخت. بدیهی است که مـها نـیز قـصد داشت الگوی او را تقلید کند، پس هفته‌ای دو روز پس از پایان مدرسه‌اش به بیمارستان می‌رفت. این فرصتی عالی برای مها بود، زیرا اگرچه عبا و روسری به سر می‌کرد، به محض ورود به بیمارستان آنها را در می‌آورد.

پس از خاتمهٔ جنگ، مها حاضر نبود به زندگی گذشته‌اش برگردد. او همچنان به آزادی از دست رفته‌اش آویخته بود و به پدرش التماس مـی‌کرد بـه او اجـازهٔ ادامهٔ کار در بیمارستان را بدهد.

من و کریم با اکراه با او موافقت کردیم. یک روز بعدازظهر که قرار بـود مـها به بیمارستان برود، من به اتاقش رفتم تا اطـلاع دهـم کـه راننده مـنتظر اوست. درست در زمانی وارد اتاق شدم که مها تپانچهٔ کـوچکی را در جـلد چـرمی، در بالای ساق پایش جا می‌داد.

کرخت شده بودم! اسلحه؟ کریم که برای خواب نیمروزی به خانه آمده بود، با شنیدن صدای بگو مگوی‌مان به اتاق مها آمد. پس از جر و بحث فراوان، سرانجام مها اعتراف کرد که از زمان آغاز جنگ، او و عایشه مسلح شـده و خـود را آمـادهٔ مقابله با سربازان عراقی کرده‌اند و حـال کـه جـنگ بـه پایان رسـیده است، مـها احساس می‌کند برای حمایت خود در مقابل پاسداران مذهبی، نیازمند اسلحه خواهد بود ـ مردانی که از نو حملهٔ خود را به زن‌ها آغاز کرده بودند.

پاسداران مذهبی اعضای کمیتهٔ «امر به معروف و نهی از منکر» هستند. حال

که خبرنگاران خارجی سرزمین ما را ترک کرده بودند، آنها فعالیتهای خود را با شدّت بیشتری از سر گرفته بودند و زنها را دستگیر می‌کردند و به زندان می‌انداختند.

مها و عایشه مصمم بودند که علیه عملیات افراطی این افراد که زنان بی‌گناه را هدف خود قرار می‌دهند، به پا خیزند.

من با ترس و ناباوری به دخترم نگاه کردم! آیا او قصد داشت یکی از این افراد را هدف گلوله قرار دهد؟

کریم دریافت که تپانچه متعلق به پدر عایشه است که چون بسیاری از مردهای عرب، مجموعه‌ای از اسلحه‌های مختلف داشت و به ربوده شدن دو تپانچهٔ خود پی نبرده بود. مها اعتراف کرد که تپانچه‌اش پُر از گلوله است و آن دو در پشت خانهٔ عایشه تیراندازی را تمرین کرده‌اند.

کریم در مقابل چشمان وحشت‌زدهٔ مها تپانچه را ضبط کرد و او را به سوی اتومبیل بنزش راند و عذر راننده را خواست و چون دیوانه‌ای به جانب خانهٔ عایشه راند تا اسلحه را برگرداند و والدین عایشه را از عملیات خطرناک فرزندشان آگاه سازد.

ما و والدین عایشه با عجله جلسه‌ای تشکیل دادیم و هر دو دختر به اتاق عایشه فرستاده شدند.

من و مادر عایشه هر دو در چادرهای سیاهمان، در دنیای تفکیک‌شده از جنس مخالفمان، با همدیگر نشستیم و سرنوشت دخترانی را که به دنیا آورده بودیم ارزیابی کردیم. من برای نخستین‌بار از به سر کردن چادر راضی بودم، زیرا به راحتی با نگاهی مملو از نفرت پدر عایشه را تماشا می‌کردم، مردی که قصاب دختران نوجوان بود، و با کمال حیرت دریافتم که او مردی جوان با ظاهری آراسته است.

به خودم گفتم از آنهایی که به شاخه گل سرخی می‌مانند برحذر باش، زیرا حتی گلِ سرخ هم خار دارد. اکنون سرنوشت دخترهایمان سایر مسائل را تحت‌الشعاع خود قرار داده بود و من نمی‌توانستم به اسرار سیاه این خانهٔ

منحوس بیندیشم.

آن روز غروب من و کریم دریافتیم که تا آخرین لحظات عمر این خاطرهٔ تلخ را از خاطر نخواهیم برد.

من اگرچه همواره سنتهای افراطی و رفتارهای غیرعادلانهٔ سرزمینم را زیر سؤال برده و آنهایی را که قوانین اسلام را بر طبق خواسته‌های خود تفسیر کرده‌اند ـ تفسیری نادرست ـ محکوم کرده‌ام، بی‌هیچ تردیدی همیشه به وجود خدای یگانه ایمان داشته‌ام و آخرین پیامبرش، حضرت محمّد(ص) را احترام نهاده‌ام. سه فرزند ما آموخته‌اند که به اصول قرآن و دستورهای حضرت محمّد(ص) احترام بگذارند. حال دیدن فرزندی که همه چیز را به راحتی زیر پا نهاده بود، مرا کِرخت و بی‌جان می‌ساخت.

سرانجام هر دو خانواده اعلام کردند که باید تماس این دو دختر قطع شود و آنها دوستان و علائق تازه‌ای برای خود بیابند. عکس‌العمل مها دیدنی بود. او چادر سیاهش را از صورتش کنار زد، سرش را با خشم بلند کرد و نگاهی که به سوی من انداخت آن‌چنان شیطانی بود که من، مادر مها، کسی که او را در بطن خود پرورش داده بودم، به خود لرزیدم. اگر کلماتش را با گوش خود نشنیده بودم، نمی‌توانستم باورشان کنم.

دخترم با حالتی مصمم فریاد برآورد: «هرگز گفتهٔ شما را قبول نخواهم کرد. من و عایشه این سرزمین لعنتی را که مورد نفرتمان است ترک می‌کنیم و به سرزمین دیگری می‌رویم. ما از اینجا متنفریم. از آن نفرت داریم! حقوق همهٔ زنهای این سرزمین با بی‌عدالتی زیر پا گذاشته می‌شود.»

بدنش از شدت خشم می‌لرزید و آب دهانش از کناره‌های لبان زیبایش روان بود. نگاهش به نگاهم گره خورد. «اگر دختری شرافتمندانه زندگی کند، احمق است. اگر به طور طبیعی زندگی کند، ریاکار است. و اگر اعتقاد به خدا داشته باشد، دیوانه است!»

کریم که قدرت حرکت را از دست داده بود، به زحمت گفت: «مها، تو کافری. داری کفر می‌گویی.»

«کافر؟ نه، خدایی وجود ندارد!»

کریم از جایش جست و لبهای مها را به هم فشرد. مادر عایشه فریادی کشید و از حال رفت، زیرا در سرزمین من چنین کلماتی می‌توانست به بهای جان افراد تمام شود.

پدر عایشه فریاد کشید که این دختر کافر را از خانه‌اش بیرون ببریم.

من و کریم با مها گلاویز شدیم، که در آن لحظات قدرتی باورنکردنی یافته بود. دخترم عقل خود را از دست داده بود! تنها افراد دیوانه از چنین قدرت غیرطبیعی برخوردارند. پس از مدتها کشمکش، من و کریم موفق شدیم او را به صندلی عقب اتومبیلمان برانیم و با سرعت عازم خانه‌مان شویم. در حالی که کریم اتومبیل را می‌راند، من تلاش می‌کردم فرزندم را آرام کنم؛ فرزندی که دیگر مادرش را نمی‌شناخت. سرانجام او آرام گرفت، درست مثل کسی که از حال رفته باشد.

ما پزشکی مصری را به بالین دخترم خواندیم که مورد اعتماد خانواده بود. او در حالی که بی‌ثمر تلاش می‌کرد ما را آرام کند، گفت که چنین اختلالاتی در بسیاری از دختران نوجوان سراسر جهان دیده می‌شود، و آماری را که در مورد این بیماری در دست داشت و ظاهراً تنها دختران نوجوان را مبتلا می‌ساخت، برایمان بیان کرد.

پزشک فرضیهٔ خودش را داشت. او می‌گفت که مها باید چند روزی تحت داروهای آرامبخش قرار گیرد، و پس از آن از این وضعیت عصبی خارج خواهد شد.

پزشک مقدار زیادی داروهای آرامبخش به جا گذاشت و خانهٔ ما را ترک کرد و قول داد که فردا صبح به ملاقات مها بیاید.

کریم از پزشک تشکر کرد و او را تا دمِ در همراهی نمود. پس از آنکه به اتاق بازگشت، من و او نگاهی طولانی و پُر مفهوم رد و بدل کردیم. من به سارا تلفن کردم و از او اجازه خواستم که تا زمان بازگشتمان، عبدالله و امانی در خانه‌اش اقامت کنند. من و کریم مصمم بودیم که مها را به لندن ببریم. او نیاز شدیدی

به درمان روانی داشت. از سارا خواستم که در این مورد با کسی حرف نزند و اگر کسی از افراد خانواده در این مورد از او سؤال کرد، رفتن به دندانپزشک در لندن را دلیل سفرمان ذکر کند.

بسیاری از افراد خاندان سلطنتی سعودی برای امور درمانی خـود، از جـمله معالجهٔ دندان، به خارج می‌روند، بنابراین چنین سفری موجب سوءظن اطرافیان نمی‌شد.

من در حالی که چمدان مها را می‌بستم، ناگهان در میان لباسهایش با مقداری کـتاب و نـوشته‌های نـامناسب رویـاروی شـدم. بسیاری از آنها در زمینهٔ ستاره‌شناسی، جادوی سیاه، و سحر و طلسم بود، و مها در زیر خطوط بسیاری از فصول کتابها خط کشیده بود. با خواندن صفحاتی از کتاب که دستورهایی برای جادو کردن افراد، کشتن آنها و ایـجاد مـصائب دیـگر بـرای دشـمنان بـود، تـنم لرزید.

با دیدن تکه‌ای از لباس عبدالله در میان این خرت و پرتها نفسم بند آمد. لباس عبدالله به دور سنگ سیاهی پیچیده شده بود و دانه‌های خاکستری‌رنگی که قادر به شناسایی آنها نبودم، در لابه‌لای آن دیده می‌شد. در حالی کـه پیشانی‌ام را بـا دست می‌فشردم، از جایم بلند شدم. آیا مها قصد داشت تنها برادرش را بـه قـتل برساند؟ اگر این‌طور بود، من مادری ناکام و شکست‌خورده بودم.

با درد و رنج عمیقی حرکت کردم و با پریشانی به گذشته‌ها بـرگشتم. از روز تولد مها. دخترم چه مـنابعی را بـرای آمـوختن ایـن دروس شـیطانی در اختیار داشت؟

و ناگهان هدی را به خاطر آوردم، کنیز پدرم که سالها قبل مرده بود و قدرتی خارق‌العاده برای پیش‌بینی آینده داشت. امّا هدی قبل از تولد دخترم مرده بود و تا آنجا که من می‌دانستم، هیچ کس دیگری در خانهٔ من قـدرت جـادویی هـدی را نداشت.

ناگهان یخ کردم، انگار ضربتی بر سرم فرود آمد، و چهرهٔ نوره، مادرشوهرم، در مقابل چشمانم جـان گـرفت. پس نوره مـربی دخـترم بـود. او از نـخستین

ملاقاتمان از من نفرت داشت. زمانی که با پسرش ازدواج کردم، دخترکی جوان و احــمق بـودم کـه حـرکـات گسـتاخانه‌ام از هـمان بـدو ورود، مـادرشوهرم را به خصومت واداشت. او که از پسرش ناامید شده بود، زیرا نه طلاقم داده و نه زن دومی اختیار کرده بود، هرگز نظرش را نسبت به من عوض نکرده بود، اگرچه با مهارت انزجارش را در زیر محبّتی دروغین پنهان می‌کرد.

او با آنچه از کریم شنیده بود، به خوبی می‌دانست که مها نقطه‌ضعف زندگی مــن است. او بـه راحتی بـه روح پریشان و سـردرگم مـها پی بـرده بـود و از آسیب‌پذیری او در جهت سرکوب کردن من بهره‌برداری کرده بود.

اکنون روشن بود که چرا نوره هـمواره مـها را بـر سـایر نـوه‌هایش مـرجّـح می‌دانست و تمامی توجّه خود را به این کودک پریشان مبذول می‌داشت. مـها ساعات زیادی را به تنهایی در کنار مـادربزرگش گـذرانـده بـود. نـوره کـه زنی بی‌ایمان بود، وقت تلف نکرده و دخترک بینوا را تحت آمـوزش قـرار داده بـود. چقدر احمق بودم! همواره تصور می‌کردم که نوره به علائق من می‌اندیشد. احمق بودم، زیرا تحت‌تأثیر محبّت بی‌پایان نوره نسبت به مها قرار می‌گرفتم و همواره از صمیم قلب از این عمل او قدردانی می‌کردم. نوره به دلیل نـفرتی کـه از مـن داشت، مصمم گشته بود که فرزندم را، دخترکی را که فاقد ثبات روانی و عاطفی بود، هرچه عمیق‌تر روانهٔ پرتگاهی مهلک کند.

می‌دانستم که باید یافته‌هایم را با کریم در مـیان بگـذارم. مـی‌بایست هـرچـه ظریف‌تر این موضوع را با او در میان می‌گذاشتم، زیرا باور کـردن چـنین امـری برای کریم غیرممکن بود. اگر دقت نمی‌کردم، حقایق دگرگون مـی‌شد و خشـم شوهرم به جانبم روان می‌گشت و نوره با رضایت و شادی در قصرش می‌نشست و به نکبت زندگی عروسش که مادر و همسری ناکام بود، پوزخند می‌زد.

۳

لندن

آرامش و شادی ابدی نیستند و هیچ انسانی نمی‌تواند برای همیشه از این موهبات لذت ببرد. امّا فاجعه و نکبت نیز ابدی نیستند. زمانی که آتش به جان علفها می‌افتد و آنها را نابود می‌سازد، علفهای تازه‌ای در فصل تابستان می‌روید.

ـ حکمت مغولی

تحت تأثیر داروهایی قوی، مها چون مرده‌ای بی‌حرکت بر جا مانده بود، و در این میان من و پدرش تلاش می‌کردیم که راه‌حلی برای این وضع ناگوار بیابیم. در طول سفر هوایی‌مان به لندن، کریم به قطعه‌سنگی می‌ماند که با چهره‌ای پریده‌رنگ، اشیایی را که از اتاق مها با خودم آورده بودم برانداز می‌کرد. او نیز چون من از باورهای خرافی دخترمان وحشت‌زده شده بود.

پس از چند لحظه سکوت، کریم سؤالی را که از آن وحشت داشتم، مطرح کرد. «سلطانه، چطور شد که مها به چنین دیوانگی‌ای رو آورد؟» بعد اخمهایش را در هم کشید و با صدای بلند گفت: «فکر می‌کنی آن دخترک احمق، عایشه، او را به بیراهه کشانده است؟»

خودم را در صندلی‌ام جمع کردم. در این فکر بودم که چطور پاسخ شوهرم را بدهم. ناگهان گفته‌ای از مادر مهربانم را به خاطر آوردم: «مگس هرگز وارد دهانی که می‌داند چه موقع بسته باشد، نمی‌شود.» احساس کردم که زمان مناسبی برای لو دادنِ مادر کریم نیست. کریم برای یک روز به اندازهٔ کافی ضربه خورده بود.

در حالی که لبم را گاز می‌گرفتم و سرم را تکان می‌دادم، گفتم: «نمی‌دانم. ما آنچه را متوجه شده‌ایم به دکتر اطلاع می‌دهیم؛ شاید مها به پزشک اعتماد کند. در این صورت به منشأ گرفتاریهایش پی می‌بریم.»

کریم به نشان تأیید سرش را تکان داد. در طول راه من و کریم به نوبت به خواب می‌رفتیم و یکی از ما مراقب فرزندمان می‌شد که تحت تأثیر داروها چون فرشته‌ای به خواب رفته بود. بدون هیچ دلیلی به یاد شاهزاده خانمی از خاندان سلطنتی سعودی افتادم که عشق غیرمجاز خود را پنهان کرده بود و زمانی که رازش برملا شد، در مقابل جوخهٔ اعدام قرار گرفت.

هر زمان که کریم به خواب می‌رفت، من به صورت مها خیره می‌شدم و آن شاهزاده خانم سعودی را به خاطر می‌آوردم.

نام او میشائیل و نوهٔ شاهزاده محمد ابن عبدالعزیز بود، همان شاهزاده‌ای که از تاج سلطنت محروم شده بود زیرا پدرش اعتقاد داشت که سرباز کژرفتار نمی‌تواند بر تخت سلطنت تکیه زند.

اگرچه دوستی نزدیکی با میشائیل نداشتم، او را در مهمانیهای سلطنتی بارها ملاقات کرده بودم. او در میان خانواده شهرت بدی داشت و او را دخترکی وحشی می‌خواندند. من با خود فکر می‌کردم که شاید سوءرفتار این شاهزاده ناشی از عدم رضایتی است که از زندگی در کنار شوهر سالخورده‌اش احساس می‌کند. در هر حال، شاهزاده خانم حال و روز خوشی نداشت و سرانجام عاشق خالد مُحَلحَل شد که برادرزادهٔ نمایندهٔ عربستان سعوی در لبنان بود.

عشق آتشین آن دو در خفقان اجتماع بستهٔ سعودی غیرممکن به نظر

می‌رسید. بسیاری از افراد خاندان سلطنت به روابط آن دو پی برده بودند و زمانی که قصه‌شان بر سر زبانها افتاد، تصمیم گرفتند از عربستان بگریزند.

خواهر بزرگ‌ترم، نورا، در آن زمان در جدّه بود و از نخستین کسانی بود که قصّهٔ میشائیل را از زبان یکی از اقوام نزدیکش شنید. میشائیل که از غضب خانواده‌اش وحشت داشت، صحنه‌ای کاذب ترتیب داد و به آنها گفت که برای شنا به ساحل خصوصی‌شان در دریای سرخ می‌رود. او لباسهایش را در کنار ساحل به جا گذاشت و سپس با لباس مردانه درصدد گریز از کشور برآمد.

متأسفانه پدر میشائیل از شرورترین و قدرتمندترین مردان سعودی بود. او قصهٔ دروغین مشائیل را باور نکرد. از مقامات خواسته شد که همهٔ مرزهای کشور را ببندند و در جستجوی نوهٔ شاهزاده محمّد برآیند. میشائیل را در فرودگاه جدّه در حال خروج از کشور دستگیر کردند.

در سراسر قلمرو پادشاهی سعودی تلفنها به صدا درآمد. هر یک از اعضای خانواده ادّعا می‌کرد که اصل ماجرا را بیش از سایرین می‌داند. ناگهان شایعه‌ای به گوش رسید که میشائیل را آزاد کرده و به او اجازه داده‌اند همراه دلداده‌اش از کشور خارج شود. گفتند که همسر میشائیل طلاق او را خواهد فرستاد. بعد یکی از دخترعموهایم با حالتی عصبی به من زنگ زد و گفت که سرِ میشائیل را با سه ضربه از تنش جدا کرده‌اند. علاوه بر آن، پس از اجرای حکم، سرِ بریده به صدا درآمده و از میان لبهایش نام دلدادهٔ میشائیل شنیده شده است و جلاّد از ترس پا به فرار گذاشته است. دخترعمویم از من سؤال کرد که آیا چنین چیزی ممکن است!

و سرانجام حقیقت، حقیقتی تلخ، آشکار گشت. شاهزاده محمّد در اوج خشم، نوه‌اش را زناکار نامیده و او را محکوم به کیفر اسلامی کرده بود. میشائیل و دلداده‌اش محکوم به مرگ شده بودند.

در این دوران فاجعه‌آمیز، شاه خالد پادشاه ما بود که طبیعتی سازگار داشت. او

از شاهزاده محمّد خواست که به آن دو جوان رحم کند. امّا رحم و انصاف با طبیعت این سرباز بدوی بیگانه بود.

در روز اعدام، من و اطرافیانم به انتظار شنیدن اخبار نشستیم. من و خواهرانم امید داشتیم که میشائیل و دلداده‌اش در آخرین لحظه مورد عفو قرار گیرند. همان‌گونه که انتظار می‌رفت، علی اعتقاد داشت که این زن باید به جزای خود برسد و سرش از تن جدا شود.

در یک روز گرم ماه ژوئن سال ۱۹۷۷، چشمهای میشائیل را بستند و او را وادار ساختند بر روی زمین زانو بزند. جوخهٔ اعدام او را مورد هدف قرار داد. دلداده‌اش را مجبور به تماشای این صحنهٔ دلخراش کردند و سپس با شمشیری سر او را از تن جدا نمودند.

یک بار دیگر عشقی غیر مجاز به بهای جان دو دلداده تمام شده بود.

جریان مخفی ماند و فرقهٔ آل سعود امیدوار بودند که این داستان هرچه زودتر اذهان را ترک گوید. امّا آنها اشتباه می‌کردند. میشائیل اگرچه در میان ماسه‌های داغ بیابان به خاک سپارده شد، هرگز فراموش نشد.

بسیاری از غربیها قصّهٔ مرگ او را که به صورت فیلمی درآمد، به خاطر دارند. این فیلم مرگ یک شاهزاده خانم[1] نام داشت. همان‌طور که افراد خانواده‌مان دچار اختلاف‌نظر شدید بودند، این فیلم نیز بگومگوها و خصومتهای زیادی به بار آورد.

مردان خانواده که به سادگی خود را در نقش دیکتاتورها می‌دیدند، از فقدان قدرت خود در جلوگیری از اشاعهٔ اخبار چهار دیواری خاندان سلطنتی به خارج از کشور بسیار خشمگین بودند. شاه خالد به سفیرکبیر انگلستان دستور داد که عربستان سعودی را ترک کند.

بعدها از زبان کریم و اسد، شوهر سارا، شنیدم که مقامات به شدّت در فکر اخراج تمامی اتباع انگلیس از کشور عربستان بودند.

---

1. *Death of a Princess*

و تنشی بین‌المللی بر سر این ماجرا ایجاد شد.

خاطرات گذشته بر ناامیدی‌ام می‌افزود. سرم را در میان دستهایم نگه داشتم. اکنون من مادر دختری بودم که دیوانه شده بود. آیا احتمال آن می‌رفت که مها با اعمال نادرستش فاجعه را به درِ خانه‌مان بکشاند؟ پدر بی‌رحم من نخستین فردی بود که سنگین‌ترین مجازات را برای فرزندم، فرزندی که خونم در رگهایش جاری بود، تقاضا می‌کرد، زیرا مها او را سخت تحقیر کرده بود.

مها تکان خورد.

کریم بیدار شد و یک بار دیگر من و او از ترسهای مشترکمان بر خود لرزیدیم.

در حالی که من و کریم و مها به جانب لندن در حرکت بودیم، سارا تلفنی تدارکات ضروری پزشکی را آماده کرده بود. ما از فرودگاه با سارا حرف زدیم و او گفت یکی از بهترین بیمارستانهای روانی لندن در انتظار پذیرش مهاست. سارا دوراندیشانه، آمبولانسی را هم برای بردن مها از فرودگاه تدارک دیده بود.

پس از آنکه مراحل طولانی و دردناک مقدماتی را برای پذیرش مها در آسایشگاه پشت سر نهادیم، به ما اطلاع داده شد که صبح فردا پزشک مها پس از معاینهٔ اولیه و مشاوره با سایر متخصصان با ما ملاقات خواهد کرد. یکی از پرستارهای جوان بسیار مهربان بود. او دست مرا در دستش نگه داشت و در گوشم گفت که خواهرم، سارا، یکی از معروف‌ترین پزشکان لندن را برای درمان مها یافته است و این پزشک تجارب زیادی در مورد زنان عرب و مسائل منحصربه‌فرد اجتماعی و روانی آنها دارد.

در آن لحظه احساس کردم که به کشوری چون انگلستان غبطه می‌خورم. در کشور من شرمِ ناشی از دیوانگی یک کودک، ذهن و دهان همهٔ هموطنان مرا می‌بندد و انسان هرگز بارقه‌ای از همدردی را در چشمان آنها نمی‌بیند.

من و کریم با غم و درد، فرزندمان را به دست بیگانگان، بیگانگانی با کفایت، سپردیم و سپس سوار اتومبیلمان شدیم و به جانب آپارتمانمان راهی گشتیم.

خدمتکاران خانه که منتظر ورودمان نبودند، یکی یکی با چشمانی خواب‌آلود ظاهر شدند. کریم عصبانی شد که چرا سارا خدمتکاران را از ورود ما به لندن مطلع نساخته. من او را آرام کردم و گفتم در چنین موقعیتی نباید از سارا انتظار داشته باشیم که به فکر آسایش ما نیز باشد.

به دلیل حملهٔ کویت به عربستان و جنگ خلیج، بیش از یک سال بود که به لندن سفر نکرده بودیم، اگرچه آنجا از مناطق مطلوب اروپایی برای من و کریم بود. در غیاب ما سه خدمتکارمان توجهی به ادارهٔ خانه نکرده بودند، اگرچه این دستوری اکید بود که چه در حضور و چه در غیابمان، از خانه و نظافت آن مراقبت کامل بنمایند.

من و کریم آن‌قدر سرخورده و غمگین بودیم که حوصلهٔ شکوه و شکایت نداشتیم. بر روی مبلهای پوشیده با روکش نشستیم و دستور قهوهٔ غلیظ دادیم. خدمتکاران به رغم بیدار شدنشان در ساعت سه صبح، با شدّت به فعالیت پرداختند.

من از آنها به دلیل بیدار کردنشان عذرخواهی کردم. کریم با عصبانیت به من گفت: «سلطانه، هرگز از کسی که برایت کار می‌کند عذرخواهی نکن. تو آنها را بدعادت می‌کنی!»

دلم می‌خواست من هم بر سر شوهرم داد بکشم و بگویم که ما سعودیها هم باید تا اندازه‌ای فروتنی داشته باشیم. امّا در عوض موضوع صحبت را عوض کردم و باز هم در مورد دخترمان به گفتگو پرداختیم.

با خودم فکر کردم که من هم دارم دیوانه می‌شوم، زیرا در طول روز دو مرتبه از جر و بحث با شوهرم خودداری کرده بودم!

پس از آنکه رختخوابمان آماده شد، من و شوهرم به استراحت پرداختیم، امّا هیچ یک قادر به خوابیدن نبودیم.

هرگز شبی چنین طولانی را پشت سر نگذاشته بودم.

روانکاو انگلیسی قیافهٔ غریبی داشت. سر بزرگی بر روی بدن لاغرش خودنمایی

می‌کرد، ابروان پهنی داشت و دماغش اندکی به یک طرف چرخیده بود. من با
حیرت به دستهٔ موهای سفیدی که از گوشها و دماغش بیرون زده بود، خیره شده
بودم. امّا رفتار او برخلاف ظاهرش بسیار دلچسب بود. احساس می‌کردم که با
چشمان نافذ و کوچک و آبی‌رنگش، عمیقاً با مسائل بیمارانش همدردی می‌کند.
دخترم به دست خوب کسی سپرده شده بود.

من و کریم خیلی زود دریافتیم که روانکاو مردی صریح است و آنچه را از
ذهنش می‌گذرد، به زبان می‌آورد. او بدون توجه به ثروت و مقام یا نفوذ شوهرم
در خاندان سلطنتی سعودی، با صراحت به نظام اجتماعی کشورمان اشاره کرد و
سنّتهای ظالمانهٔ آن را علیه زنها تقبیح کرد.

او که به خوبی از سنّتهای سرزمین سعودی آگاه بود، گفت: «من از زمان
کودکی شیفتهٔ شناسایی دنیای عرب بودم و شیفتهٔ کاشفان دنیای عرب، از جمله
فیلبی، برتون، توماس، و البته لارنس. ماجراهای آنها را با شوق و ذوق
می‌خواندم. سرانجام تصمیم خود را گرفتم و با قاطعیت از پدر و مادرم خواستم
که مرا به مصر بفرستند. این کشور عربستان سعودی نبود، امّا آغاز راه بود.
متأسفانه به محض ورود بحران کانال سوئز آغاز گشت، امّا من دیگر به دام افتاده
بودم.»

نگاهش به نقطه‌ای دور خیره ماند. «سالها بعد به قاهره برگشتم و مطبّ
کوچکی دایر کردم و کمی زبان عربی یاد گرفتم.» ‐مکثی کرد و به کریم نگاه
کرد ‐ «و بیش از آنچه لازم بود، به حقایق زندگی‌تان و رفتارتان با زنهایتان پی
بردم.»

کریم ثابت کرد که عشقش به دخترش قوی‌تر از عشقش به حیثیت و شرافتش
است، زیرا هیچ اعتراضی نکرد.

نفس راحتی کشیدم. کریم ساکت مانده بود. چهره‌اش چیزی نشان نمی‌داد.

دکتر خوشحال به نظر می‌رسید. انگار با خودش فکر می‌کرد که این بار مرد
عربی پیدا شده است که کلماتی بی‌معنی در مورد نیاز به زندانی کردن زنها بر زبان
نمی‌آورد.

کریم پرسید: «دخترمان خوب می‌شود؟ کاملاً خوب؟» نگرانی‌ای که در صدایش موج می‌زد، دکتر را از میزان عشق او نسبت به دخترش آگاه ساخت.

من روی لبهٔ صندلی نشستم. احساس می‌کردم صدای ضربان شدید قلبم در گوش‌هایم می‌پیچد.

دکتر دست‌هایش را به هم مالید، انگار که کف دست‌هایش را چرب می‌کرد. نگاهی به کریم و سپس به من انداخت و در حالی که پاسخ ما را می‌داد، صورتش بی‌احساس باقی ماند. «دخترتان خوب می‌شود؟ کاملاً خوب؟ من تنها یک ساعت با او حرف زده‌ام. بنابراین دشوار است که هم‌اکنون قضاوت کنم. من تعداد زیادی از زن‌های عرب را که دچار این اختلال شده‌اند درمان کرده‌ام. مورد او در میان زن‌های عرب، موردی متداول است. معمولاً با گذشت زمان و مراقبت صحیح بهبودی می‌یابند. با در نظر گرفتن علائم بیماری دخترتان، او نیز از این قاعده مستثنی نیست.»

من در میان بازوان شوهرم گریستم.

پزشکِ مها ما را در مطبش تنها گذاشت.

در لندن مها به مدت سه ماه تحت درمان روانی قرار گرفت، و من در کنارش ماندم. پس از آنکه دریافتیم درمان دخترمان طولانی است و مسئلهٔ او در طول چند روز حل نخواهد شد، کریم تصمیم گرفت که به ریاض برگردد و هر سه‌شنبه و پنجشنبه که روزهای ملاقات مها بود، خودش را به لندن برساند.

در طول ملاقات‌ها ما تلاش می‌کردیم به مها آرامش ببخشیم، اما او سرِ جنگ داشت. انگار از آرام حرف زدن و دلیل و منطق وحشت داشت. ما با هیچ روشی قادر به خوشحال کردن او نبودیم. به دستور روانکاو از بگو مگو و جر و بحث با او خودداری می‌کردیم. در آن لحظات، مها با خودش بگومگو می‌کرد و حتی با دو صدای مختلف با خودش حرف می‌زد. روانکاو به ما امید بخشیده بود که او

سرانجام بهتر از آنچه ما انتظار داریم، سلامتی‌اش را به دست خواهد آورد.

و چه ساعاتی که ما برای رسیدن آن لحظه دعا می‌کردیم!

این ملاقاتهای تنش‌زا شوهرم را سخت تحت تأثیر قرار داده بود. کریم در مقابل چشمانم هر روز پیرتر و فرسوده‌تر می‌شد. یک شب به او گفتم: «من به این نتیجه رسیده‌ام که پیر شدن با بالا رفتن سن ارتباطی ندارد. پیری همان شکست اجتناب‌ناپذیر والدین در قبال جوانهایشان است.»

برق ملایمی در چشمان شوهرم ظاهر گشت؛ نخستین نشانهٔ شادی که در طول روزهای متمادی دیده بودم. او با لحنی جدّی گفت که با گفتهٔ من موافق نیست. «اگر گفتهٔ تو حقیقت داشت، سلطانه، پدر رنج‌کشیدهٔ تو می‌بایست پیرترین مرد کرهٔ زمین می‌بود!»

من که نشانه‌ای از زندگی در شوهرم می‌دیدم، با خوشحالی بر شانه‌اش تکیه زدم و احساس کردم که این فاجعهٔ خانوادگی به جای آنکه در میان ما فاصلهٔ بیشتری ایجاد کند، ما را به هم نزدیک کرده است. در آن لحظه به خودم یادآوری‌کردم که هیچ کس نمی‌تواند بدون اشتباه زندگی کند، و مصمم گشتم شوهرم را به خاطر قصد ازدواجش با زنی دیگر و رنجی‌که به من بخشیده بود، عفو کنم. این حادثه سالها پیش رخ داده بود و ما رابطهٔ از هم گسسته‌مان را از نو سر و سامان داده بودیم، امّا تا آن زمان من شوهرم را به دلیل میلش به آوردن زن دیگری به خانه‌اش نبخشیده بودم. من که مملو از احساسات بودم، تصور می‌کردم که پاکباخته‌ام. حالا به دلیل مرد زندگی‌ام به خود تبریک می‌گفتم.

و زمانی از راه رسید که من و کریم شاهد معجزه‌ای بودیم. پزشک مها، همان‌گونه که انتظار داشتیم، نابغه بود؛ درمانگر سرسپرده‌ای که توانائیهای طبیعی‌اش به دخترک وحشت‌زده‌ام آرامش می‌بخشید. او در گمنامی رضایت‌بخشی خود را در محقرترین اتاقک بخش دورافتاده‌ای از بیمارستان محبوس می‌ساخت و آگاهیهای پزشکی و تجارب خود را از زندگی زنان عرب ادغام می‌کرد و اعتماد

بیمارانش، از جمله مها را به خود جلب می‌نمود. با این جلب اعتماد، مها زخمهایش را گشود و سیلی از حسادت، نفرت و خشم از دستهای لرزان او بر روی دفتر یادداشت روزانهٔ ساده‌ای سرازیر گشت.

چند هفته بعد، من و کریم، با خواندن صفحه‌ای از دفتر یادداشت مها به عمق فاجعهٔ عاطفی او پی بردیم. این خیلی بیش از آن بود که تصور می‌کردیم.

زندگی در سرابِ عربستان سعودی

یا

حرمسرای رؤیاها

نوشتهٔ

شاهزاده خانم مها آل‌سعود

در طول تاریخ سیاه عربستان سعودی، زنان جاه‌طلب این سرزمین تنها رؤیای حرمسرایی را در سر می‌پروراندند که مردان قوی‌هیکل آن را احاطه کرده و انواع ابزار سرگرمی را در اختیار آنها بگذارند. در سال روشنگرانهٔ ۲۰۱۰، زمانی‌که نظام زن‌سالاری به قدرت رسید و ملکه‌ای هوشمند حکومت را به دست گرفت، زنها به صورت شخصیتهای معتبر سیاسی، اقتصادی و قضایی جامعهٔ عرب درآمدند.

ثروت بیکرانی که در سال ۲۰۰۰ از طریق چاههای نفتی عربستان اندوخته شده و کشورهای آمریکا و اروپا و ژاپن را به خاک سیاه نشانده بود، قدرت را در دست کشورهای جهان سوم قرار داده بود و عربستان به یقین می‌دانست که نسلهای متعددی از این ثروت بیکران بهره‌مند خواهند شد. زنها با در دست گرفتن قدرت به مقوله‌های اجتماعی پرداختند. مقوله‌هایی که قرنها آنها را به زیر ستم و ظلم کشانده بود.

گروه اندکی از زنها به منسوخ ساختن قانون اختیار چهار شوهر رأی دادند، امّا اکثریت با یادآوری جور و ستم شیطانی مردها در دورهٔ پدرسالاری گذشته، به این نتیجه رسیدند که نظام حاکم اگرچه مطلوب نیست، تنها نظامی است که

به زنهای آسیب‌دیده آرامش خواهد بخشید. لذت عشق ورزیدن که به دست فراموشی سپرده بود، اکنون به ذهن هر زنی راه یافته بود، حتی ملائک، دخترِ ملکهٔ سعودی.

ملائک با شور و حرارتی ناشی از عشق می‌رقصید و در حالی که هدیه‌ای را در میان لبانش نگه داشته بود، از دلداده‌اش می‌خواست که آن را با دندانهایش از میان لبهای او برباید.

ملائک ظریف با پوستی تیره و چهره‌ای لطیف بود. دلداده‌اش، شادی، تنومند و خوش‌بنیه، با عضلاتی به استحکام آهن بود. او که خیال داشت بانفوذترین مرد حرمسرا گردد، به شدت در جهت جلب رضایت ملائک می‌کوشید.

شادی ناگهان با حرکتی سریع سکّهٔ طلا را با دندانهایش از میان لبهای ملائک ربود و ملائک را در میان بازوانش گرفت و او را به پشت پردهٔ نازک حرمسرا کشاند.

ناگهان ملائک چشمانش را باز کرد و در کنار خود زنی را یافت. او همان دلداده‌اش شادی بود که به زنی مبدل شده بود!

ملائک دیوانه‌وار عاشق این زن شد. او ناچار به انتخاب یکی از این دو راه بود: ترس یا عشق. و او عشق را برگزید. زندگی بدون عشق مفهومی نداشت.

او با هزاران حیله و ترفند به زنی مبدل گشت که آن زمانهٔ خاص می‌طلبید.

کریم با رنگ و روی پریده، نوشتهٔ مها را روی میز پزشک نهاد و با سرگردانی سؤال کرد: «معنی این چیست؟» و به دفتر یادداشت اشاره کرد و با لحن اتهام‌آمیزی به دکتر گفت: «شما گفتید که مها پیشرفت کرده است. این نوشته‌ها چیزی جز تراوشهای ذهنی بیمار نیست.»

من با احساس غریزی پاسخ پزشک را می‌دانستم. نفسم بند آمده بود. قادر به حرف زدن نبودم و اتاق را در مِه آبی‌رنگی می‌دیدم. صدای پزشک را انگار از فاصله‌ای دور می‌شنیدم.

پزشک با کریم رفتاری ملایم داشت. «خیلی ساده است. دخترتان به شما می‌گوید که دریافته است مردها دشمنان او و زنها دوستانش هستند.»

کریم هنوز هم مفهوم کلمات پزشک را نمی‌فهمید. با بی‌حوصلگی گفت: «خب، که چه؟»

دکتر چاره‌ای نداشت جز آنکه با کریم صریح باشد. «شاهزاده کریم، دخترتان مها و دوستش، عایشه، دو دلداده‌اند.»

کریم چند دقیقه‌ای بی‌حرکت ماند. پس از آن به مدت سه روز او را از مها دور نگه داشتیم.

مسلمانان اعتقاد دارند که عشق و رابطهٔ جنسی در میان دو نفر همجنس حرام است و قرآن نیز آن را مذموم شمرده است. در عربستان سعودی عشق و رابطهٔ جنسی حتی میان دو جنس مخالف انکار می‌گردد و جامعهٔ ما وانمود می‌کند که هیچ رابطه‌ای بر اساس میل جنسی وجود ندارد. در چنین فضای کاذبی، شهروندان سعودی به انتظارات اجتماعی و مذهبی پاسخی کاملاً مثبت می‌دهند و آنچه را آنها می‌خواهند به زبان می آورند، امّا آنچه انجام می دهند داستانی جداگانه است.

طبیعت اعراب شهوتران است، و با این حال اجتماع ما شهوت را مذموم می‌داند. رابطهٔ جنسی برای همهٔ افراد جالب است، از جمله حکومت سعودی که مبالغ گزافی را صرف سانسورهای مختلف می‌نماید. این دسته از مردها در دفاتر دولتی می‌نشینند و همهٔ نشریات را با دقت بررسی می‌کنند تا مبادا در لابه‌لای آنها اشارهٔ نابجایی به جنس زن و یا رابطهٔ جنسی شده باشد. به ندرت کتاب یا مجله‌ای بدون حذف چند صفحه از مطالبش و یا سیاه شدن جملاتی از آن با قلم سیاهرنگی که همواره آماده است، از زیر سانسور رد می‌شود.

این نوع سانسور علیه همهٔ رفتارهای قراردادی اجتماع، بر همهٔ جوانب زندگی ما تأثیر می‌گذارد، و بر زندگی آنهایی که زندگی ما را تحت سلطه دارند.

اسد، جوان‌ترین برادرشوهرم و شوهرخواهرم سارا، یک بار بـا یک شـرکت فیلمسازی خارجی تماس گرفت تا تبلیغی تلویزیونی برای نوعی مادهٔ خوراکی تهیه کند.

مدیر شرکت خارجی ناچار به تبعیّت از مواد زیر بود:

۱. هیچ زن جذّابی در فیلم تبلیغاتی ظاهر نشود.

۲. اگر زنی در فیلم شرکت کند، بایستی از پوشیدن لباسهای تحریک‌کننده، از جمله دامن کوتاه، شلوار و یا لبـاس شـنا خـودداری کـند. دوربـین تـنها بایستی بر صورت و دستهای زن متمرکز گردد.

۳. هیچ دو نفری نمی‌توانـند از یک بشـقاب غـذا بـخورند و از یک لیـوان، نوشابه.

۴. حرکات تند بدنی نباید وجود داشته باشد (پیشنهاد می‌شود که در صورت شرکت زنی در این فیلم، او یا بنشیند و یا بدون هیچ حرکتی بایستد).

۵. چشمک زدن ممنوع است.

۶. بوسیدن ممنوع است.

۷. بادگلو زدن ممنوع است.

۸. هیچ نوع خنده‌ای شنیده نشود، مگر آنکه برای امر فروش ضروری باشد.

زمانی که امور طبیعی ممنوع شوند، افراد به غیرطبیعیها رو می‌آورند. و من اعتقاد دارم این همان بلایی است که بر سر دخترم آمد.

در سرزمین من، ملاقات زنان و مردان مجرّد ممنوع است و مرد با مرد و زن با زن معاشرت می‌کند. خارجیانی کـه مـدت زمانی در کشـور عـربستان زنـدگی کرده‌اند، به وسعت روابط غیرطبیعی همجنس‌گرایی در سراسر این سرزمین پی برده‌اند.

من در کنسرتها و فعالیتهای زنانهٔ متعددی شرکت کرده‌ام و در آنـجا شـاهد اغواگری و رفتارهای تحریک‌آمیز زنها نسبت به یکدیگر بوده‌ام. گردهماییهای زنانهٔ سرزمین عربستان که مملو از بوی عطرها و زنهای تشنهٔ عشق است در یک

چشم به هم زدن تغییر شکل می‌دهد و به مهمانی بی‌پروایی مبدل می‌گردد که در آن اشعار ممنوعه خوانده می‌شود و رقصهای شهوانی به نمایش درمی‌آید. من شاهد رقصهای گونه به گونهٔ زنهای محجوب و شرمزده با یکدیگر بوده‌ام و گذاشتن قرار ملاقاتهای عاشقانه‌شان را به گوش خود شنیده‌ام. رانندهٔ این زنها در بیرون از محل ملاقات زن با دلداده‌اش به انتظار می‌نشیند و بعد او را به خانه‌اش و نزد شوهرش می‌رساند که خود نیز غروب را در کنار مرد دیگری گذرانده است.

در حالی که رفتار ناشایست مردها نادیده گرفته می‌شود، رفتار زنها تحت نظارت شدید قرار می‌گیرد. این یک قانون است.

چند سال قبل، من بریده‌ای از یکی از روزنامه‌های سعودی برای خواهرانم جدا کردم. این بریده خبر محدودیت احمقانهٔ دیگری را برای زنها اعلام می‌کرد که حاکی از ممنوعیت استفاده از لوازم آرایش در یک مدرسهٔ دخترانه بود. مدتی قبل که اوراق باطله را دور می‌ریختم، این بریده را یافتم.

ممنوعیت استفاده از لوازم آرایش در مدرسه

عبدالله محمّدالرشید، مدیر آموزش و پرورش سعودی، اعلام کرده است که معلمان و شاگردان مدارس دخترانه از استفاده از لوازم آرایش خودداری کنند.

اخیراً در بعضی از مدارس، لباسهای نازک و کفشهای پاشنه‌بلند پوشیده می‌شود. این‌گونه تزئینات مطلقاً ممنوع است. دانش‌آموزان باید یونیفورم مدرسه بر تن داشته باشند و معلمان باید الگوی آنها قرار گیرند. متخلفان با مجازات روبه‌رو خواهند شد.

آنچه را در آن زمان به خواهرانم گفتم، خوب به خاطر می‌آورم. با عصبانیت بریدهٔ روزنامه را جلوی چشمان آنها گرفتم و فریاد زدم: «ببینید! ببینید مردهای سرزمینمان حتی نوع کفش، روبان سر و رنگ لبهایمان را هم تعیین می‌کنند!» خشم خواهرهایم به اندازهٔ من نبود، اما اعتراف کردند که مردها در تب تسلط

بر همهٔ جوانب زندگی ما زنها می‌سوزند، حتی زندگی روزانه‌مان که ظاهراً باید خصوصی باشد.

به عقیدهٔ من همین افکار افراطی بود که دخترم را به آغوش زن دیگری سوق داده بود! در حالی که به شدّت نگران و اندوهناک بودم و رفتار دخترم را محکوم می‌کردم، ناگهان دریافتم که دخترم تحت محدودیتهای وحشتناکی که صرفاً به دلیل دختر زاده‌شدنش به ارث برده بود، آرامش را در آغوش یکی از همجنسان خود یافته بود.

اکنون با دریافتن مسئله، توانایی بیشتری برای حل آن در خود می‌یافتم.

کریم ترس از آن داشت که شخصیت مها تحت تأثیر تجربیاتش قرار گیرد. امّا من که مادر بودم، با او موافق نبودم. به کریم گفتم که مها با در میان گذاشتن اسرار مگویش باکسانی که دوستش دارند، هر لحظه به بهبودی نزدیک می‌شود.

حق با من بود. پس از ماهها درمان، مها راهنماییهای مادرانهٔ مرا پذیرفت. او برای نخستین‌بار در زندگی به مادرش نزدیک شد و با او درد دل کرد. به او گفت که از زمان کودکی‌اش از همهٔ مردها به جز پدرش تنفر داشته است، اما علت آن را نمی‌دانست.

من احساس گناه می‌کردم و از خود می‌پرسیدم که آیا تعصباتم در مورد مردها به جنینی که در بطن من در حال رشد بود، انتقال نیافته است.

مها اعتراف کرد که درد و رنج دورهٔ کودکی‌اش که ناشی از دوری پدر و مادرش از یکدیگر بود، او را نسبت به جنس مخالفش بی‌اعتمادتر کرده است، سؤال کرد: «مشکل پدرم چه بود که ما ناچار به گریز از او بودیم؟»

می‌دانستم مها به دورانی اشاره می‌کند که پدرش قصد ازدواج دوم داشت و من که از چنین موقعیتی نفرت داشتم، از سرزمینم گریختم و فرزندانم را از اردوی تابستانی‌شان در امارات ربودم و به حومهٔ فرانسه نقل مکان کردم، زیرا ساکنان آنجا به آسیب‌دیدگان و دردمندان پناه می‌دهند و بنابراین در طول ماههایی که از راه دور با شوهرم در مورد ازدواج دومش مذاکره می‌کردم، آنجا امن‌ترین پناهگاه ممکن برای فرزندانم بود. چقدر تلاش کردم که کودکانم را از مصائب

زندگی زناشویی ناکامم و جدایی‌ام از کریم دور نگه دارم!

چه احمق بودم! اکنون در نقش مادر، احساس می‌کنم که کمترین اختلاف میان پدر و مادر از چشمان تیزبین فرزندان دور نمی‌ماند و بر احساسات و عواطفشان تأثیر می‌گذارد. شنیدن اعترافات مها که می‌گفت رفتار من بر درد و رنجش افزوده و اجازهٔ نفوذ افکار نادرست را به ذهنش داده بود، بیش از رنجهای گذشته مرا به آتش کشید و باز هم خودم را نسبت به کریم خشمگین یافتم، زیرا او بود که با رفتارش درد و رنج برای کودکانم به ارمغان آورده بود.

مها اعتراف کرد که حتی پس از آشتی من و کریم و به هم پیوستن خانواده، هنوز هم ادامهٔ کشمکش، امنیت آشیانه‌ای را که فرزندانم در آن زندگی می‌کردند به خطر می‌افکند.

من با اصرار دربارهٔ رابطهٔ او و عایشه سؤال کردم. مها اعتراف کرد که در بدو امر از عشق دو همجنس نسبت به یکدیگر ناآگاه بوده و چنین فکری هرگز به ذهنش خطور نکرده بود، تا روزی که عایشه مجلاتی را که از اتاق پدرش برداشته بود، به او نشان داده بود. تصاویر مجله که زنان زیبایی را نشان می‌داد، بسیار اغواگر بود. نخست مها آنها را با کنجکاوی و دقت نگاه کرده بود، زیرا با فرایند تازه‌ای در زندگی‌اش روبه‌رو شده بود، امّا پس از مدتی از تماشای عکسها لذت برده و سرانجام به این نتیجه رسیده بود که عشق زنی به زن دیگر بسیار لطیف‌تر و شاعرانه‌تر از عشق خشن و مالکانهٔ مرد است.

مها اعترافات وحشتناک دیگری نیز داشت.

عایشه، دختری که قبل از آشنایی با مها نیز برخلاف سنتهای جامعه قدم برمی‌داشت، فکری جز کنجکاوی در مورد روابط جنسی پدرش نداشت. او سوراخ کوچکی در کتابخانهٔ مجاور اتاق پدرش تعبیه کرده بود، و در آنجا بود که عایشه و دخترم به تماشای اعمال ناشایست پدر عایشه نسبت به دختران نوجوان باکره می‌ایستادند. مها می‌گفت که فریادهای دخترکان نوجوان او را برای همیشه از داشتن رابطهٔ جنسی با مردها متنفر ساخته است.

مها داستانی باورنکردنی برایم نقل کرد که اگر خودش شاهد آن نبود، پذیرش

آن را دشوار می‌یافتم.

مها گفت که در شب پنج‌شنبه‌ای، عایشه به او تلفن کرده و از او خواسته بود که فوری به خانه‌شان برود. مها می‌گفت که در آن شب من و کریم در خانه نبودیم، و او از یکی از راننده‌ها خواسته بود که او را بلافاصله به خانهٔ عایشه برساند.

پدر عایشه هفت دختر نوجوان را یک‌جا جمع کرده بود. مها نمی‌دانست که دخترکان به عقد پدر عایشه درآمده‌اند و یا صیغهٔ او هستند.

حالا مها از شدت شرم در میان بازوانم گریه می‌کرد و می‌گفت که همیشه آرزو داشته زندگی پُرثمری داشته باشد. او فریاد زد: «چرا من با امانی متفاوتم؟ هر دوی ما هستهٔ واحدی داریم، اما هر یک به گونه‌ای متفاوت ظاهر شده‌ایم!» او همچنان فریاد می‌کشید: «امانی گل رزی زیباست و من خرزهره‌ام.»

من که حکمت الهی را نمی‌دانستم، از پاسخگویی به فرزندم عاجز بودم. او را در میان بازوانم نگه داشتم و به او اطمینان دادم که او نیز در طول باقی‌ماندهٔ عمرش گل رزی زیبا خواهد بود.

سپس دخترک بیمارم دشوارترین سؤالش را مطرح کرد. «مادر، من چگونه می‌توانم مردی را دوست داشته باشم در حالی که از طبیعت واقعی مردها آگاهم؟»

من پاسخی نداشتم، امّا با کمال خوشحالی دریافتم که من و کریم هنوز هم می‌توانستیم به دخترمان امیدوار باشیم.

زمان بازگشت به ریاض فرارسیده بود، امّا پزشک مها به او اجازهٔ ترک لندن را نمی‌داد. کریم با پیشنهاد مالی سنگینی از او دعوت کرد که به ریاض بیاید و پزشک مخصوص خانواده شود.

ما در کمال حیرت با پاسخ منفی او روبه‌رو شدیم. او گفت: «متشکرم. باعث افتخار من است. خوشبختانه، و یا متأسفانه، من حساس‌تر از آنم که قادر به زندگی در عربستان باشم.»

کریم اصرار داشت که مبلغ هنگفتی به روانکاو ببخشد، و حتی تا آنجا پیش رفت که سعی کرد پول را در دست پزشک بگذارد.

پزشک در پاسخ کریم گفت: «آقای عزیز، لطفاً این کار را نکنید. پول و مقام از نظر من آن‌قدر بی‌ارزش‌اند که هرگز مرا به سوی خود نمی‌خوانند.»

کلماتی که پزشک بر زبان آورد اگر با آن لحن ملایم ادا نمی‌شد، به یقین اهانتی بزرگ نسبت به کریم بود!

من در حالی که با تحسین به پزشک خیره شده بودم، ناگهان پاسخ سؤال مها را یافتم، و مدتی بعد به او گفتم که او نیز روزی مرد دلخواهش را خواهد یافت، مردی که لیاقت عشق عمیق او را داشته باشد، زیرا چنین مردانی هنوز هم وجود دارند و من و او یکی از آنها را در لندن ملاقات کرده‌ایم.

با بازگشت به ریاض، منبع اطلاعات جادویی مها برملا گشت. همان‌طور که حدس زده بودم، نوره عامل اصلی این بدبختی بود. مها در مقابل من به پدرش گفت که مادربزرگ او را تعلیم داده و با دنیای سیاه جادو و جنبل آشنا ساخته است. من از او در مورد کت سیاهرنگ عبدالله که با مادهٔ ناشناسی پوشانده شده بود، سؤال کردم. مها انکار کرد و جواب داد که هرگز قصد آزار برادرش را نداشته است، و ما که امیدوار بودیم مها درسش را آموخته باشد، دیگر در این مورد حرف نزدیم.

من میل عجیبی به رویارویی با مادر کریم و انداختن تفی به صورتش داشتم. کریم که متوجه خشم کمین‌کردهٔ من شده بود، عاقلانه مانع از آن شد که همراهش به قصر مادرش بروم. امّا من سارا را تشویق کردم که سری به قصر مادرشوهرمان بزند.

سارا کمی بعد از ورود کریم به قصر نوره، وارد آنجا شد. او در باغ منتظر ماند تا کریم آنجا را ترک کند. می‌گفت که صدای فریادهای کریم و ناله و استغاثهٔ نوره را می‌شنید. کریم به مادرش اخطار کرد که هرگز بدون حضور اطرافیان، به دیدار فرزندان او نیاید.

زمانی طولانی پس از رفتن کریم، هنوز هم صدای ضجه‌های نوره در باغ شنیده می‌شد. «کریم، عزیزترین فرزندم، به سوی مادرت برگرد. من بدون عشق

تو زنده نخواهم ماند!»

سارا مرا متهم کرد که درست مثل مادرشوهرم زن خبیثی هستم، زیرا برق شادی را با شنیدن ماجرای نکبت‌بار مادرشوهرم در چشمانم می‌خواند.

۴

مکّه

خداوند بزرگ و توانا فرمود: «و مردم را به حج فراخوان تا پیاده یا سوار بر شتران تکیده از راههای دور نزد تو آیند.»

— الحج ، ۲۷ : ۲۲

هیچ روشی بـرای مـحاسبهٔ تـعداد مسلمانان دینداری کـه از زمـان حـضرت محمّد(ص) از بیابانهای عربستان عازم مکّه شده و نابود شده‌اند، وجود ندارد. امّا تخمین زده شده است که هزاران نفر در این راه تلف شده‌اند. اگرچه با کمال خوشحالی اعلام می‌دارم که دیگر زائران مکّه با دستهٔ راهزنان صحرا رویاروی نمی‌شوند و نیازی به پیاده پیمودن این راه و یا سوار شدن بر شترهای خمیده برای انجام دادن این فریضهٔ دینی نیست، هنوز هم چنین سفری از دید خارجیان بسیار دشوار است. هر ساله صدها هزار نفر از زائران حج از شهرها، فرودگاهها و بزرگراههای سعودی در مراسم حج شرکت می‌کنند. مراسم حج در یازدهمین ماه سال هجری قمری آغاز می‌گردد و در ماه دوازدهم به پایان می‌رسد.

من در طول جوانی‌ام بارها در این مراسم شرکت کرده‌ام، چه در زمانی که کودکی خندان در آغوش مادرم بودم و چه بعدها که دخترکی سرکش گشتم و در

جستجوی ایجاد ارتباط با خدای خود برآمدم و از او خواستم که به ذهن کودکی غمگین و ناراضی آرامش ببخشد.

و ناگهان با شرم و ناراحتی به خاطر آوردم کـه از زمـان ازدواجـم، هـرگز در مراسم رسمی حج شرکت نکرده بودم.

اگرچه من و کریم و کودکانمان در مراسم حج عمره شرکت کرده بودیم، که در هر زمان از سال قابل اجراست، هرگز در مراسم رسمی، کـه طـی آن مسلمانان فداکاری و اطاعت و رحم و ایمان را در خود تقویت می‌کنند، الگوهایی که هر مسلمان واقعی نیازمندشان است، شرکت نکرده بودیم.

در طول سال بارها به شوهرم یادآوری می‌کردم که کودکانم باید شاهد و ناظر این مراسم شکوهمند باشند، امّا کریم همواره با من مخالفت مـی‌کرد و شـرکت خانواده‌مان را در میان جمعیت عظیمی که هر سال بـه مکّـه سـرازیـر مـی‌شدند، صلاح نمی‌دانست.

هر زمان که از شوهرم توضیحی برای این مخالفت مـی‌خواسـتم، او هـزاران بهانهٔ کوچک و بزرگ ردیف می‌کرد که اغلب متضاد همدیگر بودند.

من که از رفتار او سرگردان شده بودم، مصمم گشتم که ابـعاد ضـد و نـقیض بهانه‌هایش را به او یادآور شوم و او را به دام بیندازم. کریم دنبال راهی مـی‌گشت که خود را از این تنگنا خلاص کند، و من به صراحت به او گفتم که او بـه عـنوان مردی مسلمان، از انجام دادن فرائض دینی خود نفرت دارد، و ایـن دلیـل رفـتار غیرعادی اوست.

بعد دستهایم را بر روی سینه‌ام گذاشتم و به انتظار جواب او نشستم. در واقع من به او سخت اهانت کرده بودم.

چهرهٔ کریم از این اتهام برافروخت و سـوگند خـورد کـه هـرگز از وظـایف اسلامی خود متنفر نیست.

و درست مثل تمامی مردان خطاکار واکنش نشان داد. بر سر من فریاد کشید: «سلطانه، تو از نظر من بسیار بدترکیبی.» و بعد پشت به من کرد تا اتاق را ترک کند. اما من به طرف در رفتم و مانع از خروجش شدم و از او توضیح بیشتری خواستم.

بر سرش داد کشیدم که پاسخ او هرگز مرا راضی نخواهد ساخت و امتناع او را توجیه نخواهد کرد. احساس می‌کردم که کریم در موضع ضعف قرار گرفته است، پس با بی‌پروایی بیشتری به جلو تاختم و دروغی را نیز بـه گفته‌هایم افزودم. «دیگران هم متوجه نفرت تو نسبت به مراسم حج شده‌اند و پشت سرت حرف می‌زنند.»

کریم دریافت که بدون توسل به زور نمی‌تواند از اتاق بیرون برود. پس به من خیره شد و زمانی طولانی ساکت ماند. احساس می‌کردم که پاسخش را در ذهنش سبک و سنگین می‌کند. و ناگهان دست مراکشاند و بازور وادار به نشستن بر روی تخت کرد، و سپس با قدم‌های تندی شروع به بالا و پایین رفتن در اتاق کرد. سرانجام تسلیم شد.

کریم اعتراف کرد که در دوران جوانی کابوس هولناکی داشته و خودش را دیده است که در زیر پاهای جمعیت حجاج از پا درآمده است.

صدایی از گلویم خارج شد. من هرگز قادر به درک پاره‌ای از ابعاد شخصیت شوهرم نبودم. از زمان ازدواجم با کریم، او همواره سایهٔ جمعیت را در اطرافش می‌دید، حال آنکه جمعیتی وجود نداشت. سرم را با تأسف تکان دادم. پس این ترسی عمیق در درون او بود. پس کریم از سیل جمعیت وحشت داشت!

من که به شدّت به پیام‌های خواب اعتقاد دارم، به کلمات کریم اندیشیدم و با اندوه به جزئیات رؤیای وحشتناک شوهرم گوش کردم.

کریم در حالی که جزئیات رؤیایش و له شدن در زیر پاهای حجاج را برایم نقل می‌کرد، به شدت رنگ‌پریده به نظر می‌رسید. او به من گفت که از زمانی کـه بیست و سه ساله بوده است، از مراسم حج پرهیز کرده است.

کریم آن‌چنان به واقعیت این رؤیا اعتقاد داشت که من قادر به جر و بحث و ادامهٔ گفتگو با او نبودم.

یک بار دیگر همه‌چیز به حالت قبلی برگشت و باز هم خانواده‌مان در ماه حج عربستان را ترک کرد.

زمانی که ماجرای وحشتناک سال ۱۹۹۰ در مکه به وقوع پیوست و بیش از

هزار و پانصد مسلمان در تونل کوهستانی مکّه به قتل رسیدند، کریم تمام روز را در رختخواب ماند و به خود لرزید و گفت که این هشدار دیگری از جانب خداوند برای اوست که هرگز در مراسم حج شرکت نکند!

پس از حادثهٔ ۱۹۹۰ و کشته شدن هزاران نفر از زائران، واکنش کریم نسبت به رؤیای گذشته‌اش شدت بیشتری یافت، تا حدی که موجب آزردگی‌ام می‌شد. به او گفتم که ترسهایش بی‌اساس است. امّا هر چه می‌گفتم و هر کاری می‌کردم، تأثیری به حال کریم نداشت. حتی به او گفتم که رؤیایش با فاجعهٔ سال ۱۹۹۰ تحقق یافته است و او نباید بیش از این هراس به دل راه دهد. از نظر من تکرار چنین فاجعه‌ای غیرممکن می‌نمود.

از آنجایی که هر ساله تعدادی از حاجیان در زیر پاِله و نابود می‌شدند، من بیش از این نمی‌توانستم کریم را تحت فشار بگذارم، اگرچه دلم می‌خواست با ترس بیمارگونه‌اش مبارزه کنم و او را نجات دهم.

متأسفانه ناچار به راندن چنین خواسته‌ای از ذهن خود شدم، اگرچه این آرزو هرگز قلبم را ترک نکرد.

پس از بازگشت از لندن و بهبودی مها، آرزوی شرکت در مراسم حج بار دیگر در قلبم شعله‌ور گشت. زمان حج فرا رسیده بود و من با ملایمت خواسته‌ام را با کریم در میان گذاشتم و پیشنهاد کردم که کودکانمان را با خود به مکّه ببرم. از آنجایی که در کشور ما به ندرت زنها بدون مرد سفر می‌کنند، به فکر همراهی با سارا و خانواده‌اش افتادم.

در کمال حیرت، کریم با تقاضای من موافقت کرد و زمانی که علاقه‌اش را برای رفتن به مکّه بیان کرد، دهانم از شدّت تعجب باز ماند. او گفت که ترسهایش او را ترک نگفته‌اند، اما او نیز چون من نیازمند سپاسگزاری از لطف خداوند برای بازگشت سلامتی دخترمان است.

داشتیم برنامهٔ سفرمان را تنظیم می‌کردیم و به خانوادهٔ کریم اطلاع می‌دادیم، که ناگهان هشداری از جانب شوهرخواهر کریم، محمّد، که با حنا، کوچک‌ترین خواهر کریم ازدواج کرده بود، به گوشمان رسید. محمّد گفت که قرار است

دو میلیون زائر در مراسم حج شرکت کنند و از این جمعیت، صد و پنجاه هزار نفر متعلق به ایران است ـ فرقۀ شیعه‌ای که هر سال در این مراسم شرکت می‌کنند و مالکیت شاه‌فهد را بر مقدس‌ترین نقطۀ اسلامی به زیر سؤال می‌برند.

از نظر محمّد مراسم حج به تدریج امنیت خود را از دست می‌داد. مسلمانان افراطی در سراسر جهان به حرکت درآمده و مقدس‌ترین نقطۀ اسلامی را مرکز تظاهرات خود قرار داده بودند.

محمّد که جایگاه مهمی در سازمان امنیت کشور داشت، اغلب از مسائلی آگاه بود که دیگران از آن بی‌خبر بودند. او بدون توجه به علاقۀ قلبی من و با تمرکز بر امنیت خانواده‌مان، از ما خواست که مدتی صبر کنیم تا سیل جمعیت کشور را ترک کند، و سپس همراه کودکانمان عازم آنجا شویم.

کریم با رنگی پریده بر جا مانده بود و کلامی بر زبان نمی‌آورد. می‌دانستم که شوهرم نگران خطر حضور ایرانیان نیست، بلکه از حرکت چهار میلیون پا وحشت دارد.

من مثل همیشه سرسختانه مصمم گشتم که خواسته‌ام را عملی سازم. به محمّد گفتم که از نظر من خطری از جانب ایرانیان ما را تهدید نخواهد کرد، زیرا آنها به دلیل اعمال گذشته‌شان، از جانب دولت سعودی به شدت تحت نظر قرار خواهند گرفت.

محمّد با چهره‌ای عبوس گفت: «نه، هرگز نمی‌توان به ایرانیها اعتماد کرد. فراموش نکن که ما با افراطیون شیعه طرفیم که می‌خواهند حکومت سنّی ما را براندازند.»

احساس کردم که دلیل و منطق من بی‌اثر خواهد بود. پس به حیلۀ زنانه‌ای آویختم و به شوهرم و محمّد گفتم که مگر فراموش کرده‌اند مرگ در مکه به مفهوم پذیرفته شدن در بهشت خواهد بود؟

کریم و شوهرخواهرش تسلیم نمی‌شدند. استدلالهای مذهبی من تأثیری بر کریم نداشت، امّا روشن بود که شوهرم بیش از آنچه تصور می‌کردم، از بهبودی دخترمان راضی و سپاسگزار است.

کریم نفس عمیقی کشید و لبخند کمرنگی بر لب آورد و گفت: «سلطانه، اگر چنین چیزی موجب آرامش تو می‌شود، من حاضرم با هزاران خطر روبه‌رو شوم. من به همراه تو و فرزندانمان برای زیارت حج خواهم آمد.»

محمّد ناامیدی‌اش را با لبخندی پوشاند و من با بوسهٔ غیرمنتظره‌ای بر گونهٔ شوهرم از او تشکر کردم و به او گفتم که هرگز از تصمیمی که گرفته است، پشیمان نخواهد شد.

محمّد که از رفتار گستاخانهٔ من ناراحت شده بود، بهانه‌ای برای ترک اتاق یافت. خواهر کوچک‌تر کریم، حنا، نگاه معنی‌داری به ما انداخت و گفت که باید رفتار متعصبانهٔ شوهرش را نادیده بگیریم، زیرا محمّد در پشت درهای بسته بااحساس‌ترین و مهربان‌ترین مرد روی زمین است.

با صدای بلند خندیدم و به زندگی پنهان محمّد و همسرش فکر کردم، زیرا محمّد همواره مردی جدّی و متعصب به نظر می‌رسید و من در گذشته همواره برای خواهر شوهرم دلسوزی می‌کردم.

به چهرهٔ شوهرم نگاه کردم که از تجسم روابط جنسی خواهرش با همسرش برافروخته به نظر می‌رسید. با خودم فکر کردم که مردان سعودی تا چه اندازه در زمینهٔ مسائل جنسی حساس و متعصب‌اند، حتی در مورد مسائل جنسی خودشان.

با یادآوری سفر آینده‌مان به مکّه، یک بار دیگر شوهرم را بوسیدم. سر از پا نمی‌شناختم!

من و کریم سارا و خانواده‌اش را دعوت کردیم که در این سفر همراهی‌مان کنند. سارا هر سال مراسم حج را به جا می‌آورد و از شنیدن این خبر که ما نیز امسال کشور را ترک نمی‌کنیم و در مراسم شرکت می‌کنیم، غرق شادی و هیجان شد.

ما شروع به برنامه‌ریزی کردیم. قرار بود دو روز بعد عازم مکّه شویم.

سرانجام روز سفر از راه رسید. چقدر کار داشتم. قرار بود سارا و خانواده‌اش را

در ساعت هفت بعدازظهر در فرودگاه ریاض ملاقات کنیم. قبل از آن، هریک از افراد خانواده می‌بایست اِحرام می‌بستند. این بدان‌معناست که زائر از صمیم قلب برای اجرای تمامی شعائر حج نیت می‌کند.

در طول دورهٔ احرام، هیچ یک از برنامه‌های زندگی روزمره انجام نمی‌گیرد. موها و ناخنها نباید کوتاه شود، ریش تراشیده نمی‌شود، عطر مصرف نمی‌گردد، لباسهای الوان پوشیده نمی‌شود، حیوانی به قتل نمی‌رسد، و روابط جنسی برقرار نمی‌گردد، تا زمانی که این دوره به آخر برسد.

همهٔ اعضای خانواده قبل از ترک ریاض مراسم احرام را انـجام دادنـد. ورود به این مرحله قبل از شروع این سفر طولانی، برای تک تک افراد ضروری بود.

خدمتکار شخصی من، کورا، مشغول گردگیری اتاق خوابم بود. من با صدای بلند دعاهایی را که خواندنش در چنین زمانی بر هر مسلمانی لازم است، به زبان می‌آوردم. کورا از جایش پرید. من می‌خواندم: «خداوندا، من اینجا هستم. اینجا هستم تا دستورهایت را به جا آورم.»

پس از آنکه کورا به خود آمد، من هیجان‌زده و خوشحال داستان سفرمان را برایش نقل کردم.

در حالی که همچنان کلمات را پشت سر هم بر زبان می‌راندم، کورا لبخندزنان وانِ حمام را برایم پُر از آب کرد و من با انگشتانم وظایفی را که باید انجام می‌دادم شمردم. صورتم مـی‌بایست از هـر آرایش پـاک مـی‌شد و جـواهـراتـم را کـنار می‌گذاشتم، حتی گوشواره‌های برلیان ده قیراطی را که کریم سال گذشته بـه مـن هدیه کرده بود و هرگز آنها را از خود دور نمی‌کردم.

پس از درآوردن جواهرات و جا دادن آنها در گاوصندوق اتـاق خـوابـم کـه حاوی جواهرات بی‌نظیر و گرانقیمتم بود، در آب گرم وان حمام غوطه خوردم تا خود را از همهٔ ناپاکیها پاک کنم، و در این حال همچنان با خواندن دستورهای الهی برای شرکت در مراسم حج، کلمات را با صدای بلند بر زبان می‌آوردم: «به زنان و مردان بگو که به زیارت مکه روند. آنها با پای پیاده و شترهای خمیده از هر درّهٔ عمیقی به آنجا سرازیر خواهند شد.»

دیگر به خود و به خانواده‌ام فکر نمی‌کردم و تنها بر احساس عشق و همدردی خود نسبت به سایر انسانها تمرکز کرده بودم.

پس از این استحمام طولانی، خود را در لباس سیاه ساده‌ای پوشاندم و روسری سیاه‌رنگ ساده‌ای نیز بر سر بستم و در حالی که رو به قبله ایستاده بودم، نمازم را به جا آوردم و از خداوند خواستم که زیارت مرا قبول کند.

سرانجام آمادهٔ رفتن بودم.

شوهرم و بچّه‌ها در اتاق نشیمن طبقهٔ پایین نشسته بودند. کریم و عبدالله لباسهای سفید چون برف و صندلهای ساده‌ای پوشیده بودند. مها و امانی لباسهای پوشیده به رنگ تیره در بر کرده بودند که تمامی اندام آنها را جز صورت، دستها و پاهایشان می‌پوشاند. آنها نیز چون من چادر و عبا نداشتند. حضرت محمّد(ص) فرموده است: «حجاب واقعی در چشمان مردها نهفته است.» بنابراین زنان شرکت‌کننده در مراسم حج، صورتهایشان را نمی‌پوشانند.

زمانی که بچّه بودم، همواره از مادرم سؤال می‌کردم که به چه دلیل صورتش را از مردها می‌پوشاند، امّا در مقابل خداوند و هنگام ادای نماز این کار را نمی‌کند. مادرم که همواره تسلیم سنتهای حاکم بود، جواب کودکش را نمی‌دانست، امّا از آنجایی که همواره تسلیم ارادهٔ مردان بود، مرا دعوت به سکوت می‌کرد؛ سکوت در قبال پرسشی که هنوز هم ذهنم را می‌آزارد.

حالا با دیدن چهرهٔ معصوم دخترهایم، خاطرهٔ مادرم در ذهنم زنده می‌شد.

دخترانم را یکی یکی در آغوش کشیدم. «هر زمان که مردها سهمی از درایت خداوندی نصیبشان شد، شما می‌توانید عبایی را که مورد نفرتتان است کنار بیندازید.» و با تحقیر نگاهی به صورت شوهر و پسرم انداختم.

کریم با ناله گفت: «سلطانه، مرا مسخره می‌کنی؟»

ناگهان با وحشت دریافتم که عهد خود را شکسته‌ام و هنوز هم در افکار مادی غوطه‌ورم، در حالی که تنها باید به صلح و عشق بیندیشم.

با شرم و ناراحتی اتاق را ترک کردم و به آنها گفتم که بایستی یک بار دیگر فرائض خود را به جا آورم.

کریم لبخند می‌زد و فرزندانم می‌خندیدند. پس از نو نشستند و با شکیبایی به انتظار من ماندند.

من بر روی زمین اتاق خوابم نشستم و از خدا خواستم که دهانم را بسته نگه دارد و کمکم کند که یک بار دیگر احرام ببندم.

در حالی که دعا می‌کردم، باز هم به یاد مادرم افتادم و دوباره شعله‌های خشمم نسبت به پدرم شعله‌ور شد و مانع از تمرکزم گشت. با اخم دعاهایم را از سر گرفتم.

در حالی که به زحمت اشک‌هایم را مهار می‌کردم، به اعضای خانواده‌ام پیوستم. شوهرم با عشق و محبّت نگاهم کرد، که من آن را نگاهی شهوانی تلقی کردم. فریادی بر سر کریم کشیدم و بعد اشک‌هایم سرازیر شد و به آنها گفتم که من نمی‌توانم به مکّه بروم و آنها باید بدون من راهی این سفر شوند، زیرا قادر به آرام ساختن ذهن ناآرامم نیستم.

کریم به جانب دخترهایمان سری تکان داد، زیرا او در این دوره نمی‌توانست مرا لمس کند. مها و امانی خنده‌کنان مرا به سوی اتومبیل راندند. ما عازم فرودگاه شدیم.

کریم مرا آرام ساخت و گفت که می‌توانم در هواپیما دعاهایم را از نو بخوانم، و یا در خانه‌مان در جدّه که در فاصلهٔ کوتاهی از مکه قرار داشت.

اسد و سارا و فرزندانشان در جایگاه سلطنتی فرودگاه شاه خالد منتظرمان بودند که در چهل و پنج دقیقه‌ای شهر ریاض قرار گرفته است.

من در سکوت تلخی با خواهرم و خانواده‌اش خوش و بش کردم. مها در گوش خواهرم پچ پچ کرد و او نگاه معنی‌داری به من انداخت. انگار دلیل تأخیر ما را می‌دانست.

خانوادهٔ ما با یکی از هواپیماهای شخصی کریم به جدّه پرواز کرد. این سفری استثنایی بود. بزرگسالان در افکار معنوی‌شان غوطه می‌خوردند، بچه‌های بزرگ‌تر به آرامی بازی می‌کردند و کوچک‌ترها به خواب رفته بودند و یا کتابها را ورق می‌زدند.

من که اعتمادی به مهار زبانم نداشتم، تا نزدیکیهای جدّه حرف نزدم. امّا یک مرتبه سکوت را شکستم و زیادی حرف زدم.

شب بود که به فرودگاه بین‌المللی شاه عبدالله در جدّه رسیدیم. کریم به خلبان آمریکایی دستور داد که در ترمینال حج، که خود شهری به مساحت ۳۷۰ جریب است، به زمین بنشیند. این ترمینال برای زائرانی است که از سایر کشورها وارد عربستان می‌شوند، امّا امتیاز تعلق به خاندان سلطنت به ما اجازهٔ ورود به این ترمینال و یا هر نقطهٔ دیگری از عربستان را می‌بخشید.

چند سال قبل، کریم پسرمان عبدالّله را با خود به مراسم افتتاحیهٔ این ترمینال آورده بود. امّا هیچ یک از دخترهایم این ساختمان عظیم را ندیده بودند.

تا زمانی که پاهایم خاک شهر مکّه را لمس کرد، باز هم تعهداتم را از یاد می‌بردم. ناگهان نیاز شدیدی در خود احساس کردم. دلم می‌خواست دخترهایم با مباهات میراث خود را کشف کنند، اگرچه این مباهات، بی‌چون و چرا با ثروت مادّی مرتبط بود.

نخست با صدایی آرام شروع به حرف زدن کردم. می‌دانستم لحن ملایمم موجب نارضایتی خداوند نخواهد شد. به دخترانم گفتم که این ترمینال به خاطر طرح معماری بی‌نظیرش جایزهٔ بین‌المللی بزرگی را از آنِ خود کرده است. احساس افتخار می‌کردم که زیربنای اقتصادی سرزمینم تنها در یک نسل عوض شده است. حالا دیگر فقر و تهیدستی نیاکانم موجب شرمم نمی‌گشت؛ شرمی که دوران جوانی‌ام را تحت‌تأثیر خود قرار داده بود. احساسات گذشته قلبم را ترک گفته بود. آنچه پیشتر موجب شرم من بود، اکنون ارزشمند و زیبا می‌نمود. با خودم فکر کردم: در سرزمینی که تنها پنجاه سال قبل افراد قبیله‌هایش بر سر شتر و بز می جنگیدند، ما سعودیها اکنون به قدرت اقتصادی دست یافته‌ایم. افراد خانوادهٔ من نیز زندگی بدوی قبیله‌ای را که هیچ قانونی بر آن حکمفرما نبود، پشت سر نهاده و به‌یکی از ثروتمندترین خانواده‌های جهان مبدل شده‌اند.

اگرچه افکار غربیان همواره گواه آن است که نفت ما را به رونق اقتصادی

رسانده است، من با آنها موافق نیستم، زیرا در سرزمینهای دیگر نیز نفت اکتشاف شد و اتباع این کشورها هرگز چون شهروندان سعودی نتوانستند از این رونق اقتصادی بهره بگیرند و روش زندگی‌شان را بهبود ببخشند. راز این امر در لیاقت و درایت مردانی است که ادارهٔ این امر مهم را به عهده گرفته‌اند. من اگرچه همواره نظر انتقادآمیزی نسبت به مردان خانواده‌ام داشته‌ام، به ویژه در زمینهٔ مسائل زنها، در این مسئله خاص آنها را و روشن‌بینی‌شان را تحسین می‌کنم.

با خودم فکر کردم که زمان مناسبی برای انتقال غرورم به فرزندانم از راه رسیده است، و با حالتی پُرشور و حرارت و با صدایی بلند، در مورد گذشته برای بچه‌هایم حرف زدم؛ دربارهٔ شهامت، شکیبایی، اعتماد به نفس و شعور نیاکان بدوی‌مان. به آنها گفتم که چگونه اجدادمان در فقر و فاقه زیسته‌اند و پس از آنها فرزندان و نوادگانشان از رفاه مالی بهره‌مند گشته‌اند؛ تغییری که کمتر از معجزه نبود. من با شور و شعف وقایع خانوادگی را با صدای بلند برای فرزندانم نقل می‌کردم.

در حالی که غرق در لحظات گذشته به ساعات شیرینم در کنار مادر مهربان و عمه‌های دلسوزم فکر می‌کردم، ناگهان احساس کردم که اطرافم خالی شده و شنونده‌ای ندارم.

سارا و اسد و کریم نیز غمگین به نظر می‌رسیدند، امّا مراکه هدف این سفر را کاملاً به دست فراموشی سپرده بودم، با ناباوری نگاه می‌کردند.

به جوان‌ترها نگاه کردم. بی‌توجهی آنها ناامیدم ساخت. در آن لحظه دریافتم که انسان اگر طعم فقر را نچشیده باشد، هرگز سیاهی آن را درک نخواهد کرد. و جوانهای ما چیزی جز ثروت و رفاه را لمس نکرده بودند.

روشن بود که جوانها علاقه‌ای به شنیدن قصه‌های دردناک اصل و ریشهٔ خود نداشتند و حوصله‌شان کاملاً سر رفته بود.

عبدالله مشغول بازی تخته‌نرد با پسر بزرگ سارا بود و بچه‌های کوچک‌تر با اسباب‌بازیهایی که اسد در سفر اخیرش از لندن آورده بود، سرگرم بودند.

با یادآوری مادر مهربانم و قصه‌هایی که از پدر و مادرش، که ما هرگز آنها را

ندیده بودیم، نقل می‌کرد، ناگهان میل شدیدی برای نواختن سیلی محکمی به گوشی این نسل بی‌پروا حس کردم. به اطرافم نگاه کردم تا حمله را شروع کنم، اما تا دستم را برای نیشگون گرفتن عبدالله دراز کردم، چشمم به چشم سارا افتاد و او گفت: «اِحرام».

یک بار دیگر تعهدات خود را از یاد برده بودم! با خود گفتم که با رسیدن به خانه‌مان در جدّه، دعاهایم را از سر خواهم گرفت. و باز هم افکارم به گذشته‌ها پرواز کرد و با یادآوری نیاکان دلیرم که دیگر هرگز قادر به دیدنشان نبودم، اشکهایم بی‌اراده بر گونه جاری شد. سارا با لبخند ملایمی مرا عفو کرد. می‌دانستم که خواهر مهربانم افکار مرا خوانده است و مرا مورد عفو قرار خواهد داد.

ضرب‌المثل عجیبی را به خاطر آوردم: «فقط چشمان خودمان برای ما گریه خواهد کرد.» این بی‌توجهی خانواده‌ام به گذشته، مرا غمگین ساخته بود. با صدای بلند فریاد زدم: «آنهایی که برای شما مرده‌اند، برای من هنوز زنده‌اند!»

خانواده‌ام با حیرت نگاهم می‌کردند ــ همه، به جز کریم که نتوانست جلوی خنده‌اش را بگیرد. چشم‌غرّه‌ای به او رفتم. کریم چشمان خیسش را با دستمالی پاک کرد و چیزی به اسد زمزمه کرد. هر چه بود، در مورد زنی بود که به عقد ازدواجش درآمده بود.

برای آرام کردن خود، توجهم را به دو دخترم برگرداندم و دریافتم که دست‌کم آنها بخشی از گفته‌هایم را شنیده‌اند.

مها که همواره اروپا و آمریکا را بر عربستان ترجیح می‌داد، گوش شنوا نداشت. او گفته‌های مرا نادیده گرفته بود و حال به تلخی از دیدن ترمینال ابراز شکایت می‌کرد و می‌گفت که معماری این ترمینال، که به صورت چادری بزرگ ساخته شده است، بسیار عجیب و غریب است!

او گفت: «چرا گذشته‌ها را نبش قبر می‌کنی؟ حالا دیگر قرن بیستم است.»

امانی مسحور اطرافش بود و با لذّت به تماشا مشغول بود.

عبدالله برای آنکه نشان دهد ترمینال را پیشتر دیده است و جلوی خواهرانش خودنمایی کند، گفت که سقف پارچه‌ای فرودگاه بزرگ‌ترین فضای جهان را

پوشانده است، اگرچه برنامههایی در دست است که سقف پارچهای بـزرگتری در شهر مدینه ساخته شود.

امانی، حساسترین فرزند من، دستم را فشرد و با لبخند شیرینی گفت: «مادر، متشکرم که ما را به اینجا آوردی.»

با خوشحالی به دخترم نگاه کردم. همهٔ زحماتم به هدر نرفته بود! چـه کسـی میدانست که چنین سفری، که با هدف سپاسگزاری از خداوند به خـاطر اعـادهٔ سـلامتی مـها بـرنامهریزی شـده بـود، تـأثیرات عـمیق و بـادوامـی بـر زنـدگی کوچکترین فرزندم، امانی، خواهد نهاد و نتایج فاجعهآمیزی برای پدر و مادرش خواهد داشت؟

۵

امانی

«مکّه، ملکوتی و مقدّس و معروف به‌امّ‌القراءِ (مادر شهرها)، نقطه‌ای است که هر ایمان‌آورندهٔ مسلمانی هر روز پنج بار رو به آن می‌ایستد و ادای نماز می‌کند. برای میلیونها مسلمان، رفتن به مکه و حاجی شدن بزرگ‌ترین هدف زندگی است. ورود غیر مسلمانان به‌این شهر ممنوع است، و این گروه مشتاق زیارت این شهرند، زیرا در آتش کنجکاوی می‌سوزند تا از آنچه در درون آن می‌گذرد آگاه شوند. من، به‌عنوان یک سعودی، شخصاً از جانب پروردگار انتخاب شده‌ام که ایمان واقعی‌ام را که نقطهٔ آغازین آن در مقدس‌ترین شهر جهان در سرزمین من شکل می‌گیرد، تقویت کنم.»

ـ توصیفی که یک سعودی سالخوردهٔ بدوی در اختیار نویسنده گذاشته است تا دلیل آن را که عربها افراد برگزیدهٔ خداوندند، توجیه کند.

در ساعت مبارک تولد امانی، خواهرم سارا نیز دچار درد زایمان شد و دومین فرزندش، دختری که اسد و سارا او را نَشوا نامیدند، به دنیا آمد. نَشوا به معنی خلسه و سرمستی است. امانی به خانهٔ ما سعادت بخشید، حال آنکه نشوا دخترکی پُرسر

و صدا و پُر آزار است که زندگی شیرین سارا و اسد را به تلخی کشانده است.

من بارها به طور پنهانی از کریم سؤال کرده‌ام که آیا امکان دارد نشوا فرزند واقعی اسد و سارا نباشد، زیرا خصوصیات اخلاقی او شباهت عجیبی به خصوصیات من دارد، و از آن سو مشابتهای امانی و خاله‌اش سارا باورنکردنی است.

آیا امکان دارد که پرستاران بیمارستان در زمان تولد این دو نوزاد، آنها را اشتباه کرده و هر یک را تحویل والدین غیرواقعی خود داده باشند؟ فرزندان ما با یازده ساعت فاصله متولد شدند، امّا من و سارا دو سویت سلطنتی مجاور هم را در اختیار داشتیم و من چنین اشتباهی را محتمل می‌پنداشتم. در طول سالها کریم تلاش کرده است که چنین فکری را از ذهن من براند و با استفاده از آمار ثابت کند که امکان وقوع چنین حوادثی بسیار نادر است. امّا هر بار که به امانی، فرزند بی‌نظیرم، نگاه می‌کنم، ترس سراسر وجودم را فرا می‌گیرد که مبادا او به کس دیگری تعلق داشته باشد.

امانی که منزوی و حساس است، همواره کتابهایش را بر اسباب‌بازیهایش ترجیح می‌داد و از همان دوران کودکی، در رشته‌های هنر و زبان، دانش‌آموزی برجسته بود. برعکس خواهر بزرگ‌ترش، مها، کمتر دردسر درست می‌کرد و اغلب به اطرافیانش آرامش می‌بخشید.

این روح حساس و پر عشق امانی مرا سخت تحت تأثیر قرار داده بود و قلباً او را بیش از دو فرزند دیگرم دوست داشتم، اگرچه بایستی از همان زمان به روح پیچیده‌اش توجه بیشتری می‌کردم. علاقه و حمایت افراطی او از حیوانات، همواره موجب اختلافش با اطرافیانش بود. سرسپردگی او به تمامی موجودات زنده، متضاد میل فطری مردان سعودی بود که دیوانه‌وار شکار را دوست داشتند. این کار در سراسر عربستان متداول بود. کریم و عبدالله برای خوشحالی برای شکار به سایر مردان فامیل می‌پیوستند و با اتومبیلهای جیپ مجهزی که دارای نورافکنهای قوی بود، به شکار آهو و غزال می‌رفتند. امانی قبل از عزیمت آنها آهسته وارد اتاق پدرش می‌شد و سعی می‌کرد وسایل او را پنهان کند و

اسلحه‌های گرانقیمت را در درون سطل زباله بیفکند. او به دلیل این علاقهٔ افراطی‌اش به حیوانات همواره با افراد خانواده دچار اختلاف می‌شد.

این خصوصیت شفقت‌آمیز و در عین حال آزاردهنده، در اوان کودکی ظاهر گشت. ما برای خوشایند او، خانه‌مان را با انواع و اقسام جانوران به رنگها و اندازه‌ای مختلف پُر کردیم.

بسیاری از عربها، برخلاف غربیها، علاقه‌ای به حیوانات ندارند و گربه‌ها و سگهای گرسنه و زخمی در شهر پرسه می‌زنند. از اوایل سالهای دههٔ ۱۹۸۰، طبق سیاست فعالی در عربستان سعودی، این‌گونه حیوانات به بیابان برده می‌شوند تا در آنجا با مرگی دردناک و آهسته از میان بروند. با این حال، بعضی از حیوانات خوشبخت‌ترند و در خانه‌هایی زندگی می‌کنند که افرادش دارای طبیعت ملایم‌تری هستند.

من امانی را به دلیل قلب حساس و مهربانش و حمایتش از حیوانات ستم‌کشیده تحسین می‌کردم، اما کریم و سایرین حضور حیوانات رنگارنگ را در خانه‌مان نمی‌پسندیدند و اعتراض می‌کردند، و امانی که تنها با نجات این جانوران گرسنه و زخمی از خیابانها راضی نبود، با جان و دل به آنها رسیدگی می‌کرد، انگار که کمیاب‌ترین و گرانقیمت‌ترین حیوانات را به دور خود جمع کرده باشد، و زمانی که یکی از آنها می‌مرد، با تشریفات کامل آن را در باغ خانه‌مان به گور می‌سپرد.

به نظر من می‌رسید که علاقه و توجه امانی به حیوانات به مراتب بیش از علاقه‌اش به افراد خانواده‌اش است. امّا من مادر بودم و قدرت تنبیه کردن و یا محدود ساختن او را نداشتم و به او اجازه می‌دادم که این خصیصهٔ غیرمتعارفش را که ریشه بدبختی‌اش بود، تقویت کند.

کریم دو مرد جوان تایلندی استخدام کرد که به نظافت حیوانات بپردازند و سگها را تربیت کنند. ما حتی باغ وحش شخصی‌مان را ساختیم، قفسهای بزرگ تدارک دیدیم و نژاد برتر حیوانات را به باغ وحش خود انتقال دادیم تا رضایت امانی را جلب کنیم. در کنار باغ وحش، منطقهٔ وسیعی به حیوانات ولگرد امانی

اختصاص داده شد و کریم به امانی دستور داد که مانع از خروج این حیوانات از منطقهٔ ویژه شود. امّا پس از گریهٔ مفصل امانی، کریم رضایت داد که امانی ده سگ و گربهٔ محبوبش را انتخاب کند و به آنها اجازهٔ ورود به خانه‌مان و باغ را بدهد.

به رغم این تلاشها، دخترمان همچنان نسبت به حیوانات ولگرد خیابانی حساسیت نشان می‌داد و این حیوانات بی‌وقفه از خانه‌مان سر درمی‌آوردند.

یک بار کریم با صحنهٔ عجیبی روبه‌رو شد. سه مرد فیلیپینی که برای همسایگان ما کار می‌کردند، در حال تحویل دادن پنج گربه در داخل کیسه‌ای به نگهبان باغ وحشمان دستگیر شدند. فیلیپینیها که دچار وحشت شده بودند، کاغذی را به دست کریم دادند. بر روی کاغذ نوشته شده بود که آورندهٔ هر گربه و یا سگ ولگرد به قصر، ۱۰۰ ریال سعودی دریافت خواهد کرد. کریم به شدت خشمگین بود. او مردها را تهدید کرد و آنها اعتراف کردند که تحت اوامر امانی، این کاغذ را به در و دیوار خانه‌های همسایه‌ها چسبانده‌اند و خودشان نیز در خیابانها در جستجوی حیوانات ولگرد بوده‌اند.

کریم شروع به شمردن حیوانات کرد و پس از آنکه دریافت چهل گربه و دوازده سگ ولگرد در خانه‌مان به سر می‌برند، با ضعف و سستی به زمین نشست و سپس بی‌آنکه کلمه‌ای بر زبان آورد، خانه را ترک کرد و ما صدای دور شدن اتومبیلش را شنیدیم. او دو روز و سه شب به خانه بازنگشت. بعدها دریافتم که به خانهٔ پدر و مادرش رفته بود. من از زبان مستخدمان فضول خانهٔ والدین شوهرم شنیدم که کریم به آنها گفته بود نیاز به استراحت دارد و چند روزی باید آنجا بماند تا از دستِ زنهای خانه‌اش نفسی بکشد، زیرا در غیر این صورت ناچار است همهٔ زنها را به بیمارستان روانی بفرستد!

من در غیاب کریم به فکر چاره افتادم. چگونه می‌توانستم با واکنشهای افراطی امانی مبارزه کنم؟ و ناگهان به نکات غریبی پی بردم که پیشتر از چشم پنهان مانده بود. چهل گربهٔ امانی ماهیهای تازه‌ای را که از دریای سرخ صید می‌شدند می‌خوردند و دوازده سگش با گوشت مخصوصی که از یک قصابی معروف استرالیایی خریداری می‌شد، تغذیه می‌شدند. امانی پول خرید غذاهای

حیواناتش را از جعبه‌ای که به منظور خرید مایحتاج روزانه در آشپزخانه گذاشته می‌شد و خدمتکاران صرف خرید خانه می‌کردند، بر می‌داشت. مخارج خانهٔ ما آنقدر سنگین بود که حسابدارمان متوجه کمبود پول جعبهٔ آشپزخانه نشده بود. زمانی که دریافتم امانی مبالغ هنگفتی را خرج خرید پرندگان و سپس آزاد کردنشان می‌کند، به طور جدّی او را تهدید کردم و گفتم که باید هر چه زودتر نزد روانکاو برود، و این تهدید موجب گشت که تا مدتی توجه کمتری به حیوانات بنماید.

من به خوبی صحنه‌ای را به خاطر می‌آورم که برادرم، علی، در آن نقشی داشت. علی همیشه از حیوانات امانی شکایت می‌کرد و به من می‌گفت که هیچ مسلمان معتقدی قادر به ورود به خانهٔ من نیست، زیرا سگها او را نجس می‌کنند. امانی به خوبی از نفرت علی نسبت به حیواناتش آگاه بود و سگها نیز با حضور علی، با هشیاری خود را در باغ پنهان می‌ساختند.

یک حادثهٔ خاص را هرگز فراموش نمی‌کنم. علی برای ملاقات کوتاهی به خانه‌مان آمد و از درِ باغ وارد خانه شد و از یکی از مستخدمان خواست که اتومبیل او را بشوید. زمانی که علی مشغول حرف زدن با خدمتکار بود، یکی از سگهای محبوب امانی که ناپلئون نام داشت، پایش را بلند کرد و به طرف علی ادرار کرد و لباس تمیز و تازه‌اش را آلوده ساخت. علی آنقدر خشمگین شد که جانور بینوا را به زیر لگد گرفت. در همین زمان امانی با سرعت خود را به علی رساند و خودش را بر روی او انداخت و با مشت به او حمله‌ور شد.

علی که به شدت مورد اهانت قرار گرفته بود، خانه‌مان را ترک کرد و فریادزنان به خدمتکاران گفت که نه تنها خواهرش دیوانه است، بلکه فرزندان مجنونی نیز به دنیا آورده است که مصاحبت جانوران را بر انسانها ترجیح می‌دهند!

از آن زمان، امانی از دایی‌اش نفرت یافت، درست همانند من که در دوران کودکی‌ام از این موجود بی احساس نفرت داشتم.

در دین اسلام سگ حیوان ناپاکی محسوب می‌شود و اگر از ظرفی آب بنوشد،

بایستی آن ظرف هفت بار شسته شود و بار نخست بایستی آب را با خاک مخلوط ساخت.

علی برادر من است و به رغم اختلافات دائمی، رابطه‌اش را با خانوادهٔ من حفظ کرده است. کریم امانی را وادار ساخت که به دایی‌اش تلفن کند و عذرخواهی نماید. امّا این ماجرا باعث شد که علی به مدت دو ماه از خانه‌مان دوری کند. دفعهٔ بعد با ورود علی به خانه، از خدمتکاران خواستیم ناپلئون را از او دور سازند.

می‌دانستم که امانی در آتش خشم می‌سوزد، و با این حال زمانی که وارد اتاق شد و لیوانی آب تازهٔ گریپ‌فروت به دایی‌اش تعارف کرد، نتوانستم از تحسینش خودداری کنم.

نفس راحتی کشیدم. علی گفت: «اتفاقاً خیلی هم تشنه‌ام بود.»

باز هم به فکر شباهتهای دختر زیبایم، امانی، و خواهرم سارا افتادم. امانی با احترام لیوان آب میوه و ظرفی شیرینی بادامی را به دایی‌اش تعارف کرد. رفتار دخترم بسیار زیبا بود. لبخندی به رویش زدم و با خودم فکر کردم بار بعد که برای خرید می‌روم، هدیهٔ زیبایی برایش بخرم.

پس از رفتن علی، صدای قهقههٔ خنده‌های امانی را از اتاقش شنیدم. خدمتکاران همه به سوی اتاق او شتافتند تا علت خنده‌هایش را دریابند.

امانی به تماشاچیان حیرت‌زده گفت که آب میوه را در لیوانی به دایی‌اش تقدیم کرده است که متعلق به حیوانات ولگرد بوده، و علاوه بر آن به ناپلئون، که زنجیرش کرده بودند، اجازه داده بود شیرینیهای بادامی را زبان بزند!

خدمتکاران با رضایت لبخند زدند، زیرا هیچ کس علی را دوست ندارد.

من تلاش می‌کردم که چهره‌ام را عبوس و در هم نشان بدهم، امّا قادر به مهار خنده‌هایم نبودم. سرانجام تظاهر را کنار گذاشتم و دخترم را در آغوش کشیدم و صدای قهقهه‌های خنده‌مان فضا را پر کرد.

امانی برای نخستین‌بار در زندگی‌اش به عملی دست می‌زد که مرا امیدوار ساخت او فرزند خودِ من است!

حالا احساس می‌کنم که در آن لحظه می‌بایست دخترم را سرزنش می‌کردم. علی اگر به واقعیت پی می‌برد، به یقین دچار حملهٔ قلبی می‌شد، امّا من به سختی قادر به پنهان کردن شادی و رضایت خود بودم. با خنده داستان را برای کریم نقل کردم و او با وحشت نگاهم کرد. نگرانی را در چشمانش می‌خواندم.

با نقل این قصّه، صبر کریم به آخر رسید. او که از رفتار امانی به تنگ آمده بود و به عنوان فردی مسلمان قادر به تحمل حیوانات ولگرد در خانه‌اش نبود، اعتراض کرد و گفت که هر چه زودتر جلسه‌ای با دخترمان تشکیل دهیم و در مورد وسوسهٔ بیمارگونه‌اش به گفتگو بنشینیم.

قبل از آنکه بتوانم به او پاسخی بدهم، کریم دستور داد که امانی بلافاصله به اتاقمان بیاید. من و کریم در اتاقی که به اتاق خوابمان پیوسته است، به انتظار امانی نشستیم.

قبل از آنکه بتوانم حرفی بزنم، کریم از امانی سؤال کرد: «امانی، به من بگو هدف تو در زندگی چیست؟»

امانی با هیجان کودکانه‌ای بلافاصله جواب داد: «نجات حیوانات از چنگ انسانها.»

«نجات حیوانات فکری است که در ذهن غربیان پولدار و مرفّه شکل گرفته است.» و بعد با خشم نگاهی به من انداخت، انگار قصد داشت مرا سرزنش کند. «سلطانه، فکر می‌کردم که دخترت باهوش‌تر از این باشد.»

امانی شروع به گریستن کرد و اجازهٔ ترک اتاق را خواست.

کریم که تحمل اشکهای زنها را ندارد، تصمیم گرفت روش سرزنش‌آمیزش را عوض کند. پس با چهره‌ای جدّی امّا لحنی ملایم‌تر به امانی گفت: «و پس از آنکه همهٔ حیوانات را نجات دادی، چه نتیجه‌ای عاید تو و خانواده‌ات خواهد شد؟»

امانی لبهایش را به هم فشرد و به فضا خیره شد. و بی‌آنکه جوابی بدهد، اندک اندک به دنیای واقعیات راه یافت. او که قادر به تنظیم افکارش نبود، به پدرش نگاه کرد و شانه‌هایش را بالا انداخت.

کریم عاقلانه از سرزنش او به دلیل عشق نامحدودش به حیوانات پرهیز کرد و تنها در مورد نیاز انسان به داشتن هدفی در زندگی اشاره کرد، هدفی که بتواند الهامبخش دیگران گردد و آنها را به سوی خلاقیت بکشاند. او اضافه کرد که امانی در عین کمک به چهارپایان، می‌تواند به پیشرفت تمدن نیز کمک کند. «پیشبرد تمدن مسئولیت آنهایی است که مورد ظلم و ستم قرار گرفته‌اند، زیرا تنها نارضایتی است که بشر را به جستجوی اجتماع بهتری وامی‌دارد.»

امانی به پیام پدرش فکر کرد. بعد صدایش را بلند کرد و سؤال واضحی را از پدرش پرسید: «در عربستان سعودی، یک زن چگونه می‌تواند اوضاع را به نفع خودش عوض کند؟»

دخترم به من نگاه کرد. می‌دانست که با او موافقم.

درست در لحظه‌ای که خودم را آمادهٔ جر و بحث با کریم می‌کردم، در کمال حیرت شنیدم که او گفت: «مادرت هرگز نتوانسته است خود را با ضوابط خاندان سلطنتی سعودی سازگاری دهد. امّا به تحصیل علم پرداخته و از معلوماتش در جهت پیشرفت وضع زنان سعودی استفاده می‌کند. این تلاشهای مادرت روزی به ثمر خواهد رسید و تأثیرات حرکتش در خارج از خانه‌مان ظاهر خواهد شد.»

از شنیدن کلمات کریم بر جایم میخکوب شدم. دیگر حرفی برای گفتن نداشتم. پیش از آن شوهرم هرگز حرکتهای مرا در جهت آزادی زنان سعودی تأیید نکرده بود.

پس از ساعتی گفتگو، امانی به پدرش قول داد که در زندگی‌اش در فکر هدف دیگری به جز رفاه حیوانات باشد.

امانی که همواره فرزند مهربانی بود، گونهٔ من و پدرش را بوسید و شب به خیر گفت و قول داد که در این مورد فکر کند. در حالی که درِ اتاقمان را می‌بست، به سوی ما برگشت و با لبخند شیرینی گفت: «پدر، مادر، دوستتان دارم.» چقدر معصوم و دوست‌داشتنی بود!

کریم که از خوشحالی سر از پا نمی‌شناخت، مرا در آغوش کشید و گفت که چه هدفهایی برای دخترانش و پسرمان عبدالله دارد، و گفت که اگر قدرت داشت،

به گونه‌ای معجزه‌آسا همهٔ محدودیتهای اعمال‌شده بر زنان سـعودی را مـنسوخ می‌کرد، و نگاه محبت‌آمیزی به من افکند.

من با خود اندیشیدم هیچ چیز جز مهر و محبت پدری که دیوانه‌وار دخترش را دوست دارد، نمی‌تواند او را مصمم به برانداختن بی‌عدالتیها نماید.

من که در آرزوی برخورداری از آرامشی مـی‌سوختم کـه هـرگز در زنـدگی خانوادگی‌مان وجود نداشت، با شنیدن گفته‌های کریم که نوید تحقق آرزویم را می‌بخشید، آرام گرفتم، به ویژه پس از قـولی کـه امـانی بـه پـدر و مـادرش داده بود.

مدت کوتاهی پس از این حادثه، جنگ خلیج آغاز شد و به دنبال آن بـحران روانی مها ظاهر گشت. در طول آن روزهای پُر تنش، کسی در کنار امانی نبود تا در جستجوی هدف تازه‌ای در زندگی کمکش کند.

اکنون با نگاهی به گذشته و با دقت در خصوصیات ویژهٔ امانی، می‌بینم که من، زنی که در رشتهٔ فلسفه تحصیل کرده‌ام که هدفش بررسی اعتقادات بنیادین است، می‌بایست زودتر به واقعیات پی مـی‌بردم و درمـی‌یافتم کـه ویـژگیهای دخـترم چیزی جز افکار جزمی و آمیخته به تعصب نیست و او از افراد وحشتناکی است که به اعتقادات افراطی خود عشق می‌ورزد.

در طول زیارتمان از مکّه، یکی از بـزرگ‌تریـن دگـرگونیهای تـاریخ زنـدگی خانوادگی‌مان رخ داد و من و کریم به تماشای دخترمان ایستادیم که ناگهان تنها در طول یک شب، احساسات خفتهٔ مذهبی‌اش را بیرون ریخت. من مادری بودم که فرزندم را در آشنایی با شالودهٔ میراث مذهبی‌اش همراهی می‌کردم، امّا انگار ذهن امانی با نگرشی آن‌چنان غیرمتعارف بارور شده بود که قدرت نداشت رازش را با پدر و یا مادرش در میان بگذارد.

فردای روزی که وارد جدّه شدیم، مسافت کوتاه میان جده و مکه را در طول دریای سرخ در اتومبیل لیموزین کولردار طی کردیم و وارد شهر پیغمبر اسـلام شدیم. من از بودن عزیزانم در کنارم به هنگام ورود به مکه بسیار خوشحال بودم. سعی می‌کردم دعاهایم را زیر لب زمزمه کنم، امّا بی‌اراده از پنجرهٔ اتومبیل بیرون

را نگاه می‌کردم و به گذشته‌ها فکر می‌کردم که هزاران زائر با کاروان شترها و یا پای پیاده خود را به اینجا می‌رساندند تا با اشتیاق، مراسم یکی از پنج اصل بنیادین مذهب اسلام را به جا آورند.

دلم می‌خواست افکارم را با کریم و فرزندانم در میان بگذارم، امّا هر یک از آنها با حالتی معنوی در خود فرو رفته بودند. چشمان مها بسته بود و عبداللّه تسبیح می‌انداخت و دعاهایش را می‌خواند. چشمان کریم مرطوب بود. امیدوار بودم که کابوس دوران جوانی‌اش را به خاطر نیاورد. خم شدم و به او خیره شدم، اما شوهرم از نگاه کردن به چشمان من امتناع می‌کرد. امانی در انزوای مراقبه‌اش فرو رفته بود و چهره‌اش کاملاً برافروخته بود.

من با رضایت دست او را نوازش کردم و از اینکه خانواده‌ام را در این مراسم مقدس به دور هم جمع کرده بودم، به خود تبریک می‌گفتم.

به زودی وارد شهر شدیم که به درّهٔ ابراهیم می‌پیوندد و با کوههایی که تا شرق و غرب و جنوب ادامه می‌یابد، محاصره شده است. مکه در میان صخره‌ها قرار گرفته است، اما این شهر قدیمی از نظر مسلمانان دارای زیباترین منظرهٔ ممکن است.

خواندم: «خداوندا، من اینجا هستم. من اینجا هستم!» در بیرون از مسجد مقدس مکه، خانوادهٔ ما با راهنمایی که قرار بود اعمالمان را در طول مراسم هدایت کند، ملاقات کرد. من و سارا در کنار دخترهایمان ماندیم و کریم و اسد به همراه پسرها از ما دور شدند. در حالی که از پله‌های مرمرین و گرانقیمت مسجد مقدس بالا می‌رفتیم، همهٔ زائران اطرافمان مشغول خواندن دعا بودند. ما نیز کفشهایمان را درآوردیم و همچنان مشغول ادای دعا بودیم. «خداوندا، تو دریای رحمتی و از توست که صفا و رحمت ریشه می‌گیرد. پروردگارا، ما را با صفا و رحمتت بپذیر.»

از آنجایی که حضرت محمّد(ص) همواره با جانب راست خود هر حرکتی را آغاز می‌کرد، من نیز به خود یادآور شدم که در زمان ورود به حیاط مسجد مقدس که پوشیده از مرمر سفید است، نخست پای راستم را در آن بگذارم.

هفت در بزرگ اصلی به حیاط مسجد باز می‌شود، که سیل جمعیت از میان آنها به درون مسجد سرازیر بود. در اطراف مسجد، ستونهای مرمر سفید به جانب آسمان برخاسته بود و مناره‌های کنده کاری‌شدهٔ زیبا بر روی این ستونها دیده می‌شد. فرشهای قرمز ابریشمین در طول حیاط گسترده شده بود و زائران بر روی آنها نشسته، مشغول دعا و مراقبه بودند.

صدای مؤذّن به گوش می‌رسید که مسلمانان را دعوت به نماز می‌کرد. بخشی از حیاط مسجد ویژهٔ زنهاست، امّا من و سارا و دخترهایمان در ردیف پشت سر مردها ایستایم که در جلوی ما، در صف مردان دیگر ایستاده بودند و ادای نماز می‌کردند.

احساس تواضع و فروتنی می‌کردم. من به خاندان سلطنت سعودی تعلق داشتم، امّا در چشم خداوند فرقی با سایر بندگانش نداشتم. همهٔ آنهایی که در اطرافمان بودند، از فقیرترین بندگان الهی بودند، و با این حال در نظر خداوند چون من غنی می‌نمودند.

پس از خاتمهٔ نماز، روانهٔ کعبه شدیم که ساختمان سنگی ساده‌ای است با دری که به اندازهٔ حدود دو متر از سطح مرمرین ارتفاع دارد. کعبه، که طول آن شانزده متر است و ارتفاعش ده متر، مرکز مسجد مقدس است. این همان نقطه‌ای است که سه هزار سال پیش، ابراهیم نخستین پایگاه ستایش خدای یگانه را در آن بنا نهاد. خداوند در قرآن می‌فرماید: «نخستین خانهٔ خدا که برای مردمان ساخته شد، در مکّه است.» و همین نقطه است که یک میلیارد مسلمان، هر روز پنج مرتبه رو به آن می‌ایستند و نماز می‌خوانند.

پردهٔ مخمل سیاه کلفتی که زردوزی‌شده و آیاتی از قرآن بر رویش نوشته شده است، کعبه را می‌پوشاند. می‌دانستم که در پایان مراسم، پرده پایین آورده می‌شود و پردهٔ دیگری که در کارخانهٔ ویژه‌ای در عربستان بافته شده است، جانشین آن می‌گردد. بسیاری از مسلمانان با خرج مبلغ هنگفتی، تکه‌ای از پرده را به دست می‌آورند و به عنوان یادگار متبرّک سفر مقدسشان، با خود به خانه می‌برند.

در گوشه‌ای از کعبه، حجرالاسود قرار دارد که نماد عشق مسلمانان به خداوند

یکتاست. حجرالاسود که در چهارچوبی نقره‌ای قرار گرفته است، یادگار حضرت محمّد است. حدیث است که حضرت قبل از گذاشتن این سنگ در اینجا، آن را بوسیده‌اند، و به همین دلیل این سنگ از نظر مسلمانان بسیار مقدس است.

در طول طواف، که دومین بخش از فرائض مقدس این مراسم است، مردم در اطراف کعبه به حرکت درمی‌آیند.

در حالی که کعبه در جانب چپ ما قرار گرفته است، در اطراف آن طواف می‌کنیم و می‌خوانیم: «خداوند عظیم و اعظم است. خداوندا، هم در اینجا و هم پس از آن، یار و یاورمان باش و ما را از آتش دوزخ برکنار دار.»

پس از طواف، کریم را دیدم. او با سر به ما اشاره کرد که به او نزدیک شویم. ما افراد خوش‌اقبالی بودیم، زیرا کریم مقدماتی فراهم آورده بود که بتوانیم وارد کعبه شویم و در آنجا دعا بخوانیم.

من و خانواده‌ام از پله‌های متحرکی که ما را به درِ کعبه می‌رساند، بالا رفتیم. بر روی در کعبه آیه‌هایی از قرآن با نقره نوشته شده بود. درون کعبه برای مسلمانان مقدس‌ترین نقطهٔ جهان است.

داخل کعبه بسیار تاریک بود. من در هر گوشه‌ای از آن به دعا پرداختم و از خداوند خواستم که شیطان را از سر راه دخترم، مها، دور نگه دارد و سایر افراد خانواده‌ام را حمایت کند. به دلیل جنگ خلیج، از خداوند تقاضای امنیت برای کشورمان و مسلمانان کردم و در حالی که همچنان بزرگ‌ترین هدف زندگی‌ام را به خاطر داشتم، از خداوند خواستم که مردان عرب را در تعبیراتشان از گفته‌های پیامبر و قرآن هدایت کند و زنان و خواهران و دخترانشان را از غل و زنجیری که آنها محکم به دورشان پیچیده‌اند، رهایی بخشند.

صدای گریهٔ کودکی را شنیدم. در تاریکی به اطراف نگاه کردم. امانی بود که گریه می‌کرد. در میان هق هق گریه‌اش شنیدم که می‌گفت: «خدایا، کمکم کن که خود را از قید و بند مادی نجات دهم و با شرارتهای انسانها جدال کنم. خدایا، گناهان ما را ببخش و بیماران را شفا بده.»

این تجربه‌ای مذهبی برای امانی بود. چشمانش قرمز و متورم بود. در حالی که کعبه را ترک می‌کردیم، با محبت دست او را فشردم، امّا او حرکت مرا نادیده گرفت.

پس از ترک کعبه، به مقام ابراهیم رفتیم که در مسجد مقدس قرار گرفته است. در آنجا نیز دو سجدهٔ دیگر به جا آوردیم و در حالی که در مقابل خداوند زانو زده بودیم، به خود یادآوری کردیم که طواف اطراف کعبه به مفهوم پرستش سنگ نیست، بلکه تنها پرستش خدای یگانه است، یگانهٔ بی‌همتا، و جز خداوند سزاوار پرستش نیست.

سپس مسجد مقدس را ترک کردیم تا مرحلهٔ بعدی را آغاز کنیم که در چاه زمزم انجام می‌گیرد. این چاه در دشتی قرار گرفته که مکه را احاطه کرده است.

یک بار دیگر من و سارا از مردها جدا شدیم. اگرچه اعمالمان یکسان بود، می‌بایست آنها را در کنار همجنسانمان انجام می‌دادیم.

در همین منطقه بود که ابراهیم به هاجر و پسرش، اسماعیل، اجازهٔ رفتن داد، زیرا از ایذا و آزار سارا به جان آمده بود. پس از آن، ابراهیم به همراه سارا و اسحق عازم فلسطین شد. مسیحیان و یهودیها آگاه‌اند که اعقاب ابراهیم در فلسطین مذهب یهود را بنیان نهادند، حال آنکه اعقاب دیگری که در مکه ماندند، اسلام را بنا نهادند.

بنابراین، دو مذهب از سه مذهب مهم توسط مردی بزرگ به همدیگر پیوسته‌اند.

هاجر و اسماعیل در طول بیابان، تنها با کیسه‌ای خرما سفر می‌کردند. هاجر دیوانه‌وار در جستجوی آب برای فرزندش بود. او در میان دو تپّهٔ صفا و مروه شروع به دویدن کرد تا چاه آبی بیابد و فرزند تشنه‌اش را سیراب کند. ناگهان معجزه‌ای رخ داد. جبرئیل چاه آبی راکه خشک شده بود پُر از آب کرد و در جلوی پای اسماعیل ظاهر ساخت. خداوند هاجر و پسرش را نجات داد. این چاه که هنوز هم آب زلالی در آن روان است، زمزم نام گرفت.

هاجر در زیر آفتاب سوزان در بیابان سرگردان بود و ما زائران در میان دو تپّهٔ

صفا و مروه که مجهز به دستگاه تصفیهٔ هواست، این سو و آن سو می‌دویم. این تسهیلات را مردان خانوادهٔ من بنا نهاده بودند تا از کثرت تلفات سالانهٔ زائران کاسته شود. پیر و جوان، سالم و علیل، بدون توجه به گرمای سوزان این منطقه، هفت مرتبه در میان صفا و مروه می‌دوند. آفتاب‌زدگی و حملهٔ قلبی بسیار متداول است.

در تمام طول مسیر، تابلوهای راهنما زمان دویدن و زمان راه رفتن را به مردان یادآوری می‌کند. از زنها تنها انتظار راه رفتن می‌رود. زائران در طول حرکت در میان تپه‌ها، آیاتی از قرآن را می‌خوانند. من و دخترهایم پس از هفت مرتبه دویدن و یا راه رفتن، آب زمزم را نوشیدیم و قطراتی از آن را بر روی لباس‌هایمان پاشیدیم.

درست در زمانی که آمادهٔ ترک زمزم بودیم، صدای هیاهوی بلندی به گوشمان رسید. من با کنجکاوی به جانب دسته‌ای از زنان زائر اهل اندونزی رفتم و از آنها به زبان انگلیسی دلیل هیاهو را پرسیدم.

یکی از آنها گفت: «سه مرد زیر پای جمعیت لگدمال شده‌اند و دو تن از آنها کشته شده‌اند.»

نفسم بندآمده بود. به چیزی جز شوهرم، کریم، فکر نمی‌کردم. آیا کابوس کریم تحقق یافته بود؟

به سوی خواهر و دخترهایم دویدم. چشمانم از حدقه بیرون زده و کلماتم نامفهوم بود. سارا شانه‌هایم را تکان داد و پرسید که ماجرا چیست؟

«کریم! سه نفر از مردها لگدمال شده‌اند. نگران کریم هستم.»

دخترهایم به تصور آنکه من جسد پدرشان را دیده‌ام، شروع به شیون کردند. سارا صدایش را بلند کرد و از من علت نگرانی‌ام را پرسید.

به سارا گفتم: «یک کابوس. کریم خودش این خواب را دیده است و حالا درست در جایی که کریم قرار داشت، سه نفر کشته شده‌اند.»

سارا چون من می‌دانست که در زندگی امور غیرقابل توجیه فراوانی وجود دارد و نیروهای مرموزی در زندگی‌مان در حرکت‌اند. او نیز نگران شده بود.

ما بـه سه گـروه تـقسیم شـدیم و درسـت در لحظه‌ای کـه قصد داشتیم
به جستجوی مردها بپردازیم، چشمانمان به دو جسد افتاد که با ملافهٔ سفیدرنگی
پوشانده شده بودند و بر روی برانکاری از میان جمعیت بیرون برده می‌شدند. من
با تمام قدرت دویدم و ملافه‌ها را از روی اجساد کنار زدم.

چهار پرستار بیمارستان با حیرت به من خیره شده بودند.

هیچ‌یک از اجساد بـه کریم تعلق نـداشت. هـر دو سالمند بـودند و دلیـل
لگدمال‌شدنشان روشن بود.

در حالی که ملافهٔ سفید را در دست داشتم، بالای سر اجساد ایستاده بـودم و
گریه می‌کردم و می‌خندیدم، خوشحال از آنکه کریم نمرده است. درست در همان
لحظه کریم، اسد و پسرها وارد معرکه شدند.

کریم آنچه را می‌دید، باور نداشت. همسرش بالای سر جسدی ایستاده بود و
با صدای بلند می‌خندید. او انبوه جمیت را شکافت و خودش را به من رساند و
مچ دستم را گرفت و از میان جمعیت بیرون کشید.

«سلطانه، دیوانه شده‌ای؟»

سارا به سرعت ماجرا را تعریف کرد. نگاه خشمگین کریم آرام گرفت، اگرچه
دلش نمی‌خواست قصّهٔ کابوسش به گوش اطرافیان برسد.

جمعیت شروع به پچ پچ کـردند و بـا نگـاههایی غـضبناک بـه جـانب مـن
نگریستند. همسران دو مردی که از پا درآمده بودند با خشم به زنی که در بالای سر
جسد شوهرهاشان با صدای بلند می‌خندید، نگاه می‌کردند.

ما با سرعت جمعیت را ترک کردیم و اسد هویتمان را بر نگهبانها آشکار کرد.
با حمایت محافظان، اسد ۳۰۰۰ ریال سعودی به خانوادهٔ هر یک از کشته‌شدگان
داد و به آنها گفت که ما متعلق به خاندان سلطنتی سعودی هستیم، و بعد به سرعت
دلیل عمل مرا برای آنها شرح داد.

پس از گریز از صحنه، خانواده‌ام با حالتی عصبی شروع به خندیدن کـردند.
اکنون با دور شدن از خطر، کسی به عمل ناشایست من فکر نـمی‌کرد. در واقع
حادثهٔ مضحکی رخ داده بود که موجب تفریح افراد خانواده‌ام شده بود.

مراسم روز نخست به آخر رسید و ما به قصرمان در جدّه برگشتیم که بر روی آبهای دریای سرخ قرار گرفته است. در طول سفر، برای آنکه خاطرهٔ تلخ لگدمال شدن زائران را از ذهن خود دور سازیم، هر یک تجارب آن روز خاص را نقل می‌کردیم. تنها امانی بود که بی‌نهایت ساکت بود.

با خودم فکر کردم که رفتار دختر کوچکم بسیار عجیب است.

احساس بدی داشتم، انگار منتظر وقوع حادثهٔ بدی بودم. پس از بازگشت به قصر و پس از آنکه قادر به تمرکز افکارم شدم، نزد کریم رفتم تا آنچه را در قلب و روحم می‌گذشت، بازگو کنم. به دنبال کریم از سرسرای ورودی گذشتم و وارد اتاق خواب و سپس کتابخانه شدم.

در آن لحظه میان احساسات من و کریم فاصلهٔ عمیقی وجود داشت. سرانجام کریم سرش را با خستگی بلند کرد و پرسید: «سلطانه، چه می‌خواهی؟»

من که نمی‌دانستم نگرانیهایم ناشی از چیست، قادر به توضیح نبودم. «امروز متوجه امانی بودی؟ او نگرانم می‌کند. احساس می‌کنم که دخترم تحت فشار شدیدی است، و من این حالت را دوست ندارم.»

شوهرم با لحن خسته‌ای گفت: «سلطانه، این همه نگران چیزهایی که اتفاق نیفتاده است، نباش. او در سفر حج است. نمی‌بینی که همهٔ زائران در حال و هوای دیگری هستند؟» و مکثی کرد و با لحن شیطنت‌آمیزی گفت: «همه به جز تو، سلطانه.» بعد ساکت شد و نگاه مملو از هوسی به من افکند که منزجرم ساخت. من او را ترک کردم. دنبال مها می‌گشتم، امّا او هم به اتاق خوابش رفته و خوابیده بود. عبدالله هم دیده نمی‌شد و به خانهٔ خاله‌اش رفته بود. احساس تنهایی عجیبی می‌کردم.

تصمیم گرفتم که به سراغ منبع اصلی نگرانی‌ام بروم. به سوی اتاق امانی حرکت کردم و صدای زمزمهٔ او را شنیدم. سرم را نزدیک‌تر بردم و گوشم را بر روی سوراخ در گذاشتم و سعی کردم به مفهوم کلماتش پی ببرم. دخترم داشت دعا می‌خواند و به درگاه خداوند التماس می‌کرد. آوای دخترم مرا به یاد صدای

دیگری انداخت که از پشت درِ بسته‌ای شنیده بودم، و ناگهان با یادآوری صحنه‌ای که در گذشته شاهدش بودم، به دلیل نگرانی‌ام پی بردم، لاواند. امانی درست به گونه‌ای به درگاه خداوند التماس می‌کرد که دختر عمویش، لاواند، در پشت در بستهٔ اتاقش می‌نالید!

از لحظهٔ نخست شرکت در مراسم حج، در امانی حال و هوایی را می‌دیدم که به نظرم آشنا می‌رسید، و حالا همان جنون لاواند را در چشمان امانی می‌دیدم.

به خودم گفتم که امانی هم راه دخترِ عمویش، لاواند را طی می‌کند.

لاواند در واقع دخترعموی کریم بود که در نوجوانی برای تحصیل به سویس فرستاده شده بود. بعدها ثابت شد که این تصمیم والدین او تا چه اندازه اشتباه بوده است. لاواند در ژنو با برقراری ارتباط با مردان جوان متعدد، حیثیت خانواده‌اش را به باد داد و علاوه بر آن به مواد مخدر نیز معتاد شد. یک شب، زمانی که پنهانی از اتاقش در مدرسه خارج می‌شد، مدیر مدرسه او را دستگیر کرد و با پدرش تماس گرفت تا هر چه زودتر به ژنو بیاید و دخترک لاابالی خود را به خانه‌اش برگرداند.

خانوادهٔ لاواند با شنیدن ماجرا به ژنو پرواز کردند و دخترک را به مرکز ترک اعتیادی در سویس تحویل دادند. شش ماه بعد، زمانی که درمان لاواند خاتمه یافت، او را به عربستان بازگرداندند. خانوادهٔ لاواند که در آتش خشم و شرم می‌سوخت، برای مجازات لاواند او را در اتاقکی محبوس ساخت تا به خود آید و به رفتار غیراسلامی‌اش پی ببرد.

زمانی که ماجرا به گوش من رسید، بی‌اختیار به یاد سمیرا، بهترین دوست خواهرم، تهانی افتادم. سمیرا زنی زیبا و هوشمند بود که از موهبتِ آزادی محروم شد و در اتاقی به نام «اتاق زن» برای ابد محبوس گشت. در حالی که قرار بود لاواند پس از توبه آزادی‌اش را به دست آورد، به نظر می‌رسید که تنها مرگ می‌توانست سمیرا را از آن زندان نجات ببخشد.

ناگهان به خاطر آوردم که لاواند دختر خوش‌اقبالی بود، زیرا پدرش انسانی بااحساس بود و حاضر نبود دخترش را برای ابد زندانی و یا سنگسار کند و نفسی به راحتی کشیدم.

راستی انسان اگر حافظه نداشت، چقدر خوشبخت می‌بود، زیرا بشر همواره در بند خاطره‌های دردناک خویش است. من به گفتگوهای مردان خانواده گوش می‌دادم. آنها بر قانون فرمانبرداری تأکید می‌کردند و اعتقاد داشتند که ساختار صلح‌آمیز اجتماع ما بر اساس اصل فرمانبرداری کامل زن از شوهر و فرزندان از والدین قرار دارد و بدون چنین فرمانبرداری‌ای، هرج و مرج حکومت خواهد کرد. مردان خانواده‌ام با قاطعیت اظهار می‌داشتند که مجازات لاواند بسیار عادلانه است.

من خانوادهٔ لاواند را در موقعیتهای مختلف ملاقات کرده بودم و با اندوه و ماتم خواهران و مادر او عمیقاً همدردی می‌کردم. اغلب، زنان خانواده از پشت درِ بسته با لاواند حرف می‌زدند. در بدو امر، لاواند طلب بخشش می‌کرد و از مادرش می‌خواست که او را آزاد کند.

من و سارا نامه‌های دلگرم‌کننده‌ای برای لاواند می‌فرستادیم و به او توصیه می‌کردیم که قدر این سکوت را بداند، کتاب بخواند و با بازیهای مختلفی که زنان خانواده از طریق سوراخ کوچکی که برای فرستادن غذا و گرفتن زباله تعبیه شده بود، برای او می‌فرستادند، خودش را سرگرم سازد. امّا لاواند علاقه‌ای به چنین سرگرمیهایی نداشت.

پس از چند هفته، لاواند به جانب خدا برگشت و دعاهایش را آغاز کرد و اعلام داشت که متوجه گناهانش شده است و سوگند یاد کرد که هرگز از راه راست منحرف نخواهد شد.

مادر لاواند از شوهرش خواست که او را از زندانش خارج کند و به وی اطمینان بخشید که دخترش راه تقوی را دنبال خواهد کرد.

پدر لاواند قول او را باور نداشت و گفته‌هایش را کذب می‌پنداشت.

چیزی نگذشت که لاواند در تمامی ساعاتی که بیدار بود به دعا می‌پرداخت، تا آنجا که به اطرافیانی که با نگرانی او را می‌خواندند، پاسخی نمی‌داد. من به خوبی آگاه بودم که لاواند در توهمات خود غوطه می‌خورد، زیرا او با لحنی خودمانی با پروردگار سخن می‌گفت و فریاد می‌زد که او نایب پروردگار بر روی زمین است

و به بندگان وی اخلاقیات تازه‌ای را تعلیم خواهد داد؛ درسهایی که فقط او، لاواند، به آنها واقف است.

روزی پس از آنکه من و مادر لاواند فریادهای دیوانه‌وارش را از پشت در اتاق شنیدیم، به خانه برگشتم و به کریم گفتم که به یقین لاواند عقلش را از دست داده است.

کریم با پدرش صحبت کرد و او نیز به خانهٔ برادرش رفت. پدر کریم که برادر بزرگ‌تر بود، در میان اعضای خانواده قدرت و نفوذ داشت. به توصیهٔ او، پدر لاواند درِ زندان را گشود و وی را آزاد ساخت. اکنون لاواند اجازه داشت که به سایر افراد خانواده‌اش بپیوندد.

یازده هفته زندان لاواند تمام شده بود، امّا فاجعهٔ زندگی‌اش خیلی زود از راه رسید. لاواند که در طول حبس، خود را با پرهیزکاری زاهدانه‌ای مجازات کرده بود، با بیرون آمدن از زندان ادعا کرد که فصل تازه‌ای از اسلام فرارسیده است.

لاواند در روز آزادی‌اش اعلام کرد که همهٔ مسلمانان باید فسق و فجور و تجملات را تقبیح کنند و بلافاصله به خواهرانش، که به چشمان خود سرمه کشیده و به گونه‌هایشان سرخاب مالیده بودند، حمله‌ور شد و سپس گردنبند گرانقیمتی را که بر گردن مادرش بود، پاره کرد و به جانب چاه آشپزخانه دوید تا گردنبند را در آن بیندازد. زنهای خانه قادر به مهار کردن او نبودند و بعضی از آنها دچار جراحات خفیفی شدند. یکی از پزشکان قصر، آمپول آرامبخشی به لاواند تزریق کرد و او را آرام ساخت.

برای مدتی خشونت لاواند پنهان بود، امّا گه‌گاه به افراد مختلف اهانت می‌کرد و آنها را به زیر شلاق کلامش می‌گرفت.

پس از آنکه لاواند گوشواره‌های طلای خواهرم سارا را در گوشش پاره کرد و فریاد کشید که چنین تلألؤیی به چشمهای خداوند آسیب می‌رساند، من که تعطیلاتم را در آمریکا می‌گذراندم، قوطی اسپری ادویهٔ تندی خریدم و پنهان ساختم و حتی از چشم کریم دور نگه داشتم تا هر زمان که به خانهٔ لاواند رفتم، آن را در کیسهٔ کوچکی با خود ببرم.

از بداقبالی، بعدازظهری به خانهٔ لاواند رفتم که او مشغول تمرین اصول تازهٔ اسلامی‌اش بود.

لاواند و مادر و دو خواهرش در کنار هم نشسته و در حال خوردن چای و شیرینی بودند. گفتگوی دلپذیری داشتیم و در مورد سفر اخیر من به آمریکا صحبت می‌کردیم که ناگهان لاواند بی‌قرار شد و در جستجوی یافتن بهانه‌ای برای متهم ساختن ما برآمد.

لاواند نخست لباس پوشیدن مادرش را به باد انتقاد گرفت و به او گفت که چنین لباسی برای زن مسلمان شایسته نیست. من با دقت به لاواند خیره شده بودم. او دستمال سفره‌اش را تا کرد و به دور گردن مادرش پیچید و ناگهان سیل ناسزا از دهانش خارج شد. بعد به هوا جست و در مقابل من ایستاد.

لاواند با دقت به گردن‌بند مرواریدم خیره شده بود. ناگهان هشدار کریم را به خاطر آوردم که مرا از استفاده از جواهر در خانهٔ لاواند منع می‌کرد.

و چهرهٔ رنگ‌پریدهٔ لاواند برافروخت. من خطر را در دو قدمی خود یافتم. به سرعت دستم را به درون کیف کوچکم فرو بردم و اسپری را بیرون آوردم و از لاواند خواستم که یا اتاق را ترک کند و یا بر زمین بنشیند، و در غیر این صورت ناچار به دفاع از خود خواهم شد.

مادر لاواند فریاد زد و آستین دخترش را کشید. لاواند مادرش را کنار زد و به من حمله‌ور شد و مرا به گوشه‌ای در میان چراغ و صندلی راند.

هنوز ماجرا به آخر نرسیده بود. سارا که قرار بود به خانهٔ لاواند بیاید، درست در آن لحظه وارد ویلا شد. او کوچک‌ترین فرزندش را در آغوش داشت.

سارا با دیدن صحنهٔ اتاق بر جایش میخکوب شد. او که با نقطه‌ضعف لاواند آشنا بود، به سرعت بر خودش مسلط گشت و به آرامی از لاواند خواست که آرام بگیرد. برای لحظه‌ای کوتاه، لاواند تظاهر به آرامش کرد، انگار تسلیم گفته‌های سارا شده بود، و با حالتی عصبی دستهایش را به هم مالید.

من که فریب حرکات لاواند را نخورده بودم، فریاد زدم و از سارا خواستم که با کودکش به سرعت اتاق را ترک کند. لاواند با شنیدن صدای هیجان‌زدهٔ من

به طرفم چرخید و با قدرتی که تنها در این‌گونه افراد دیـده مـی‌شـود، بـه جـانب گردنبندم حمله‌ور شد.

من اسپری را با دو دستم می‌فشردم. لاواند بر روی زانـوانش افتاد و مـن بـا دستپاچگی اسپری را نه تنها به جـانب لاوانـد، بـلکه بـه سـوی مـادر و یکـی از خواهرانش نیز افشاندم.

لاواند دیگر قدرت جنگیدن را از دست داده بود.

سرانجام پدر لاواند دریافت که فرزندش نیازمند درمانی طولانی است. او را به فرانسه برد و در آنجا بود که لاواند سلامت کاملش را بازیافت.

پس از این حادثه، در خانوادهٔ کریم همه مرا متهم به نشان دادن واکنش شدید می‌کردند، امّا من خود را نباختم و به آنها اجازه ندادم که مرا قربانی اتـهاماتشان نمایند، زیرا به دفاع از خود در مقابل یک دیوانه دست زده بودم، و به آنها گفتم که باید از عمل من قدردانی کنید، زیرا موجبات درمان لاواند را فراهم کرده بودم.

گروهی عمل مرا ناشی از هیجانات زنانه تلقی می‌کردند، امّا خودم به خـوبی می‌دانستم که هر زمان موضوع زنها به میان می‌آمد، بسیار مصمم و جدّی می‌شدم.

یک بار از مرد با درایتی سؤال کردند که دشوارترین حقیقتی که مـی‌تـوان در جهان کشف کرد چیست؟ پاسخ او این بود: «شناختن خـود.» شاید دیگران در مورد شخصیت من شک و تردید به خود راه دهند، امّا مـن بـه خـوبی خـود را می‌شناسم. خداوند موهبت خودانگیختگی بیکرانی به من اهدا کرده است، و بـا استفاده از این قدرت است که به جنگ اربابانی می‌روم که در سرزمین من زندگی زنانشان را تیره و تار ساخته‌اند، و حتی می‌توانم ادّعا کنم که تا حدی در شکستن سنتها موفق بوده‌ام.

اکنون با یادآوری تعصب بیمارگونهٔ لاواند، ترس سراپای وجـودم را در بـر می‌گرفت. آیا امانی هم همان راه را طی می‌کرد؟

من اگرچه قویّاً به خدای یگانهٔ محمّد اعتقاد دارم، پس از تفکرات زیاد به این نتیجه رسیده‌ام که عشق و تلاش و رنج و لذّت افـراد بشـر بـر اسـاس خـواستـهٔ پروردگار است، و من هرگز مایل نیستم که فرزندم به این ابعاد طبیعی زنـدگی

روزانه پشت کند و آینده‌اش را بر اساس تعبیرات نادرست مذهبیون افراطی سرزمینم به نابودی بکشاند.

با سرعت به اتاق شوهرم دویدم و گفتم: «امانی دارد دعا می‌خواند!»

کریم که به آرامی مشغول خواندن قرآن بود، با تعجب به من نگاه کرد و پرسید: «دعا می‌خواند؟» رفتار مرا باور نداشت.

فریاد زدم: «بله! دارد خودش را از پا درمی‌آورد. خودت بیا و ببین.»

کریم با اکراه قرآن را زمین گذاشت و با من به سوی اتاق امانی آمد.

با ورود به سرسرا، صدای امانی که هنگام خواندن دعا اوج می‌گرفت و آرام می‌شد، به گوشمان رسید.

کریم خودش را به درون اتاق امانی انداخت. امانی به طرف او چرخید. چهره‌اش را غم و اندوه پوشانده بود.

کریم با ملایمت گفت: «امانی، دیگر باید استراحت کنی. برو بخواب. یک ساعت دیگر مادرت تو را برای خوردن شام بیدار می‌کند.»

امانی جوابی نداد. امّا به جانب تختش به راه افتاد و با همان لباسهایش بر روی تخت دراز کشید و چشمانش را بست.

لبهای فرزندم را می‌دیدم که در سکوت، آهسته به خواندن دعا ادامه می‌داد.

من و کریم به آرامی اتاق را ترک کردیم. کریم گفت که او نیز اندکی دچار نگرانی شده است، امّا عکس‌العمل مبالغه‌آمیز مرا نمی‌پذیرد و شک دارد که امانی راهی بیمارگونه را طی کند و افکارش تحت تأثیر ارتکاب گناهانی کاذب و سوختن در آتش جهنم قرار گرفته باشد، و افزود که نگرانی من ناشی از دیدن وضع لاواند است، امّا تعصبات مذهبی امانی به دلیل از دست دادن عقل و اوهام و تخیّل نیست، بلکه سفر حج است که او را از خود بی‌خود ساخته است.

«حالا می‌بینی. بعد از آنکه به زندگی عادی برگردیم، باز هم امانی حیوانات ولگرد را از خیابانها جمع می‌کند و افکار فعلی‌اش را کنار می‌گذارد.» سپس لبخندی بر لب آورد و گفت: «سلطانه، لطفاً امانی را به حال خودش بگذار. اجازه بده این دختر از مسائل روزانه رو برگرداند و متوجه احدیّت خداوند شود؛ کاری

که بر هر مسلمانی واجب است.»

سرم را به علامت موافقت تکان دادم. امیدوار بودم که حق با کریم باشد.

با این حال، نمی‌توانستم چنین حادثهٔ مهمی را تصادفی بپندارم. ساعت‌ها به درگاه پروردگار التماس کردم و از او خواستم امانی را به روزهای قبل از سفر برگرداند.

در طول شب، کابوس‌های وحشتناک راحتم نمی‌گذاشت: در خواب می‌دیدم که دخترم خانه را رها کرده و به سازمان مذهبی افراطی‌ای در اردن پیوسته که بر روی لباس زنان کارگری که از نظر آنها غیرمسلمان بودند، بنزین می‌پاشیدند و آنها را آتش می‌زدند.

۶

حج

«اکنون سرزمینهای عرب نیز راه ایران را طی خواهند کرد. مصر اولین کشوری نیست که سقوط خواهد کرد، امّا در هر حال سقوط خواهد کرد. زنها نخستین گروهی خواهند بود که از حقوق بشر محروم خواهند شد. نخستین‌بار ناصر و سپس سادات حقوق ما زنها را به ما اعطا کردند. اخیراً دادگاهها نیز علیه زنان برخاسته و حق طلاق را از زنهایی که شوهرانشان درصدد ازدواج با زن دیگری هستند، سلب کرده‌اند. با زیر پا نهاده شدن این قانون، ما زنهای مصری از خود سؤال می‌کنیم که چه بر سرمان خواهد آمد، و اغلب به شوخی به همدیگر می‌گوییم که به‌زودی ما نیز به سرنوشت سیاه خواهرانمان در عربستان سعودی دچار خواهیم شد.»

— گفته‌های یک زائر مصری طرفدار حقوق زنان به سارا آل سعود در مکّه در سال ۱۹۹۰.

با خودم فکر کردم که خداوند دعاهایم را شنیده است، زیرا فردای آن روز امانی به وضعیت عادی برگشت. انگار خواب، درد و رنجی را که شب گذشته شاهدش بودم از چهرهٔ فرزندم زدوده بود. او سر میز صبحانه می‌خندید و با خواهرش،

مها، شوخی می‌کرد. آنها مشغول خوردن ماست و خربزه بودند. کمی هـم کیبه (غذایی عـربی) از شـام شب قبل بـاقی مـانده بـود کـه دخترها خِـرت خِـرت می‌خوردند.

راننده‌مان ما را به درهٔ منا برد که تقریباً در ده کیلومتری شمال مکه قرار گرفته است. قرار بود شب را در چادر مجهزی که دارای کولر و وسایل تهویه بود و کریم از قبل تدارک دیده بود، به سر بریم. با خوابیدن در چادر، ما خود را برای بـرنامهٔ صبح زود فردا آماده می‌کردیم. بچّه‌ها کاملاً هیجان‌زده به نظر می‌رسیدند، زیرا هرگز در این درّه نخوابیده بودیم.

در طول راه صدها اتوبوس را که حامل زائران بـودند پشت سـر گـذاشتیم. در کنار بزرگراه هزاران مسلمان به آرامی مسافت ده کیلومتری مـیان مکّـه و درّهٔ منا را می‌پیمودند. مسلمانان از هر رنگ و مـلیّتی، مشـغول انـجام دادن وظایف خود بودند.

با تصور آنکه امانی به حالت عادی برگشته است، از دیدن خود در میان ایـن جمع شیفته و معتقد احساس شادی و هیجان می‌کردم و با خوشحالی برای انجام دادن فرائض آخرین روز حج ثانیه‌شماری می‌کردم.

در درّهٔ منا بود که کریم با یکی از دوستان قدیمی‌اش ملاقات کرد. کریم او را از زمانی که در انگلستان بود، می‌شناخت. این مرد یوسف نام داشت و اهل مصر بود. کریم که در کنار من ایستاده بود، ناگهان چشمش به دوستش افتاد و او را در آغوش کشید؛ دوستی که هیچ یک از ما ملاقاتش نکرده بودیم.

من از دور به یوسف نگاه می‌کردم. دماغی دراز و اندکی خـمیده، گـونه‌هایی برجسته و ریشی پُر پیچ و تاب داشت. آنچه از چشمان مـن پنهان نـماند، نگاه سرزنش‌آمیزی بود که متوجه زنان خانوادهٔ کریم کرد.

کریم دوستش را با صدای بلند صدا کرد، و من دریافتم که نام او را در گذشته نیز از زبان کریم شنیده‌ام. ناگهان آنچه را کریم در مورد این مرد گفته بود، به خاطر آوردم. در طول زندگی زناشویی‌مان، هر زمان که با کریم به خـانه‌مان در قاهره

می‌رفتیم، کریم دوست مصری دوران مدرسه‌اش را به خاطر می‌آورد، اما هر بار که درصدد جستجوی دوست گمشده‌اش برمی‌آمد، سرگرمیهای دیگر زندگی‌مان مانع از این امر می‌شد.

به سرعت نگاهی به جانب کریم انداختم و از اینکه کریم هرگز نتوانسته بود او را بیابد خوشحال شدم، زیرا از همان لحظهٔ نخست متوجه نگاه مملو از نفرت او به جانب زنها شدم.

از خودم سؤال کردم که چه عاملی زندگی این مرد را دگرگون ساخته است. طبق گفتهٔ کریم، یوسف همواره رفتاری جذاب داشت که زنها را واله و شیفتهٔ خود می‌ساخت و قدرت مقاومت را از آنها سلب می‌کرد.

کریم و یوسف در انگلستان و در دوران تحصیل با هم آشنا شده بودند. هر دو دور از وطن بودند و یوسف، که پسری خوشگذران بود، در لندن اوقاتش را در کازینوها و کنار زنان غربی می‌گذراند. کریم می‌گفت او که بسیار باهوش بود و نیازی به خواندن درسهایش نداشت، هر هفته یکی از دوستان مؤنث تازه‌اش را به کریم معرفی می‌کرد. به رغم عطش سیری‌ناپذیر یوسف به ایجاد ارتباط با زنها، کریم آیندهٔ درخشانی را در زمینهٔ سیاست و حقوق برای دوستش در مصر پیش‌بینی می‌کرد، زیرا یوسف دارای ذهنی تیز و رفتاری جذاب بود.

یوسف یک سال زودتر از کریم فارغ‌التحصیل شد و از آن زمان، این دو دوست یکدیگر را ندیده بودند.

در حالی که کریم و یوسف با همدیگر مشغول گفتگو بودند، من و دخترهایم در کناری ایستاده بودیم، زیرا هنگام ورود مرد غریبه‌ای به جمع خانواده، ما بایستی دور بایستیم. امّا قادر به شنیدن حرفهایشان بودیم.

به نظر می‌رسید که از دوران تحصیل به بعد، یوسف دچار دگرگونیهای فاحشی شده است. و پس از اندکی گفتگو، این دو دوست قدیمی حرف مشترک چندانی برای گفتن نداشتند.

یوسف در مورد حرفه‌اش بسیار پنهانکار بود. کریم با اصرار از او

می‌خواست که دربارهٔ شغلش حرف بزند، امّا یوسف تنها به این نکته اشاره کرد که با دوران تحصیلش بسیار فرق کرده و اکنون قویاً طرفدار سنتهای اسلامی است.

او با لحنی پر غرور برای کریم نقل کرد که در این مدت همسر اولش را که به او دو پسر بخشیده بود طلاق داده و با زن دیگری ازدواج کرده است و اکنون صاحب پنج فرزند ذکور دیگر از همسر دومش است. او با خوشحالی می‌گفت که داشتن هفت فرزند ذکور به واقع موهبتی است. او اضافه کرد که سرپرستی فرزندان همسر اولش را هم به عهده دارد و آنها حق دیدار مادرشان را ندارند، مبادا تحت تأثیر افکار نادرست او قرار گیرند، زیرا این زن برخلاف سنتهای اسلامی قدم برمی‌داشت و مایل بود در خارج از خانه شغلی بگیرد. یوسف با نفرت گفت که همسر اولش معلم بود و افکار ناشایستی را نسبت به حقوق زنها در سر می‌پروراند.

او با یادآوری همسرش تفی به زمین انداخت و گفت: «خدا را شکر که مصر کم‌کم به سوی اصول قرآنی برمی‌گردد. به زودی قوانین حضرت محمّد بر سراسر مصر حکومت خواهد کرد و قوانین احمقانه‌ای که زنان ما را گمراه می‌سازد، لغو خواهد شد.»

چیزی نمانده بود که خودم را وارد گفتگوی شوهرم و دوستش کنم و افکارم را با این مرد در میان بگذارم، که بقیهٔ گفته‌های وی مرا بر جای خود میخکوب کرد.

یوسف با افتخار به کریم گفت که بزرگ‌ترین موهبت زندگی‌اش نداشتن فرزند دختر است، و در واقع زنها منبع تمامی گناهان‌اند. اگر قرار باشد مردی نیروی خود را در جهت هدایت زنها به کار بگیرد، دیگر زمانی برای انجام دادن مسئولیتهای اصلی زندگی‌اش باقی نخواهد ماند.

وی بدون آنکه منتظر پاسخ کریم بماند، به نقل داستان مردی پرداخت که در مکّه ملاقاتش کرده بود. یوسف گفت که آن مرد مسلمانی هندی بوده و قصد داشته در عربستان باقی بماند، زیرا در هند تحت تعقیب بود. مقامات هند دو روز

پس از خروج این مرد و همسرش از هند، دریافته بودند که آنها بـا ریـختن آب جوش به حلق نوزاد دختر شان، او را به قتل رسانده‌اند.

یوسف عقیدهٔ کریم را در این مورد سؤال کرد، امّا قبل از آنکه کریم فـرصتی برای پاسخگویی به دست آورد، با صدای بلند ادامه داد که از نظر او مرد هـندی خطاکار نیست، زیرا دارای چهار فرزند دختر است و میل به داشتن فرزند پسر او را دیوانه کرده است. وی می‌گفت که پیامبر چنین عملی را مورد عـفو قـرار داده است، و بنابراین مقامات نیز نباید دخالتی در این امر خـصوصی بـنمایند، زیـرا به کسی جز یک نوزاد دختر صدمه‌ای وارد نیامده است!

بعد از کریم سؤال کرد که آیا او می‌تواند برای این مرد ویزای کـار بگیرد و کاری برایش پیدا کند تا مرد هندی ناچار به بازگشت به کشورش نباشد.

یوسف حتی زحمت آن را به خود نداده بود که در مـورد جـنسیت فرزندان کریم سؤال کند. کریم به سختی نفس می‌کشید. من که با روحیات او آشنا بودم، به خود گفتم هر لحظه انتظار آن می‌رود که کریم سیلی سختی به صورت دوستش بنوازد و او را به زمین بیندازد.

پشت گردن کریم سرخ شـده بـود. مـی‌دانستم کـه شـوهرم در آتش خـشم می‌سوزد. انگار کریم از پشت سر هم مرا دید، زیرا با دست اشاره‌ای به من کرد که از این صحنه دور بمانم، و بعد به آرامی به یوسف گفت که خداوند دو دختر زیبا به او عطا کرده است و او دختر هایش را به اندازهٔ تنها پسرش می‌پرستد.

یوسف که مرد پوست‌کلفتی بود، به شوهرم تسلیت گفت و اظهار تأسف کرد و بی‌آنکه وقت تلف کند، مزایای داشتن فرزندان پسر را شمرد و از شوهرم سؤال کرد که چرا همسر دیگری اختیار نکرده است، زیرا شوهرم می‌توانست دخترها را به دست من بسپارد و فرزند پسرش را خود تربیت کند.

کریم تلاش می‌کرد خشمش را مهار کند، و گفته‌های حضرت محمّد را بـه او یادآوری کرد. «یوسف، تو ادّعا می‌کنی که مسلمان خوبی هستی. در این صورت گـفته‌های پیامبر را بـه مـردی کـه در مسجد نـزدیکش شده بـود، بـه خـاطر نمی‌آوری؟»

من به خوبی با این داستان آشنا بودم، زیرا هر زمان که با افراطیون مذهبی جدال می‌کردم، گفته‌های حضرت محمّد را به آنها خاطرنشان می‌کردم.

یوسف با چهره‌ای خونسرد به حرفهای کریم گوش داد. کاملاً روشن بود که اگر گفته‌های حضرت محمّد با رفتار او مطابقت نداشت، از شنیدنشان سر باز می‌زد.

کریم مصمم بود که با استفاده از ذهن و شعورش و کلمات مردی که نمایندهٔ خداوند بر روی زمین بوده است واقعیات را به گوش یوسف برساند، و نه با زور بازو راستش را بخواهید، دلم می‌خواست کریم او را خونین و مالین کند، و با شنیدن صدای کریم که درست مانند مؤذنی بود که نمازگزاران را به نماز دعوت می‌کند، به خود بالیدم. او به آرامی داستان حضرت محمّد را نقل کرد که از پدرها خواسته بود به فرزندانشان بدون توجه به جنسیت آنها، به یک چشم بنگرند.

می‌گویند مردی وارد مسجد شد و نزد پیامبر رفت. روی زمین نشست و شروع به صحبت کرد. پس از مدتی دو فرزند آن مرد، یک دختر و یک پسر، وارد مسجد شدند. پسرک اول وارد شد و با استقبال پدر و بوسه‌ای بر گونه‌اش روبه‌رو شد و سپس بر روی زانوی پدر جای گرفت، در حالی که پدر همچنان با پیامبر حرف می‌زد.

مدتی بعد دختر آن مرد وارد مسجد شد. پدر نه بوسه‌ای به گونهٔ او زد و نه او را بر روی زانوانش جای داد. در عوض از دختر کوچک خواست که در مقابلش بر زمین بنشیند، و صحبتهایش را با پیامبر ادامه داد.

پیامبر با دیدن این صحنه بسیار نگران شد و از مرد سؤال کرد که چرا رفتارش با دو فرزندش یکسان نیست و چراگونهٔ دخترش را نبوسید و از او خواست که بر روی زمین بنشیند؟

مرد خجالت کشید و متوجه رفتار ناشایست خود شد.

پیامبر به مرد یادآوری کرد که دختر و پسر هر دو موهبات الهی‌اند و بنابراین بایستی با آنها یکسان رفتار کرد.

کریم با خشم به یوسف خیره شد. انگار با زبان بی‌زبانی به او می‌گفت که دیگر چه برای گفتن داری.

امّا یوسف مرد وقیحی بود. او بدون توجه به گفته‌های کریم و پیام حضرت محمد، از نو به تقبیح زنان بازگشت و به نقل گفته‌های قذافی، رئیس جمهور لیبی، در کتاب سبز پرداخت که از سرسخت‌ترین مخالفان حقوق زن است. او که شوهرم را تحت‌تأثیر گفته‌هایش نمی‌یافت، به در هم شکستن خانواده‌ها در غرب اشاره کرد و این‌طور نتیجه‌گیری کرد که «خداوند وظایفی برای زن و مرد تعیین کرده است و زن تنها به منظور تولیدمثل خلق شده است، نه چیز دیگری! کریم، خوب می‌دانی که همهٔ زنها عورت‌نما هستند و کسی نمی‌تواند این گرایش را در آنها عوض کند. امّا وظیفهٔ مرد است که زن را از چشم همهٔ مردها دور نگه دارد، چون در غیر این صورت زن زیباییهای خود را به هر مردی که در سر راهش قرار بگیرد، عرضه خواهد کرد.»

کریم با خشم از او روبرگرداند و زنان خود را از صحنه دور ساخت و با صدای بلندی خطاب به من گفت: «این یوسف آدم خطرناکی شده است.»

من به عقب و به چهرهٔ یوسف نگاه کردم. هرگز چهره‌ای چنین شیطانی ندیده بودم. کریم با تلفن همراهش با محمد، شوهر خواهرش، تماس گرفت و از او خواست که پنهانی در مورد فعالیتهای یوسف تحقیق کند، و به او گفت که این مرد بسیار افراطی است و ممکن است دست به اعمال خطرناکی بزند.

چند ساعت بعد محمد با کریم تماس گرفت و اطلاع داد که یوسف وکیل زبردست موکلان عضو فرقه‌ای اسلامی است که در سال ۱۹۸۰ در مصر تشکیل شده و مسئول خشونتهای نظامی در این کشور است.

کریم دچار حیرت شده بود. یوسف نمایندهٔ گروهی بود که سعی در برانداختن حکومت غیرمذهبی مصر داشت. مقامات مصری به محمد اطلاع داده بودند که هرگز نتوانسته‌اند یوسف را به جرمی متهم کنند، امّا زمانی که در مصر بود، تحت نظر شدید قرار داشته است. محمد اضافه کرد که مقامات سعودی نیز او را تحت نظر خواهند گرفت تا مبادا بلوایی را در این شهر آغاز کند.

کمتر از یک سال بعد کریم با شنیدن دستگیری یوسف در آسوئیت، در جنوب مصر، به عنوان رهبر گروههای مذهبی افراطی دچار اندوه شد، اما متعجب نشد. کریم در حالی که اخبار تلویزیون را تماشا می‌کرد، چهرهٔ دوستش راکه از قفسی به بیرون خیره شده بود، شناخت. کریم پروندهٔ یوسف را دنبال کرد و با خوشحالی دریافت که یوسف به مجازات مرگ محکوم نشده است، حال آنکه من با خود می‌اندیشیدم که حضور چنین مردی در دنیای ما بسیار خطرناک است و آرزوی مرگش را می‌کردم.

به رغم آنکه در زیارت حج بودیم و می‌دانستیم که باید از مسائل مادی روگردان شویم، حضور مردی چون یوسف آن‌چنان تأثیر ناگواری بر روی دخترانمان داشت که یوسف ناچار شد، به آنها اطمینان ببخشد که مردانی چون یوسف تنها جریان گذرایی از تاریخ اسلام‌اند.

پس از شام، افراد خانواده به گفتگو در مورد یوسف و تأثیرش بر دنیای اسلام پرداختند.

ما نظر هر یک از فرزندانمان را در مورد آنچه آن روز شنیده بودند، سؤال کردیم.

عبدالله نخستین کسی بود که به سخن درآمد. پسرمان بسیار ناراحت بود. او می‌گفت که اسلام در حال حرکت است و افرادی چون یوسف خواهان سقوط سلطنت عربستان هستند، که این امر بر زندگی تک تک ما تأثیر خواهد گذاشت. عبدالله اعتقاد داشت که نسل او زندگی‌اش را در ریویرای فرانسه خواهد گذراند و چنین افکاری را نخواهد پذیرفت.

مها از پدرش می‌خواست یوسف را به اتهام جاسوسی دستگیر کند. او می‌گفت دلش می‌خواهد جدا شدن سر این مرد را از تنش تماشا کند، حتّی اگر اتهامش ساختگی باشد!

امانی در فکر فرو رفته بود و می‌گفت که علاقهٔ عربها به غرب موجب شده است که مردانی چون یوسف در این کشور به قدرت برسند.

امانی می‌گفت که اگر نقش زنها تعیین شده بود و قابل بحث و دگرگونی نبود،

زندگی آسان‌تر می‌شد. او گفت که در زندگی بدوی، قبل از آنکه شهرها ساخته شوند، زنها و مردها چون امروز گیج و سردرگم نبودند.

ترس من بی‌دلیل نبود. دخترم به عقب برمی‌گشت. انگار از زن بودن خود شرم داشت، و من از خودم می‌پرسیدم چه‌کار باید بکنم تا ارزش او را به عنوان زنی امروزی در پیشرفت تمدن ثابت کنم.

عبدالله به مفهوم کلمات امانی پی نبرد. خنده‌ای کرد و از او پرسید آیا مایل است باز هم نوزادان دختر زنده‌به‌گور شوند! او گفت یوسف نمونه‌ای از مردانی است که دختران خود را به قتل می‌رسانند.

شوهرم که با روحیهٔ ظریف امانی آشنا بود، با چهره‌ای عبوس به عبدالله نگاه کرد و گفت که چنین موضوع مهمی را نمی‌توان دست‌کم گرفت و چنین افراد متعصبی در هند و پاکستان و چین بلا آفریده‌اند و او اخیراً مقاله‌ای در یکی از روزنامه‌های خارجی خوانده است که خبر از مفقود شدن زنها در کشورهای فوق می‌دهد، و به نظر می‌رسد که کسی علاقه‌مند به یافتن این زنها و علت گم شدن آنها نیست.

شوهرم داستان وحشتناکی را با جزئیات تمام برای فرزندانمان نقل کرد. بچه‌ها حاضر به شنیدن داستان نبودند و می‌گفتند بزرگ‌تر از آن هستند که پدر برایشان داستان نقل کند. امّا شوهرم با سماجت جواب داد که اگرچه آمار جمع‌آوری‌شده تأثیر چندانی بر احساسات ما نمی‌گذارد، داستانهایی که گه‌گاه نقل می‌شود و حکایت از سرنوشت افراد می‌کنند، اشک را از چشمان انسان جاری می‌سازد و جامعهٔ جهانی را در موارد لازم به حرکت درمی‌آورد.

من که شوهرم را با دید تازه‌ای می‌نگریستم، به داستانی که از زمان حضرت محمّد دهان به دهان نقل شده بود، با دقت گوش کردم.

قبل از آغاز اسلام، قبایلی در عربستان زندگی می‌کردند که دختران خود را زنده‌به‌گور می‌ساختند، درست همان‌گونه که امروز در بسیاری از کشورها نوزادان دختر به قتل می‌رسند.

قیص ابن عاصم رئیس قبیله بود. او پس از آنکه اسلام آورد، اعتراف

وحشتناکی به حضرت محمد کرد.

«ای پیامبر خدا، من به سفر رفته بودم که همسرم دختری به دنیا آورد. همسرم از ترس آنکه من نوزادش را زنده‌به‌گور کنم، پس از آنکه چند روزی نوزاد را شیر داد، او را نزد خواهرش فرستاد و به درگاه خداوند دعا کرد که به قلب من رحم و عطوفت راه دهد تا دخترک را پس از آنکه بزرگ‌تر شد، نزد خود برگردانیم.

«پس از بازگشت از سفر، به من گفته شد که همسرم نوزاد مرده‌ای به دنیا آورده است. پس موضوع به دست فراموشی سپرده شد و خاله با مهربانی و عطوفت دخترمان را بزرگ کرد.

«یک روز که از خانه بیرون رفته بودم، همسرم به تصور آنکه زمانی طولانی از خانه دور خواهم بود، دخترک را نزد خود خواند تا مدتی از مصاحبت او لذت ببرد.

«من ناگهان تصمیم خود را عوض کردم و زودتر به خانه برگشتم. در خانه‌مان دخترک بسیار تمیز و زیبایی را دیدم که مشغول بازی بود، و ناگهان در قلبم احساس محبت غریبی نسبت به او یافتم. همسرم به احساسات من پی برد و تصور کرد احساسات پدرانه‌ام به غلیان آمده است. من از همسرم سؤال کردم: «این کودک کیست؟ چه زیباست!»

«همسرم واقعیت را با من در میان نهاد. من که قادر به مهار کردن شادی‌ام نبودم، دخترک را در آغوش کشیدم. همسرم به او گفت که من پدرش هستم، و دخترک فریاد کشید: «وای، پدر! پدر!» و در آن لحظه، زمانی که دخترک دستهایش را به گردنم انداخت، شادی عمیق به قلبم راه یافت.

«روزها می‌گذشت و دخترمان در رفاه و آرامش در کنارمان زندگی می‌کرد. امّا گه‌گاه افکاری شیطانی به ذهن من راه می‌یافت: من باید این دختر را به مردی شوهر دهم. ناچار به تحمّل این اهانتم. چگونه می‌توانم با مردهای دیگر روبه‌رو شوم زمانی که همهٔ آنها می‌دانند که دختر من با مردی هم‌بستر شده است؟ این افکار لحظه‌ای راحتم نمی‌گذاشت. سرانجام مصمم گشتم که

به این بی‌آبرویی خاتمه بدهم و حیثیت و شرافت خود و نسلهای بعدی را نجات بخشم.

«تصمیم گرفتم که دخترم را زنده‌به‌گور کنم. نمی‌توانستم در این مورد با همسرم حرف بزنم، پس از او خواستم که دخترک را آماده کند تا او را با خودم به مهمانی ببرم. همسرم دخترک را حمام کرد و لباسهای نو بر تنش کرد و او را آمادهٔ رفتن به مهمانی کرد. دخترک بسیار خوشحال بود و فکر می‌کرد که با من به مهمانی خواهد آمد.

«من به همراه او خانه را ترک گفتم. او از خوشحالی بالا و پایین می‌پرید و دستم را می‌گرفت و یا جلو جلو می‌دوید و مثل بلبل حرف می‌زد. دخترک بینوا از تصمیم شیطانی من ناآگاه بود و ذوق می‌کرد.

«سرانجام در نقطهٔ خلوتی ایستادم و شروع به کندن حفره‌ای کردم. دخترک حیرت‌زده بود و بی‌وقفه می‌پرسید: « پدر، این برای چیست؟ »

«من به او جواب نمی‌دادم. نمی‌دانست که من گور دخترک زیبایم را با دستهای خود آماده می‌کنم.

«در حین کندن گور، گرد و خاک بر لباسهایم نشست و او فریاد کشید: « پدر، لباسهایت را کثیف کردی! »

«من قدرت شنیدن نداشتم و همچنان به کارم ادامه می‌دادم، تا اینکه گور دلخواهم را کندم.

«دخترک را چنگ زدم و به درون گودال انداختم، بعد آن را با عجله با خاک پُر کردم. دخترک بیچاره با چشمان وحشت‌زده به من نگاه می‌کرد. سپس اشکهایش سرازیر شد و فریاد کشید: « پدر جان، من که کار بدی نکرده‌ام. تو را به خدا مرا اینجا نگذار. »

«من درست مثل آدمی کور و کر به کارم ادامه می‌دادم و توجهی به ناله‌های او نداشتم.

«وای، پیامبر بزرگوار، من سنگدل بودم و هیچ ندامتی در قلبم احساس نمی‌کردم. برعکس، پس از زنده به گور کردنش نفس راحتی کشیدم و با رضایت

به خانه برگشتم، زیرا آبرو و حیثیت خود را نجات داده بودم.»

اشکهای پیامبر با شنیدن این داستان جانگداز جاری شد و گفت: «این بیرحمانه است. چگونه کسی که به دیگران رحم نمی‌کند، انتظار رحم خداوند را دارد؟»

کریم به چهرهٔ فرزندانش نگاه کرد. «حضرت محمّد بسیار اندوهناک شد و به فکر فرو رفت.»

کریم داستان دیگری را در این زمینه برای فرزندانمان نقل کرد.

مردی نزد پیامبر آمد و به او گفت که مدتها بسیار نادان بوده است و تا زمانی که پیامبر او را هدایت نکرده بود، در دنیای نادانی‌اش غوطه می‌خورد.

مرد گفت: «ای پیامبر خدا، ما بتها را می‌پرستیدیم و فرزندانمان را به قتل می‌رساندیم. من زمانی دختری زیبا داشتم. هر زمان که او را صدا می‌کردم، خنده‌کنان به میان بازوانم می‌دوید. یک روز او را صدا کردم و او بلافاصله پیش من آمد. به او گفتم که دنبالم بیاید، و بعد به سرعت به راه افتادم. دخترک برای رسیدن به من با قدمهای کوچکش می‌دوید. در نزدیکی خانه‌مان چاه عمیقی وجود داشت. وقتی که به کنار چاه رسیدم، ایستادم و کودک به دنبالم آمد. من دستش را گرفتم و او را درون چاه انداختم. کودک فریاد کشید و از من خواست که نجاتش دهم، و « پدر » آخرین کلمه‌ای بود که بر زبان آورد.»

وقتی داستان مرد به پایان رسید، پیامبر برای مدتی گریست، آن‌قدر که دانه‌های اشک از لابه‌لای ریشش جاری شد.

کریم نتیجه گرفت: «نادانی ما در مورد زنها با اشکهای پیامبر شسته شد و ناپدید گشت. و امروز زنده‌به‌گور کردن زنها امری شقاوت‌آمیز است.»

من فرزندانم را در آغوش کشیدم. انگار احساس می‌کردیم که پیامبر در نزدیکی ما ایستاده است، و انگار این دو داستان دردناک در مقابل چشمانمان رخ داده بود، نه در زمان پیامبر. چه کسی می‌توانست در مورد تلاشهای بی‌وقفهٔ پیامبر در برانداختن سنتهای نادرست، شک و تردید به خودش راه دهد؟ پیامبر در زمانی شیطانی متولد شده بود، زمانی که بتها پرستش می‌شدند، زمانی که مردها

دهها زن را به همسری خود درمی‌آورند و سنت دخترکُشی رواج داشت. پیامبر برای منسوخ ساختن این سنتها با دشواریهای فراوان رویاروی شد، و اگر قادر به منسوخ کردن سنّتی نبود، آن را محدود می‌ساخت.

به خانواده‌ام گفتم که به نظر من آنچه از دوران جاهلیت باقی مانده، و نه از قرآن، دست و پای ما زنها را به بند کشیده است. کمتر کسی می‌داند که قرآن طرفدار محدودیتهایی که بر زنان اعمال می‌گردد نیست، و تنها سنتها هستند که بر سر راهمان قرار می‌گیرند و مانع از حرکتمان به جلو می‌شوند.

بعد بر سر آنکه چرا زنها فرمانبردار مردها هستند، گفتگوی پر شور و حرارتی در میان افراد خانواده درگرفت. مها، با لحن اهانت‌آمیزی به برادرش عبدالله گفت که در مدرسه، در همهٔ درسها نمرات بالاتری از او کسب کرده است.

قبل از آنکه عبدالله بتواند جوابی به او بدهد، به فرزندانم هشدار دادم که این بحث را شخصی تلقی ننمایند.

بعد در مورد امری بدیهی حرف زدم ــ آسیب‌پذیری جسمانی زن که از بزرگ‌ترین و مهم‌ترین فرایند انسانی ناشی می‌شود: تمرکز قوای زن بر پروراندن جنینی که در رحم می‌پروراند، و بعدها شیر دادن و بزرگ کردنش. من همواره به این نکته فکر کرده‌ام که چنین واقعیتی موجب زیر دست شدن زنها در اجتماعات مختلف شده است، و زنها به جای کسب افتخار و پاداش برای بخشیدن زندگی و آفرینش تولدی دیگر، مجازات شده‌اند!

از نظر من این واقعیت، بُعد رسوایی‌آمیز تمدن است.

مربی محبوب عبدالله در مدرسه پروفسوری لبنانی بود که درسی از تاریخ را در اختیارمان نهاد. او سیر بطیء سقوط زن را از آغاز زندگی تا لحظات حاضر به عبدالله نشان داد. در روزگاران قدیم نیز زن بیش از جانوری مزاحم تلقی نمی‌شد که تنها وظیفه‌اش نگهداری فرزندان، جمع‌آوری چوب، پختن غذا، دوختن لباس و چکمه، و در زمان ییلاق و قشلاق قبایل، کار کردن به عنوان حیوان بارکش بود. عبدالله از قول پروفسور لبنانی می‌گفت که وظیفهٔ مردان

در آن روزگار به خطر انداختن جانشان در شکار حیوانات بود و چون گوشت مورد نیاز قبیله را تأمین می‌کردند، پاداششان استراحت مطلق در سایر اوقات بود.

عبدالله که داشت سر به سر خواهرانش می‌گذاشت، به آنها گفت که خشونت و قدرت بدنی، مردها را در موضع قدرت قرار داده و اگر خواهرانش به راستی عاشق مساوات بودند، می‌بایستی در سالن ورزش خانه‌مان به تقویت عضلات خود می‌پرداختند و با وزنه‌های او تمرین می‌کردند، نه آنکه در اوقات فراغت کتاب بخوانند.

کریم ناچار به مداخله بود تا دخترها به کریم حمله‌ور نشوند. مها خود را از دست پدرش نجات داد و لگدی به اندام حساس عبدالله فرو آورد. من و کریم حیرت کردیم که او چطور با حساس‌ترین بخش بدن مردها آشنا بود!

تماشای دلقک‌بازی فرزندانم لبخندی بر لبم آورد، اما ته دلم اندوهناک بود و به این فکر بودم که چطور ما زنها از روز آفرینش زجر کشیده‌ایم. ما از اوان خلقت مانند بردگان به کار کشیده شده‌ایم و هنوز هم این سنت در بسیاری از کشورها رایج است. در کشور خود من، زن چیزی جز ابزار زیبایی و بازیچه‌ای جنسی برای لذت مردها نیست.

بر اساس معلومات شخصی من، زنها از نظر مقاومت، شهامت و داشتن آگاهی و اطلاعات مساوی مردان‌اند، اما من در سرزمین عقب‌ماندهٔ عربستان خیلی جلوتر از زمان تاخته‌ام.

کریم ساکت بود. کمی بعد سکوت را شکست و گفت دوستش، یوسف، را به خاطر آورده است و بیراهه‌ای را که او می‌پیماید.

خوشحال بودم که کریم مردی متمدن است که شاهد عقبگرد دوستش، یوسف، بوده، زیرا تنها پس از دیدن مردانی مانند یوسف که قدرت را به دست می‌گیرند و فجایعی که به دنبال آن بر سر اجتماع می‌آید، کریم به خواسته و انتظارات من پی برد و تلاش کرد همان مردی باشد که مطلوب من است.

کریم هنوز هم در افکارش غوطه‌ور بود. «سلطانه، می‌دانی که تنها مردان

ناموفقی چون یوسف‌اند که افسانهٔ شیطانی بودن روح زن را رواج می‌دهند و زن را منبع تمامی اعمال شیطانی می‌دانند. حالا به این نکته پی برده‌ام که دست‌کم گرفتن زنها برای مردها جذابیت دارد، امّا او هام فلج‌کننده‌ای خلق می‌کند که پلی از نفرت را میان زن و مرد بنا می‌نهد.»

کریم به پسرش نگاه کرد و گفت: «عبدالله، امیدوارم که هرگز چنین افکار نادرستی را نسبت به زنها نپذیری. نسل توست که می‌تواند فکر زیردست بودن زنان را مطرود دارد، و متأسفانه باید اعتراف کنم که مردان نسل من به نوع دیگری زنها را سرکوب ساخته‌اند.»

از خودم سؤال می‌کردم که دخترهایم به چه فکر می‌کنند. به نظر می‌رسید مها خشمگین و سردرگم است. و از اینکه در اجتماعی متولد شده است که چشم و گوش خود را بر روی دگرگونیهای اجتماعی بسته است، رنج می‌برد. و امانی که اخیراً در ایمان عمیقش غوطه‌ور بود، تحریم سنت زیردست بودن زن را مطرود می‌دانست.

من احساس می‌کنم با حضور مردانی چون یوسف و افکاری که نسبت به زنها دارند ــ اینکه همهٔ زنها فطرتاً فاسدند و باید تحت سلطه قرار گیرند ــ هرگز نخواهم توانست با سالهای سیاهی که در پیش داریم و با افزایش روزافزون گروههای افراطی که درصدد نابودی زنها هستند، سازگاری یابم.

در حالی که آمادهٔ خوابیدن می‌شدم، احساس کردم که شور و حرارت سفر حج را از دست داده‌ام، اگرچه کریم با نگرش تازه‌ای زنها را نظاره می‌کرد.

صبح روز بعد چهرهٔ همهٔ افراد خانواده خسته و تکیده بود. بی‌خوابی شب گذشته همه را از پا درآورده بود. بر سر میز صبحانه سکوت حکمفرما بود. ما خود را برای مهم‌ترین روز حج آماده می‌کردیم.

به جانب تپهٔ عرفات حرکت کردیم. طبق گفتهٔ تاریخ، این نقطه‌ای است که آدم و حوا پس از سرگردانیهای بسیار به هم پیوستند. در همین نقطه هم بود که خداوند به ابراهیم دستور داد فرزندش، اسماعیل، را قربانی کند و سرانجام این همان نقطه‌ای بود که حضرت محمّد آخرین وعظ را کرد و سپس چهار ماه بعد

درگذشت.

من که مأیوس و ناامید بودم، زیر لب کلمات پیامبر را ادا می‌کردم. «شما باید در مقابل پروردگارتان حساب پس بدهید. بدانید که همهٔ مسلمانان برادرند. هیچ کس حقّ برادرش را غصب نخواهد کرد، مگر با میل و رغبت برادرش. از بی‌عدالتی پرهیز کنید. آنهایی که حاضرند، این نکته‌ها را به گوش غایبان برسانند. شاید بهتر به خاطر بسپارند.»

در حالی که از سربالایی درهٔ عرفات بالا می‌رفتیم، فریاد زدم: «خدایا! من اینجا هستم! من اینجا هستم!» این روزی است که خداوند گناهان را عفو می‌کند و بخشش خود را ارزانی می‌دارد.

من و خانواده‌ام به همراه سایر زائران، به مدّت شش ساعت در گرمای سوزان بیابان ایستادیم و دعا کردیم و قرآن خواندیم. دخترانم، چون بسیاری دیگر از زائران، چتری بر بالای سرشان نگه داشته بودند، امّا من احساس می‌کردم به رنجی که از تابش انوار سوزان بر سر و بدنم عایدم می‌گردد، نیاز دارم تا ایمانم را آزمایش کنم. زنها و مردهای بسیاری در اطرافم از حال رفته بودند و توسط برانکار به چادرهای مخصوص حمل می‌شدند تا مداوا شوند.

با تاریک شدن هوا، ما به دشت وسیعی که بین عرفات و منا واقع شده است، حرکت کردیم. کمی استراحت کردیم و بعد خواندن دعا را از نو آغاز نمودیم.

عبدالله و کریم به جمع‌آوری سنگهای کوچکی که برای مراسم روز بعد نیاز داشتیم، مشغول بودند. آن شب بی‌آنکه گرد هم جمع شویم ــ زیرا همه دچار خستگی مفرط بودند ــ به استراحت پرداختیم و خود را برای مراسم آخرین روز حج آماده کردیم.

در آخرین صبح خواندیم: «به نام خداوند بزرگ و با نفرت از وسوسه‌های شیطانی، این عمل را انجام می‌دهم! خداوند عظیم و اعظم است!» و هر یک از ما هفت بار سنگهای کوچکی را که کریم و عبدالله جمع کرده بودند، به جانب ستونهای سنگی پرتاب کردیم. این ستونها نماد شیطان‌اند و در طول جادهٔ منا واقع

شده‌اند. این همان نقطه‌ای است که ابراهیم بر شیطان غلبه کرد، زیرا شیطان از او می‌خواست که تسلیم خواستهٔ خداوند نشود و فرزندش را قربانی نکند. هر یک از سنگها نمایندهٔ یک فکر شیطانی، یک گناه و یا یک وسوسه بود.

ما از گناهان خود پاک شده بودیم! سپس برای به جا آوردن آخرین مراسم حج، به دشت منا سفر کردیم. در آنجا گوسفند، بز و شتر قربانی می‌کردند تا عمل ابراهیم را که قصد قربانی کردن فرزندش را داشت، یادآوری نمایند. قصابها در میان جمعیت زائران حرکت می‌کردند و مبلغ درخواستی خود را برای قربانی کردن حیوانات، به زائران پیشنهاد می‌کردند. قصاب پس از دریافت دستمزد حیوان را رو به خانهٔ کعبه نگه می‌داشت و در حالی که دعا می‌خواند، چاقو را در گردن او فرو می‌برد و تا زمانی که خون حیوان به آخر نمی‌رسید، از کندن پوست آن خودداری می‌کرد.

امانی بینوا با شنیدن فریاد حیوانات و تماشای خونی که بر زمین جاری بود، فریادی کشید و به زمین افتاد و بی‌هوش شد. کریم و عبدالله او را به چادر امدادگران رساندند.

به زودی آن دو برگشتند و گفتند که حال امانی بهتر شده است، اما هنوز هم مشغول گریه کردن است.

کریم نگاهی به من انداخت، انگار با زبان بی‌زبانی می‌گفت: «دیدی گفتم؟» شادی ملایمی را در قلبم حس کردم. دست‌کم این بخش از شخصیت امانی دست‌نخورده مانده بود. شاید حق با کریم بود و با بازگشت به خانه‌مان، امانی به حالت عادی برمی‌گشت.

در حالی که مشغول تماشای شلوغی و رفت‌وآمد زائران بودم، به خودم یادآوری کردم که شاهد مراسم بسیار باشکوهی هستم و حیوانات قربانی می‌شوند تا حجاج درسهایی را که در حج آموخته‌اند، به خاطر بسپارند: ایثار، اطاعت از پروردگار، دلسوزی برای دیگران، و ایمان و اعتقاد.

من از دوران کودکی همواره مسحور مراسم کندن پوست حیوانات بوده‌ام ــ قصاب با سوراخ کردن قسمت کوچکی از ساق پای حیوان، در آن می‌دَمد و

پوست و گوشت را از هم جدا می‌کند. حیوان در مقابل چشمانم بزرگ‌تر و بزرگ‌تر می‌شود، در حالی که قصاب با قطعه چوبی ضربات سختی بر لاشهٔ حیوان فرود می‌آورد تا هوا یکدست در همه‌جا پخش شود.

حال، چهار روز جشن از راه رسیده بود. می‌دانستم که همهٔ مسلمانان عالم آرزوی آن را دارند که اکنون در شهر مقدس مکه و در کنار ما باشند. مغازه‌ها در حال بستن و خانواده‌ها مشغول خرید لباسهای تازه بودند. تعطیلات داشت آغاز می‌شد.

ما چند تاری از موهایمان را قیچی کردیم تا خاتمهٔ مراسم را اعلام بداریم، و لباسهای رنگی بر تن کردیم. مردها نیز لباسهای تمیز کتانی بر تن کردند. سپیدی البسهٔ مردانه چشم را خیره می‌کرد.

آن روز بعدازظهر، عملاً جشن آغاز شد. امانی هنوز هم رنگ‌پریده بود، امّا آن‌قدر بهبودی یافته بود که در جشن ما شرکت کند، اگرچه لب به گوشت قربانی نزد.

خانوادهٔ ما در چادرمان جمع شدند و ما هدایای کوچکی رد و بدل کردیم و به همدیگر تبریک گفتیم. دعاهایمان را خواندیم و سپس بر سر میز بلندی نشستیم و غذای لذیذی که مرکّب از برنج و گوشت گوسفند بود، صرف کردیم.

سپس آمادهٔ بازگشت شدیم. اکنون فرزندانم نیز از افزوده شدن لقب حاجی بر سر نامشان لذت می‌بردند.

من همچنان به درگاه خداوند التماس می‌کردم که دخترم امانی را از افکار مذهبی افراطی که روحش را اسیر ساخته بود، نجات بخشد. می‌دانستم که عدم ثبات روانی ممکن است منجر به اعتقادات تعصب‌آمیز شود. دلم نمی‌خواست دخترم قربانی آرمانهای افراطی خشنی گردد که در میان مذهبیون رواج داشت و من از زمانی که به یاد داشتم علیه‌شان جنگیده بودم.

امّا دعاهای من مورد قبول درگاه الهی واقع نگشت.

سفر مکّه اگرچه موهبت بزرگی برای خانواده‌مان محسوب می‌شد، آغاز

بدبختی و نکبت فرزندم بود. و اگرچه من و کریم درست مثل سالهای نخست زندگی زناشویی‌مان به همدیگر نزدیک شده بودیم و مها و عبدالله زندگی شهروندی مسئول را می‌گذراندند، امانی به صورت معتکفی عزلت‌نشین درآمد.

بزرگ‌ترین وحشت زندگی‌ام تحقق یافته بود.

۷

افراطیّون

سرزمینی بیابانی در تاریکی مطلق را مجسم کنید که موجودات زنده‌اش کورکورانه در درونش می‌لولند.

ـ بودا

سفر حج به آخر رسید و تابستان از راه رسید. در طول حج هوای داغ و سوزان بیابان ما را آزار نداده بود، زیرا ذهنمان در جای دیگری مشغول بود؛ در اندیشهٔ رسیدن به یگانگی معنوی با پروردگار.

ما از مکّه به قصرمان در جدّه پرواز کردیم، با این تصمیم که روز بعد به ریاض برگردیم امّا تصمیمان عملی نشد. درست در لحظه‌ای که مقدمات عزیمتمان را فراهم می‌کردم، کریم وارد اتاق شد و گفت که پروازمان به ریاض را لغو کرده است، زیرا توفان شن سهمگینی از جانب بیابان ربع‌الخالی به جانب ریاض در حرکت است. حتّی بدون توفان نیز، هر ماه در حدود چهار هزار تُن ماسه و شن ریاض را می‌پوشاند. ما برای اجتناب از توفانی که به زودی به پایتخت می‌رسید و شن و ماسه را وارد چشم و منافذ پوست می‌کرد و همه‌جا را می‌پوشاند، در جدّه ماندیم. من از این امر خوشحال بودم، به رغم آنکه رطوبت جدّه آزاردهنده‌تر از

گرمای خشک ریاض است.

عبدالله و مها از عقب افتادن بازگشتمان به ریاض بسیار هیجان‌زده بودند، زیرا تا چند روز می‌توانستند از انجام دادن اعمال روزانه طفره بروند. بچه‌ها اصرار می‌کردند که مدتی در جدّه بمانیم. من با لبخند به شوهرم نگاه کردم، امّا ناگهان چشمم به امانی افتاد که تنها در گوشه‌ای نشسته بود و سرش را در میان صفحات قرآن پنهان کرده بود، انگار از دنیا و اطرافیانش کاملاً غافل بود. احساس می‌کردم که امانی با خواسته‌های طبیعی خود در جدال است، زیرا پیشتر هیچ چیز چون شنا در آبهای گرم دریای سرخ او را خوشحال نمی‌ساخت.

تصمیم گرفتم که با افسردگی بیشتر بر اثر رفتارهای امانی جدال کنم، و با علامت سر موافقت خودم را با ماندن در جدّه به کریم اعلام داشتم. پس به رغم رطوبت و امواج گرمی که در هوا به رقص درآمده بود، من و کریم مصمم گشتیم که دو هفته‌ای را در جدّه اقامت کنیم، زیرا مها و عبدالله از تماشای دریای سرخ که از قصرمان دیده می‌شد، غرق لذت می‌شدند.

من نیز خوشحال بودم، زیرا مانند بسیاری از افراد خاندان سلطنت، بندر جدّه را به شهر بی‌روح ریاض ترجیح می‌دادم. خیال داشتم دخترها را به مرکز خرید جدیدی که در جدّه افتتاح شده بود ببرم و با دوستانی که در این شهر اقامت داشتند، ملاقات کنم. تعطیلات جالبی در پیش رو داشتیم. امّا امانی درست همین زمان را برای عمیق‌تر کردن فاصلهٔ ژرفی که میان او و افراد خانواده‌اش بود، انتخاب کرده بود.

من در سرسرای طولانی قصر که قسمتهای مختلف آن را به همدیگر متصل می‌ساخت، زانو زده بودم و تلاش می‌کردم از سوراخ کوچکی که در میان در اتاق امانی قرار داشت صدای او را بشنوم که مها مرا دید.

مها با صدایی بلند، خنده کنان پرسید: «مادر، چه کار می‌کنی؟» اگر چه با دست به او اشاره می‌کردم که ساکت بماند.

در درون اتاق، امانی ساکت شد و من صدای قدمهای محکم او را به طرف در

شنیدم. تلاش کردم که از جایم بلند شوم و خودم را از او دور سازم، امّا نوک تیز کفشهایم به دامنم گرفت و درست در همین لحظه امانی در را گشود و به مادر خطاکارش خیره شد.

احساس بی‌قراری می‌کردم. به یقین نگاه نافذ و سرزنش‌کننده و لبهای به هم دوختهٔ دخترم حکایت از آن می‌کرد که از ماجرا آگاه است.

من که قادر به حرف زدن نبودم، انگشتانم را بر روی نخهای قرمزرنگ فرش سرسرا می‌کشیدم. بعد به خود آمدم و سعی کردم دروغی سر هم کنم، اگرچه اطمینان داشتم امانی آن را باور نخواهد کرد.

«امانی! فکر می‌کردم که در اتاقت هستی!» و از نو به گلهای قالی خیره شدم. «بچه‌ها، شما متوجّه این لکه‌های قرمزرنگ فرش شده‌اید؟»

هیچ‌یک از دخترها جواب ندادند.

من با اخم باز هم انگشتانم را بر روی قالی کشیدم. هنوز هم لبهٔ کفشم به دامن لباسم گیر کرده بود. به زحمت از جایم بلند شدم و لنگان‌لنگان به راه افتادم. بعد غرولندکنان گفتم: «این خدمتکارها واقعاً تنبل شده‌اند. می‌ترسم لکه‌ها پاک نشوند!»

مها قادر به نگه داشتن خود نبود و شروع به خندیدن کرد.

امانی صدایم کرد و گفت: «مادر، اگر دلت می‌خواهد کلمات مرا بشنوی، لطفاً به درون اتاق بیا.» و در را محکم به هم کوبید.

اشک در چشمانم جمع شده بود. با عجله خودم را به اتاق خوابم رساندم. تحمّل نگاه کردن به دختر زیبایم را نداشتم، زیرا از روزی که از مکه برگشته بودیم، او از سر تا پایش را در لباس سیاهی پوشانده بود. حتّی جوراب و دستکشهای بلند سیاه در بر کرده بود. در حریم خانه‌مان، تنها چهرهٔ امانی پوشیده بود. موهای سیاهش را در شال ضخیم سیاه‌رنگی می‌پوشاند که مرا به یاد زنهای چوپان یمنی می‌انداخت. هر زمان که از قصر خارج می‌شد، چادر سیاه و ضخیمی را نیز بر حجاب خود می‌افزود، چادری که حتی قدرت دیدن را از او سلب می‌کرد، اگرچه مقامات مذهبی جدّه آسانگیرتر از مقامات شهر ریاض بودند.

پایتخت ما، ریاض، در تمامی کشورهای اسلامی به دلیل داشتن کمیته‌های مذهبی افراطی‌ای معروف است که اعضای آنها مردان خشنی هستند که در خیابانها زنهای معصوم را آزار می‌دهند.

هر چه می‌گفتم فایده نداشت و امانی حاضر نبود حجاب راحت‌تری را انتخاب کند.

نمی‌توانستم هق‌هق گریه‌هایم را مهار کنم. من با به خطر افکندن خود و زندگی‌ام، بخش اعظم عمرم را جنگیده بودم تا دخترهایم حقّ پوشیدن حجابی سبک‌تر را به دست بیاورند، و حال فرزند عزیزم این پیروزی حقیرانهٔ مرا نادیده می‌گرفت، انگار که کمترین ارزشی نداشت.

و این برای امانی کافی نبود. به زودی دخترم در صدد هدایت دیگران برآمد. آن روز امانی دوستان نزدیکش را به همراه چهار تن از عموزادگانش به خانه‌مان دعوت کرده بود تا برایشان قرآن را بخواند و تفسیر کند. شنیدن تفسیر دخترم از قرآن بسیار دردناک بود، زیرا کلمات اعضای کمیتهٔ امر به معروف و نهی از منکر را تکرار می‌کرد.

صدای کودکانهٔ امانی در گوشم زنگ می‌زد. درِ اتاق را بستم و بر روی تخت افتادم و از خود سؤال کردم که چگونه با این بحران تازهٔ زندگی‌ام روبه‌رو خواهم شد.

صدای امانی همچنان در گوشم می‌پیچید.

آیا در هر بلندی
بنای چشمگیری می‌سازی
که سرگرمت کند؟

و آیا خانه‌های پر تجمّل
برای خود می‌سازی
که تا ابد در آنها زندگی کنی؟

و زمانی که دستت را

به کار می‌گیری،

آیا این عمل را چون مردانی انجام می‌دهی

که دارای قدرت مطلق‌اند؟

اکنون از خدا بترس و از من اطاعت کن

و هرگز زندگی افراد ولخرج،

شیطان‌صفت

و گمراه را

دنبال مکن.

در حالی که زانوانم می‌لرزید، صدای امانی را شنیدم که اعضای خاندان سلطنتی را به مثابهٔ گناهکارانی می‌دانست که در قرآن به آنها اشاره شده است.

«به اطرافتان نگاه کنید! و ثروت خاندانی را که می‌گویم در نظر بیاورید! قصری که تنها سزاوار پروردگار است! آیا ما سخنان پروردگار را ناشنیده می‌گیریم که چشمان هیچ انسانی را سزاوار تماشای تجملات مادی نمی‌یابد؟»

امانی با صدایی آرام و نجوامانند حرف می‌زد، امّا من چشمانم را بسته و به جلو خم شده بودم و با دقّت به او گوش می‌کردم. به زحمت قادر به شنیدن کلماتش بودم. «همهٔ ما باید تجملات زندگی‌مان را نابود سازیم. من نخستین قدم را برخواهم داشت. جواهراتی را که خانواده‌ام به من بخشیده‌اند، به فقرا خواهم بخشید. شما هم اگر به حضرت محمّد(ص) ایمان دارید، باید الگوی مرا دنبال کنید.»

من نتوانستم پاسخ شنوندگان امانی را دریابم، زیرا درست در همان لحظه مها حضور ناخوشایند مرا آشکار کرده بود.

با یادآوری کلمات امانی، با عجله از روی تخت بلند شدم و خودم را به اتاق او رساندم. در آنجا گاوصندوقی را که دو خواهر مشترکاً استفاده می‌کردند گشودم و

مقدار زیادی از جواهرات گرانقیمت آن دو را برداشتم و در گاوصندوق کریم گذاشتم. جواهرات مها را نیز برداشتم، زیرا کسی چه می‌دانست که تصمیمات بعدی امانی چه خواهد بود.

می‌دانستم که ارزش جواهرات امانی به تنهایی بیش از میلیونها دلار است و کسانی آنها را به او داده‌اند که دوستش دارند و آینده‌ای مرفّه را برایش آرزو می‌کنند. با خودم عهد بستم که اگر امانی قلباً خواستار کمک به فقرا باشد، پول کافی در اختیارش بگذارم.

احساس ناامیدی و افسردگی می‌کردم. من و کریم پنهانی میلیونها ریال صرف کمک به افراد فقیر سراسر جهان کرده بودیم. علاوه بر زکات، که درصدی از درآمد سالانهٔ مازاد بر مخارج روزانه‌مان بود، من و کریم ۱۵٪ دیگر از درآمدمان را نیز صرف تحصیل و درمان افراد نیازمند در سایر کشورهای اسلامی می‌کردیم که از بخت و اقبال و ثروت سعودیها برخوردار نبودند. ما هرگز کلمات پیامبر را فراموش نکرده بودیم: «اگر در مقابل دیگران بذل و بخشش کنید، کار خوبی است، اما اگر در پنهان نیازِ نیازمندی را برطرف سازید، بسیار بهتر است و جبران پاره‌ای از اعمال ناشایستتان را خواهد کرد. خدا بر همه‌چیز عالم است.»

به فکر وجوهی افتادم که برای درست کردن درمانگاهها، مدارس و خانه‌های مسکونی در فقیرترین مناطق سرزمینهای اسلامی صرف کرده بودیم. دلم می‌خواست امانی را از این امر آگاه کنم و او را با واقعیات آشنا سازم. آیا فرزندم اعمال نیکوکارانهٔ والدینش را ارزشی نمی‌نهاد؟ یا آنکه آرزو داشت خانواده‌اش، درست مثل افرادی که از ثروت بیکران ما بهره می‌گرفتند، در فقر و تنگدستی باشند؟

از نو به بسترم برگشتم و بیش از دو ساعت بی‌حرکت بر روی تخت ماندم و فکر کردم. با افکار مأیوس‌کننده در جدال بودم و به فکر راه چاره‌ای که بتواند با چنین مشکل بزرگی مقابله کند.

تاریکی اتاقم را فراگرفته بود که کریم از دفتر جدّه‌اش به خانه برگشت. چراغها را روشن کرد و به طرف تخت آمد و با نگرانی پرسید: «سلطانه،

بیماری؟ صورتت برافروخته است. تب داری؟»

به سؤالاتش پاسخی ندادم. نفس عمیقی کشیدم و بعد گفتم: «کریم، یکی از فرزندانت که از پوست و گوشت توست، درصدد براندازی حکومت سلطنتی است.»

در عرض چند ثانیه چهرهٔ رنگ‌پریدهٔ کریم آتش گرفت. «چی؟»

دستم را با ضعف تکان دادم. «امانی، دخترمان، امروز با دوستان نزدیک و عموزاده‌هایش جلسه داشت. من تصادفی حرفهایش را شنیدم. او با سوءاستفاده از قرآن سعی می‌کند اطرافیانش را علیه شاه بشوراند.»

کریم زبانش را تَلَق تَلَق به صدا درآورد، که یک روش عربی برای نمایش ناباوری است، و خندید. «سلطانه، تو دیوانه شده‌ای. امانی هرگز به دنبال خشونت نخواهد رفت.»

سرم را تکان دادم. «نه حالا. افکار مذهبی به او قدرت بخشیده است. حالا دیگر به شیری گرسنه می‌ماند تا برّه‌ای معصوم.» و تأکید کردم که با گوشهای خودم گفته‌های او را شنیده‌ام.

کریم صورتش را در هم کشید و گفت: «سلطانه، باور کن این هم هوسی گذراست مثل بقیهٔ هوسهایش، و طولی نمی‌کشد که فراموشش می‌کند. اگر او را نادیده بگیری، به زودی دست از افراط کاریهایش برمی‌دارد.»

روشن بود که کریم هم از شنیدن دربارهٔ افکار مذهبی امانی خسته شده است. در طول هفتهٔ گذشته من تنها در این مورد حرف زده بودم. افکار و حرکات افراطی امانی عذابم می‌داد، حال آنکه پدرش مسئله را انکار می‌کرد و آن را نادیده می‌گرفت و امیدوار بود که این مسئله به زودی حل شود.

دریافتم که من و کریم قادر نخواهیم بود همان‌گونه که در بحران بیماری مها در کنار هم ایستاده بودیم، در کنار هم مسئلهٔ امانی را حل کنیم. احساس کردم که دیگر رمقی برایم نمانده است. و برای نخستین‌بار از زمان تولد عبدالله، از مادر بودن احساس خستگی کردم. با خودم فکر کردم که چند نسل دیگر از زنها می‌توانند این بار سنگین را به تنهایی و بدون دریافت قدردانی حمل کنند.

در حالی که صدایم می‌لرزید، فریاد کشیدم: «یک زن چقدر تنهاست!»

کریم که از واکنش شدید من وحشت کرده بود، نوازشم کرد و با مهربانی گفت که اگر مایلم، شامم را به تنهایی در اتاقم صرف کنم و او شام را در کنار بچه‌ها خواهد خورد.

آهی ناامیدانه کشیدم و تصمیم گرفتم که از تخت بیرون بیایم. ساعتهای متوالی در تنهایی به سر برده بودم و دلم نمی‌خواست امانی مرا بدخُلق بیابد. به شوهرم گفتم که به زودی آماده می‌شوم و به طبقهٔ پایین می‌آیم.

من و کریم در اتاق نشیمن کوچک طبقهٔ پایین یکدیگر را ملاقات کردیم، و چون هنوز یک ساعتی به زمان صرف شام مانده بود، از کریم خواستم که در باغ قدم بزنیم.

کریم به تصور آنکه خاطرات لحظات عاشقانهٔ گذشته در من زنده شده، با مهربانی نگاهم کرد و لبخند زد.

من نیز به او لبخند زدم، امّا در واقع دلم می‌خواست که اطراف باغ را جستجو کنم و دریابم که شواهد و مدارکی از جلسهٔ امانی با دوستان و اقوامش بر جا مانده است یا نه.

ما وارد باغ بزرگ و زیبایی شدیم که طراح معروف ایتالیایی‌ای طراحی کرده بود. در طول سالها، بسیاری از دوستانمان تلاشی عبث به خرج داده و سعی کرده بودند که طراحی «باغ ترکی» ما را تقلید کنند. در انتهای باغ آبشار زیبایی به درون استخری بزرگ و دایره‌شکل می‌ریخت که مملو از ماهیهای رنگارنگ و کمیاب بود. جاده‌ای سنگی، استخر و گلهای اطرافش را احاطه کرده بود و دو نقطهٔ برجسته به نشستن اختصاص داده شده بود، یکی در چپ و یکی در راست. گیاهان انبوه و سبزرنگی که از تایلند وارد شده بود، بر روی صندلیهای جنس راتان (نوعی نِی پیچیده) که با بالشتکهایی به رنگهای ملایم پوشانده شده بود، سایه می‌افکند. میزهایی شیشه‌ای در مقابل صندلیها دیده می‌شد. اینجا زیباترین و مفرّح‌ترین نقطهٔ خانه‌مان بود و در آن افراد خانواده برای صرف صبحانه و یا قهوهٔ بعدازظهر دور هم جمع می‌شدند.

دیوارها از نوع خاصی از شیشه‌های رنگی ساخته شده بود، امّا درختان و گیاهان انبوه سبز مانع از تابش انوار سوزان آفتاب می‌شد. در اطراف آبشار تندیسهایی سنگی که سرِ انواع حیوانات را به نمایش درمی‌آورد دیده می‌شد، در حالی که از مقابل تندیس زرافه رد می‌شدم، اندوه بر قلبم غلبه کرد. به یاد آوردم که کریم این تندیس را برای امانی سفارش داده بود تا او را که عاشق حیوانات بود، خوشحال کند.

این مسیر به حمام ترکی منتهی می‌شد. در ویلای قاهره‌مان چنین حمامی وجود داشت، و من از طراح ایتالیایی خواسته بودم که همان الگو را در جدّه اجرا کند.

این بخش شامل چهار حمام بود که هر یک دارای اندازه و رنگ متفاوتی بود. پله‌های متعددی به حمامها منتهی می‌شد و در بالای یکی از حمامهای بزرگ، طاقی سنگی خودنمایی می‌کرد. من به تماشای بخاری که از درون حمام خارج می‌شد و بعد در هوا محو می‌گشت، ایستادم.

خانواده‌ام ساعات خوشی را در حمام ترکی گذرانده بودند. همین شب گذشته من و کریم با استراحت در حمام مملو از بخار لذت برده بودیم.

در باغ نشانه‌ای از فعالیتهای امانی بر جا نمانده بود، و با این حال هنوز هم کلمات او که به گوشم رسیده بود، آرامش ذهنم را به هم می‌ریخت. ناامیدانه آرزو می‌کردم که کریم به وضع بحرانی امانی پی ببرد، زیرا دخترم در صدد کسب مقام امامت بود؛ زنی که زنان مذهبی دیگر را هدایت می‌کرد. اگرچه دلم می‌خواست دخترم را در نقش زن مسلمانی شایسته ببینم، هرگز مایل نبودم با تعبیرات نادرست اصول اسلامی که توسط افراطیونی چون امانی انجام می‌گرفت، زنان سرزمینم را در قید و بندهای بیشتری بیابم.

احساس من صادق بود. کریم کمترین نگرانی‌ای در خود احساس نمی‌کرد. آیا قدرت دیدن آن را نداشت که دخترمان با ثمرهٔ مبارزات من از دورهٔ کودکی‌ام به مقابله پرداخته بود؟ من باید به کریم می‌گفتم که افکاری چنین افراطی به کجا ختم خواهد شد، زیرا به خوبی از حساسیت شوهرم نسبت به سلطنت و ثروت

مشروع خاندان آل سعود آگاه بودم.

می‌دانستم که زندگی پر تجمّل و شکوه شوهرم را چیزی جز چاههای نفتی عربستان نمی‌تواند تأمین کند. دستم را به جانب حمام زیبای ترکی دراز کردم و گفتم: «این همان چیزی است که دخترمان گناه کبیره می‌پندارد؛ لذت بردن از نعماتی که خداوند به ما عطا کرده است.»

شوهرم پاسخی نداد.

با سماجت ادامه دادم: «کریم، ما باید دست به کار شویم. یا شاید تو مایلی فرزندی که از گوشت و پوست توست، سلطنت سعودی را براندازد؟»

کریم که هنوز هم اعمال دخترش را جدّی نمی‌گرفت، اتهامات مرا باور نکرد و توصیه کرد که دخترمان را با ایمان قدرتمندش تنها بگذاریم، اگرچه مخالف خواسته‌های مادرش قدم برمی‌داشت.

کریم شانه‌های مرا محکم گرفت و هشدار داد که از تکرار این کلمات در جای دیگر پرهیز کنم. «سلطانه، من از مدتها قبل آموخته‌ام که به خواسته‌ها و رؤیاهای دیگران احترام بگذارم، وگرنه خانه‌مان فاقد صلح و صفا خواهد بود. حالا دیگر این مبحث زننده را کنار بگذار!»

روزهای متوالی به تجزیه و تحلیل اعمالم پرداختم، و سرانجام به این نتیجه رسیدم که من به دلیل راه تازه‌ای که دخترمان انتخاب کرده است، سزاوار سرزنش نیستم. افکار دخترم به یقین ناشی از فقر عمومی سرزمینمان بود که ناگهان رنگی دیگر به خود گرفته بود و ثروت و مکنت به سراغ آن آمده بود. برای درک ریشهٔ این فرایند، می‌بایست گذشته‌ها را می‌شکافتم.

بسیاری از افراد، مسلمان و غیر مسلمان، نسبت به سعودیها که ثروت بادآورده‌ای به چنگ آورده‌اند، ابراز نفرت می‌کنند، اما کمتر کسی به فقر وحشتناکی که تا اواسط دههٔ ۱۹۷۰ بر این سرزمین حاکم بود، توجه داشته است. من این قضاوت شتابزده را نمی‌پسندم.

سالها پس از کشف نفت پنهان‌شده در زیر ماسه‌های بیابان بود که سعودیها از

مزایای ثروتی که با کمک شرکتهای آمریکایی تضمین می‌شد، بهره‌مند شدند. در بدو امر شاه عبدالعزیز، پدربزرگ من و بنیانگذار عربستان سعودی، به مردانی که با لحنی ملایم سخن می‌گفتند و وعده‌های کاذب می‌دادند اعتماد کرد، بدون در نظر گرفتن این حقیقت که چنین معاملاتی میلیونها دلار پول به جیب آمریکاییهای چرب‌زبان سرازیر خواهد کرد و مقدار ناچیزی به خزانهٔ عربستان سعودی. و شرکتهای آمریکایی تنها زمانی که تحت فشار قرار گرفتند، ناچار به اتخاذ رفتاری عادلانه شدند.

پس به دلیل عدم تناسبی که در تقسیم ثروت نفت وجود داشت، سالها طول کشید تا افراد بیابان‌نشین عرب به ویلاها و قصرهای مجلل راه یابند. در طول این مدت، مردم عربستان در نکبت و پریشانی غوطه می‌خوردند. اخلاقیات شکل ابتدایی داشت، و سرزمینمان فاقد پزشک، پول، بیمارستان و تجهیزات درمانی بود. غذای سعودیها شامل خرما، شیر شتر، و گوشت بز و شتر بود.

من به خوبی نگاه ناامیدانهٔ یکی از ثروتمندترین مردان سعودی را در حین نقل زندگی دوران کودکی‌اش به خاطر می‌آورم. او که مردی باهوش و تاجری معتبر است، پانزده سال اولیهٔ زندگی‌اش را از درِ کلبه‌ای گلی به درِ کلبهٔ دیگر می‌رفت تا شیر بز بفروشد. او در هفت سالگی سرپرست خانواده‌اش شده بود، زیرا پدرش در حین قربانی کردن شتری در مراسم حج، اشتباهی با شمشیر آلوده خود را مجروح ساخته بود. این عفونت مبدل به قانقاریا شده بود و او در حالی که از شدت درد فریادهایش به آسمان می‌رسید، با زندگی وداع کرده بود.

بر طبق سنت حاکم، مادر پسرک با برادر شوهرش ازدواج کرده بود که خود صاحب فرزندان متعدد بود، و پسرک خود را مسئول پنج خواهر و برادر کوچک‌ترش می‌یافت. این مرد با دستهای خود چهار تن از خواهران و برادرانش را به خاک سپرده بود که سوءتغذیه و فقدان تجهیزات درمانی منجر به مرگ آنها شده بود. دسترسی تصادفی این مرد به ثروت و مکنت، خود داستانی نکبت‌بار و وحشت‌آفرین است.

پس از گذراندن دوره‌ای آن‌چنان نکبت‌بار و مملو از فقر و فاقه، بسیار طبیعی

است که نخستین نسل سعودی پس از اکتشاف نفت به توانایی ثروت پی ببرد و فرزندانش را غرق تجملات بنماید و به آنها نشان دهد که پول قادر به خرید هر چیزی هست. من و کریم دوران کودکی مرفهی را گذرانده‌ایم، امّا نیروی حیاتی فقر والدینمان را که بر زندگی دوران جوانی ما تأثیری عمیق نهاده، درک کرده‌ایم. در هر حال، کودکان ما هرگز با طعم محرومیت آشنا نشدند، و بنابراین هرگز به مفهوم واقعی فقر پی نبردند.

تمدن سیری طبیعی را طی کرد، زیرا انتظار آن می‌رود که چنین ثروت متمرکزشده‌ای که به گونه‌ای متزلزل بر میراث از دست داده‌ای استوار است، هر لحظه واژگون گردد و اعتبارش ساقط شود. تنها زمان لازم بود تا این شالودۀ لرزان در هم بریزد.

سنتها و قراردادهای پذیرفته‌شدهٔ نسل گذشته، توسط نسل من به زیر سؤال رفت و نسل پس از من بدون کوچک‌ترین مانعی از غرایز حیوانی خود تبعیت کرد. طرد اصول اجتماعی ابتدایی موجب پیدایش طبیعی تحجر مذهبی و وحشت از ثروتهای بیکران گردید.

اکنون جزمی‌ترین افراد، از نسل فرزندان ما هستند. آنها که هرگز با طعم تلخ فقر آشنا نبوده‌اند و تنها با زندگی پُرثروت و مکنت آشنا هستند، ما را به باد سرزنش می‌گیرند و به دنبال هدفی بالاتر از جمع‌آوری ثروت‌اند.

دخترم، امانی، رهبر گروهی از زنان شد که خشن‌تر از مردان متعصب مذهبی بودند و برای براندازی سلسلۀ سعودی تلاش می‌کردند.

امانی در حالی که در تلاش بود تا روح اطرافیانش را نجات بخشد، اعترافی را از زبان دختر دایی‌اش، فتّان، دختر برادرم، علی، شنید که برای هیچ‌یک از ما قابل تصور نبود.

هیچ مردی بیش از علی با زنها رفتار نخوت‌آمیز نداشته است. او در کودکی همواره با دیدۀ حقارت به ده خواهرش نگاه می‌کرد و در جوانی، زمانی که در آمریکا زندگی می‌کرد، با صدها زن غربی هم‌بستر می‌شد و به راحتی آنها را کنار می‌انداخت و در نقش یک شوهر، همسرانش را به چشم برده می‌نگریست،

اهمیتی به رضایت آنها نمی‌داد و با دقّت دخترانی را به همسری بـرمی‌گزید کـه مراحل نخست بلوغ را می‌گذراندند و چیزی در مورد طبیعت مردها نمی‌دانستند و رفتار ناشایست او را طبیعی تلقی می‌کردند. علی علاوه بر چهار زن، هـر روز صیغهٔ تازه‌ای به خانه‌اش می‌برد. او کمترین تـوجهی بـه دخترهـایش نـداشت و محبّت خود را تنها نثار پسرهایش می‌کرد.

طبیعی بود که پسرش، مجید، برادر فتّان، به صورت جوانی دگر آزار درآمد کـه زنها را چیزی جز ابزار شهوترانی نمی‌یافت.

اکنون با نگاهی به گذشته، دریافته‌ام که اگر جرم مجید برملا می‌شد، سرش را از تن جدا می‌کردند و یا در مـقابل جـوخهٔ اعـدام قـرارش مـی‌دادند. هـیچ‌چیز نمی‌توانست زندگی مجید را نجات دهد، اگرچه فرزند یک شاهزادهٔ پُر قـدرت سعودی بود، زیرا گناهی که مرتکب شده بود در خاندان سعودی بی‌سابقه بود.

ما به خانه‌مان در ریاض برگشتیم. امانی هر روز پس از مدرسه کلاسهای خود را برای اطرافیانی که مایل به بازگشت به دوران جاهلیت بودند، هـنگامی کـه زنـها قدرت ادای کلمه‌ای علیه ظلم و شقاوت حاکم نداشتند، تشکیل می‌داد.

در بعدازظهر یک روز چهارشنبه، من از ایوان اتاقم مشغول تماشای شاگردان امانی بودم که یکی یکی کلاس او را ترک می‌کردند و سوار بر اتومبیلهای لیموزینِ با راننده، از خانه‌مان خارج می‌شدند. فتان، دختر برادرم، آخـرین کسی بـود کـه کلاس را ترک کرد. گفتگوی طولانی امانی و فتان پس از خاتمهٔ کلاس بـه نـظرم عجیب می‌رسید. آنها را دیدم که با محبّت فراوان یکدیگر را در آغوش کشیدند و سپس از همدیگر جدا شدند. با تأسف به خود گفتم که فتان بیچاره با سرپرستی پدر بی‌احساسی چون علی، طبیعی است که به هر شیوهٔ افراطی‌ای بیاویزد.

من که دیوانه‌وار مایل به برقرار ساختن روابط عادی و محبت‌آمیز گذشته بـا امانی بودم، مصمم گشتم که در مورد مذهب با او حرف نزنم و بگذارم تا خداوند او را به راهی که صلاحش است، هدایت کند. تلاش می‌کردم امانی را بـه بـازی تخته‌نرد و یا ورق دعوت کنم تا شاید ذهنش را اندکی منحرف سازم.

به آرامی درِ اتاق دخترم را نواختم. جوابی نیامد. صدای گریه‌ای به گوشم رسید. وارد اتاق شدم. امانی را دیدم که قرآن را در دست نگه داشته بود و با دست دیگرش اشکهایش را پاک می‌کرد. در کنارش نشستم و به آرامی زانویش را نوازش کردم و دلیل اندوهش را پرسیدم.

انتظار داشتم دخترم بر سرم فریاد بکشد که او پیامهایی را از پروردگار می‌شنود که گوشهای من سزاوار شنیدشان نیست. امّا با حیرت شنیدم که گفت: «مادر، من واقعاً از آنچه باید انجام دهم، احساس اندوه می‌کنم!» بعد خودش را در میان بازوان من انداخت و گریست. انگار بدترین خبر فاجعه‌آمیز زندگی‌اش را شنیده بود!

«امانی، دخترم، چه اتفاقی افتاده؟»

هق هق گریه بدنش را می‌لرزاند. «مادر، گناهی کبیره رخ داده است. من راز وحشتناکی را شنیده‌ام. خداوند به من امر کرده است که این راز را برملا سازم.»

با فریاد گفتم: «چه گناهی؟» می‌ترسیدم راز رابطهٔ مها با عایشه به گوش امانی رسیده باشد، و می‌دانستم که در صورت برملا شدن این راز، چه عواقبی متوجه مها و خانواده‌مان خواهد شد.

امانی با چشمان درشتش به من نگاه کرد. «فتان رازی را برایم برملا ساخته است که روحش را می‌آزارد. این گناه آن‌قدر بزرگ است که نباید برملا شود. امّا من ناچارم.»

نفس راحتی کشیدم. امانی به خواهرش اشاره‌ای نکرده بود. امّا از خودم سؤال کردم که کدام‌یک از رسواییهای خاندان آل سعود به گوش دخترم رسیده است. در خانواده‌ای به بزرگی آل سعود، شایعات زیادی در مورد رفتار ناشایست شاهزادگان جوان و گه‌گاه شاهزاده‌خانمهای جوان بر سر زبانها بود. داستانهای رسوایی‌آمیز شاهزادگان سعودی اغلب در روزنامه‌های خارجی به چاپ می‌رسید و خبر باخت سنگین آنها در کازینوهای خارجی و یا روابط نامشروعشان با زنهای غربی به صورت داغ‌ترین اخبار منتشر می‌شد. شاهزادگان پس از گذراندن تعطیلاتشان در کشورهای غربی به عربستان برمی‌گشتند،

درحالی‌که بسیاری از آنها نوزاد نامشروعی در راه داشتند. به ندرت اتفاق می‌افتد که اخبار واقعی در عربستان منتشر شود، زیرا خویشاوندان بلافاصله وارد میدان می‌شوند و بر موضوع سرپوش می‌گذارند تا از رسوایی جلوگیری کنند.

امانی با خشم گفت: «مادر، در مورد مجید است. مجید گناه کبیره‌ای مرتکب شده است.»

به زحمت بر خودم مسلط شدم و پرسیدم: «مجید؟ امانی، مجید فرزند خَلَف پدرش است.» چهره‌ام را به چهرهٔ دخترم چسباندم و به او هشدار دادم: «اگر کلمه‌ای در مورد مجید حرف بزنی، مردهای خانواده‌مان به تو می‌خندند. علی به روابط نامشروع پسرش با زنهای خارجی افتخار می‌کند.»

در خانوادهٔ ما همه می‌دانستند که مجید، دومین پسر علی، به فعالیتهای خارجی‌ای که در خاک سعودی انجام می‌گیرد علاقه‌مند است، در مهمانیهای غربیها شرکت می‌کند و با زنهای خارجی‌ای که در بیمارستانهای سعودی و یا خطوط هوایی مختلف کار می‌کنند قرار ملاقات می‌گذارد. خانواده‌های مسلمان معمولاً با چنین فعالیتهایی مخالفت می‌کردند، امّا علی فکر می‌کرد این بهترین فرصت ممکن برای فرزندش است که در سرزمینی چون عربستان، بتواند از آزادیهای جنسی لذت ببرد.

با دیدن چهرهٔ جدّی و آشفتهٔ امانی قلبم به درد آمد. او ادامه داد: «نه، مادر، تو نمی‌فهمی. علی به زنی بدون رضایت او تجاوز کرده است.»

نمی‌فهمیدم منظور امانی چیست. «امانی، منظورت چیست؟»

دخترم باز هم شروع به گریستن کرد، و در میان هق‌هق تکان‌دهندهٔ گریه‌هایش از من خواست که پدرش را پیدا کنم و نزد او بیاورم، زیرا او به هدایت پدر نیازی شدید دارد و باکمک وی است که می‌تواند فرد مناسبی را بیابد و راز وحشتناک مجید را بر ملا سازد.

آزرده‌خاطر شده بودم، زیرا احساس می‌کردم دخترم راهنماییهای پدرش را بیش از من قبول دارد. با این حال به جستجوی کریم پرداختم و سرانجام او را در کنار عبدالله و مها در اتاق بازی یافتم. آنها مشغول بازی بیلیارد بودند. موجی از

حسادت وجودم را فراگرفت. احساس می‌کردم که هر سه فرزندم پدرشان را بر مادرشان ترجیح می‌دهند. زبانم را گاز گرفتم که مبادا برای جلب توجه فرزندانم، نقاط ضعف کریم را یادآور شوم.

هر سه نفر با شنیدن فریاد من از جا پریدند. «کریم، امانی به تو نیاز دارد.»

«یک لحظه صبر کن. نوبت من است.»

«کریم، دخترت دارد گریه می‌کند. زودتر بیا.»

شوهرم نگاه ناجوری به من انداخت. «سلطانه، به او چه گفته‌ای؟»

حالا دیگر اتهام کریم نیز به آزردگی‌ام افزوده شده بود. با عصبانیت توپهای بیلیارد را در حفره‌ای کنار میز انداختم و از آنجا دور شدم، بی‌آنکه توجهی به شکایات کریم و عبدالله بکنم. «خُب، کریم، حالا دیگر برنده شدی. بهتر است سری به دخترت بزنی.»

کریم به دنبال من وارد اتاق امانی شد. اشکهای دخترم تمام شده بود و او نگاه مصمم کسی را داشت که سرانجام تصمیم نهایی را گرفته است.

کریم گفت: «امانی، مادرت می‌گوید که تو قصد داری چیزی را به من بگویی.»

«پدر، مجید باید به خاطر کاری که انجام داده است مجازات شود. من تمامی آنچه را در این مورد نوشته شده، خوانده‌ام. مجید راهی ندارد جز آنکه مجازات شود.»

کریم بر روی صندلی نشست و پاهایش را روی هم انداخت. چهره‌ای در هم و مضحک داشت. انگار برای نخستین‌بار دریافته بود که امانی در جستجوی مذهبی‌اش بیش از اندازه جلو تاخته است.

کریم با صدای آرامی پرسید: «مجید چه کار وحشتناکی انجام داده است؟»

امانی، دخترک معصوم، ناگهان صورتش از شرم برافروخت. «من از بیان عمل مجید شرم دارم.»

کریم اصرار کرد. «بگو.»

امانی که در حضور یک مرد، حتی پدرش، از نقل ماجرا شرم داشت، به زمین خیره شد و سپس با چهرهٔ معصومش، قصه‌ای به سیاهی شیطان را نقل کرد.

«شبی مجید در یکی از مهمانیهای خارجیها شرکت کرد. فکر می‌کنم مهمانی شرکت « لاک هید » بود. در آنجا زنی آمریکایی را ملاقات کرد. این زن با آگاهی از این نکته که مجید یک شاهزادهٔ دربار سعودی است، به او علاقه‌مند شد. در طول شب مجید مشروب زیادی خورد و مست شد، و زن که به او قول داده بود به آپارتمان یکی از دوستانش بروند، تصمیم خود را عوض کرد. مجید با پی بردن به ماجرا و اینکه وقتش را تلف کرده است، با عصبانیت از مهمانی خارج شد. بر سر راهش به خانه، به دیدن یکی از دوستانش رفت که به دلیل تصادف اتومبیل و داشتن جراحاتی در بیمارستان بستری بود. در بیمارستان هر لحظه به خشم مجید افزوده می‌شد و او از اتاقی به اتاق دیگر می‌رفت تا زنی موطلایی بیابد و شهوت حیوانی‌اش را آرام سازد.

«پس از نیمه‌شب بود و تنها چند نفر از پرستاران در بیمارستان بیدار بودند.»

لب زیرین امانی لرزید. کریم ناچار بود او را به گفتن ادامهٔ داستان وادار سازد.

«بعد چه شد؟»

کلمات به سرعت از میان لبهای امانی خارج شد. «کریم با یکی از زنان بیمار هم‌بستر شد؛ زنی که به شدت مجروح شده و بی‌هوش بود.»

من قدرت حرکت را از دست داده بودم. انگار مبدل به سنگ شده بودم. صدای گفتگوی کریم و دخترمان را می‌شنیدم.

شوهرم با ناباوری سر تکان داد و گفت: «امانی، این را فتان به تو گفت؟»

«بله، پدر. و خیلی بیشتر از این.»

«نه، این غیرممکن است. فکر می‌کنم فتان این داستان را در خیالش پرورانده است. آن‌قدر وحشتناک است که ممکن نیست حقیقت داشته باشد.»

امانی با نگاه اتهام‌آمیزی به پدرش گفت: «می‌دانستم که باور نخواهی کرد. امّا من مدرک دارم.»

«مدرک؟ چه مدرکی؟ من باید بدانم.»

«خُب، مردی پاکستانی در آنجا کار می‌کرد. او زمانی که بیمار را معاینه می‌کرد، متوجه شد که ملافه‌ها به هم ریخته است، و مجید را دید که اتاق بیمار را

ترک می‌کرد. مرد پاکستانی مجید را تهدید کرد که به مقامات اطلاع خواهد داد، و زمانی که دریافت مجید یک شاهزادهٔ سعودی است، از او تقاضای پول کرد. مجید برای ساکت کردن او، محتویات جیبش را خالی کرد.»

کریم هنوز هم تردید داشت. «امانی، مواظب کلماتی باش که از دهانت خارج می‌شود. تجاوز جنسی! رشوه! باور کردنش دشوار است!»

«حقیقت دارد! حقیقت دارد! خواهید دید. حالا که در دسر درست شده است!»

کلمات به سرعت از دهان امانی بیرون می‌ریخت، و او سعی داشت به هر طریق ممکن، پدرش را متقاعد سازد. «حالا روشن شده است که زنی که در اغما بوده و زنی مسیحی است، باردار است! اگرچه شش ماه است در بیمارستان بستری است و در اغما به سر می‌برد، سه ماهه باردار است. در بیمارستان تحقیقات مفصلی انجام گرفته و مجید ترس از آن دارد که نامش به میان کشیده شود.»

بـرای لحظـه‌ای حـرفهای امانی را باور کردم، زیـرا او جـزئیات مـاجرا را به روشنی در مقابلمان عیان ساخته بود. نفسم در نمی‌آمد! چطور می‌توانستیم مانع از برملا شدن این ماجرای رسوایی‌آمیز باشیم؟

امانی با اشک و ناله داستانش را به آخر رساند. «فتان مجید را در حین دزدی از گاوصندوق پدرشان دیده، و مجید برای تبرئهٔ خود به خواهرش گفته که مـرد پاکستانی باز هم تقاضای پول کرده، و این بار یک میلیون ریال سعودی می‌خواهد تا هویت سلطنتی او را آشکار نکند، و او نمی‌تواند چنین مبلغی را از پدرشان تقاضا کند بدون آنکه توضیح قابل قبولی داشته باشد. مرد پاکستانی به او یک هفته وقت داده است.»

من و کریم به همدیگر خیره شدیم. آیا این داستانی حقیقی بود؟

روزی را به خاطر آوردم که مجید، پسرم عبدالله را به باد سـرزنش و ناسزا گرفته بود و او را که از داشتن رابطهٔ جنسی بـا زن آمـریکایی زشتـی که سنّش دو برابر عبدالله بود امتناع می‌کرد، مسخره می‌کرد. زن قصد داشت در قبال پولی که می‌گرفت، با یک شاهزادهٔ سعودی هم‌بستر شـود. مجید عبدالله را متهم

به ناتوانی جنسی کرده و گفته بود که مرد واقعی حتی با دیدن شتر ماده تـحریک می‌شود! و ناگهان به گونه‌ای مبهم کلمات مجید را به خاطر آوردم. او به عبداللـه گفت که این زن آمریکایی به مراتب بهتر از آخرین زن خارجی‌ای است کـه او «سوارش» شده است، زیرا آن زن بی‌هوش بوده و از لذّتی که نصیبش شده محروم مانده است.

زمانی که این گفتگو را شنیدم، تصور می‌کردم که مجید از زنی مست و لایعقل حرف می‌زند، و نه بیمار نگون‌بختی که در اثر جراحـات بـی‌هوش شده است. اکنون با شنیدن گفته‌های امانی، به حقیقت این ماجرا پی می‌بردم.

دلم می‌خواست ماجرا را از کریم سؤال کنم، زیرا مجید ایـن داستان را بـرای عبدالله نقل کرده بود و عبدالله نیز برای پدرش بازگو کرده بـود، و از آن زمـان، کریم همراهی عبدالله را با مجید در مهمانیهای خارجی ممنوع ساخته بود.

با شنیدن صدای امانی، کریم به خود آمد. «مـن بـاید ایـن راز را بـا دوستم، وجدان، در میان بگذارم که به پدرش اطلاع دهد.»

کریم دندانهایش را به هم فشرد. پدر وجدان، دوست نزدیک امانی، مـردی مذهبی بود که در مسجد سلطنتی کار می‌کرد و اگرچـه هـیچ نـوع خـصومتی را نسبت به اعضای خاندان سلطنت عیان نمی‌ساخت، مردی بسیار معتقد بـود کـه از ندای درونی خود تبعیت مـی‌کرد. سـاکت کـردن ایـن مـرد و رشـوه دادن بـه او غیرممکن بود، و او حتی اگر واکنش شدیدتری در قبال این ماجرا نشان نمی‌داد، به کمیتهٔ مذهبی و شاه گزارش می‌داد. خانوادهٔ سعودی از چنین افتضاحی پرهیز داشت.

به علاوه، من هنوز هم در قلبم این امید را می‌پروراندم که اشتباهی رخ داده و مجید بی‌گناه است.

کریم به امانی گفت: «امانی، این مـاجرایی نیست کـه دخترهای جـوان در موردش حرف بزنند. من تحقیق می‌کنم و اگر حقیقت داشته باشد، بـه تـو قـول می‌دهم که مجید مجازات خواهد شد. فقط به من قول بده که در این مورد باکسی حرف نزنی.»

انتظار مخالفت امانی را داشتم، امّا در کمال خوشحالی دیدم که او به پدرش قول داد و نفس راحتی کشید. انگار این بار سنگین از دوشش برداشته شده و به پدرش داده شده بود.

در عرض سه روز، کریم به واقعیت ماجرا پی برد. هفت ماه پیشتر زنی مسیحی به دلیل تصادف اتومبیل دچار جراحات شدید در سرش شده و در بیمارستان محلی بستری شده بود و در این مدت، در اغما به سر می‌برده است. اکنون کارکنان بیمارستان و اقوام این زن دوره‌ای بحرانی را می‌گذرانند، زیرا پزشکان بیمارستان دریافته بودند که زن چهار ماهه باردار است. تحقیقات در بیمارستان همچنان ادامه داشت تا فرد گناهکار پیدا شود.

داستان وحشتناک امانی حقیقت داشت! کریم گفت که باید ماجرا به علی اطلاع داده شود، و از من خواست که همراه او به خانهٔ برادرم بروم. برای نخستین‌بار در زندگی‌ام از بدبیاری علی خوشحال نشده بودم.

با ورود به قصر باعظمت علی که در آن چهار زن و هفت صیغه‌اش را جا داده بود، معده‌ام به هم پیچید. اتومبیل وارد باغ شد و من به روی چمنها، که حریمشان با گیاهان سبز حفظ می‌شد، زنها و کودکان متعددی را دیدم که به دور هم جمع شده بودند. بچه‌ها مشغول بازی بودند، در حالی که زنها غیبت می‌کردند و یا بافتنی می‌بافتند و ورق بازی می‌کردند.

با خودم فکر کردم چه عجیب است که زنان عقدی و صیغهٔ برادرم دارای روابط دوستانه‌ای هستند و زندگی پُر صلح و صفایی را در کنار همدیگر می‌گذرانند. به ندرت صلح و صفا بر زنان متعدد یک مرد حاکم می‌گردد. این ماجرایی موفقیت‌آمیز بود.

حتی تصور سهیم شدن کریم با یک زن دیگر برایم غیرممکن بود، چه برسد به ده زن! با خودم فکر کردم که شاید فقدان رفتار محبت‌آمیز برادرم موجب شده است که زنها به همدیگر پناه آوردند و یکدیگر را حمایت کنند، و شاید هیچ‌یک از زنان برادرم عشقی نثارش نمی‌کردند و از ورود زن تازه‌ای استقبال می‌کردند تا علی را از بسترشان دور سازند.

از چنین تصوری لبخندی بر لبهایم ظاهر شد.

اما با یادآوری دلیل آمدنمان به خانهٔ برادرم، لبخندم ناپدید گشت.

علی خلق و خوی خوشی داشت و از ملاقات غیرمنتظرهٔ ما با خوشرویی استقبال کرد.

پس از خوش و بش و نوشیدن سومین فنجان چای، کریم اخبار بد را به گوش علی رساند. این رسالت ساده‌ای نبود و علی با شنیدن ماجرا آشفته‌حال شد. ناگهان چهرهٔ بشاشش تغییر شکل داد و اندوه بر آن غلبه کرد. برای نخستین‌بار در زندگی‌ام، با برادرم همدردی کردم و این گفتهٔ معروف را به خاطر آوردم: «آنهایی که دستهایشان در آب قرار دارد، نباید انتظار خوشحالی کسانی را داشته باشند که دستهایشان در آتش قرار گرفته است.»

اکنون علی مردی بود که دستهایش در آتش قرار داشت. مجید احضار شد. چهرهٔ گستاخ او با دیدن نگاه خشمگین پدرش تغییر شکل داد. دلم می‌خواست نسبت به مجید احساس نفرت کنم، امّا یاد ماجرایی افتادم که در دوران کودکی‌ام رخ داده بود.

روزی مادرم علی را به دلیل کار ناشایستش مذمّت کرد. علی صدایش را بلند کرد و مادرم را زنی بدوی خواند و بعد به سوی او رفت تا لگدی بر او وارد کند. من و خواهرانم به مادر التماس کردیم که علی را با چوبی تنبیه کند. مادرم با اندوه سرش را تکان داد و گفت: «چرا یک نوجوان را به دلیل شباهتی که به پدرش دارد، تنبیه کنم؟»

حالا مجید نیز تجسم زنده‌ای از پدرش بود.

زمانی که علی به مجید حمله کرد و او را به باد کتک گرفت، من و کریم خانه‌اش را ترک کردیم.

یک هفته بعد علی به کریم گفت که مسئله حل شده است. گفت که مرد پاکستانی را یافته و پول هنگفتی در اختیارش گذاشته است و این مرد سرمایه‌اش را به کانادا فرستاده است و به زودی به کمک علی، گذرنامه‌ای برای ورود به آن کشور به دست خواهد آورد. علی گفت که خانواده‌مان دیگر خبری از مرد

پاکستانی نخواهد شنید.

علی در حالی که سرش را با تأسف تکان می‌داد، گفت: «این همه دردسر به خاطر یک زن!»

نه بیمارستان و نه خویشاوندان زن، هرگز به حقیقت ماجرا پی نبردند و ماجرا مخفی ماند.

مجید را به مدرسه‌ای در غرب فرستادند. امانی که اعتقاد داشت مجازاتی بدتر از تبعید از سرزمین پیامبر وجود ندارد، آرام شد.

یک بار دیگر، پول بر جنایت خاندان سلطنتی پرده کشید.

فکر می‌کنم که نباید خشمگین و یا متعجب می‌شدم، زیرا همان‌طور که برادرم می‌گفت، ماجرا فقط به خاطر یک زن بود!

به نظر می‌رسید که هیچ‌چیز نمی‌تواند بر سلطهٔ مردان کشور من غالب شود، حتی زمانی که یکی از آنها مرتکب بزرگ‌ترین جرم ممکن می‌شد.

۸

روابط عاشقانه

زمانی که عشق به سراغت می‌آید، آن را دنبال کن، اگرچه راهی دشوار و پُر فراز و نشیب دارد.

ـ خلیل جبران

امانی و مها مرا از خواب دلپذیر بعدازظهر بیدار کردند. از پشت درهای سنگینی که به اقامتگاه خصوصی‌ام منتهی می‌شد، صدای جیغ و داد دخترها را که بر سر هم فریاد می‌کشیدند، می‌شنیدم.

خدایا، باز امانی چه کرده است؟ با عجله لباس پوشیدم. امانی از زمانی که به اعتقادات افراطی مذهبی رو آورده بود، نظرش را نسبت به افراد با صراحت اعلام می‌کرد و در خرده‌گیری از اعمال ظاهراً غیراخلاقی خواهر و برادرش تردیدی به خود راه نمی‌داد و بی‌وقفه دنبال بهانه‌ای می‌گشت که اعمال آنها را سرزنش کند.

عبدالله علاقه‌ای به جدال و بگومگو با امانی نشان نمی‌داد. او که از خشم غیرقابل پیش‌بینی امانی وحشت داشت، اغلب خواهرش را نادیده می‌گرفت و در موقعیتهای نادری که اجرای تقاضاهای امانی ساده بود، تسلیم می‌شد.

امّا مها داستان دیگری بود. امانی با او کمتر به توافق می‌رسید. او شخصیت خواهر بزرگ‌ترش را نیز چون شخصیت خویش قوی و نفوذناپذیر می‌یافت، زیرا روحیهٔ خشن مها از بدو تولد ظاهر شده بود.

من سر و صدای دخترها را دنبال کردم. چند تن از خدمتکاران جلوی درِ آشپزخانه ایستاده بودند، امّا حاضر به مداخله نبودند، زیرا از تماشای نمایشی زنده لذّت می‌بردند.

من راه را باز کردم و وارد اتاق شدم. به موقع رسیده بودم. مها که روحیه‌ای به مراتب خشن‌تر از امانی دارد، در مقابل آخرین مقررات او عکس‌العمل نشان داده بود. به محض ورود، مها را دیدم که خواهرش را به زمین زده و روزنامهٔ صبح را با خشونت به صورتش می‌مالد.

درست حدس زده بودم. هفتهٔ قبل، امانی و گروه همفکرانش به این نتیجه رسیده بودند که روزنامه‌ها مقدس‌اند، زیرا نام خداوند، گفته‌های پیامبر و آیاتی از قرآن در آنها ذکر شده است. این گروه اعلام کرده بود که روزنامه‌ها نباید زیر پا قرار بگیرند و یا بر روی آنها غذا خورده شود و یا به سطل زباله انداخته شوند. امانی این هشدار را به گوش افراد خانواده‌اش رسانده بود و اکنون دریافته بود که مها توجهی به هشدار او نکرده و به روزنامهٔ آن روز بی‌احترامی کرده است.

نتیجه کاملاً قابل پیش‌بینی بود. من فریاد کشیدم: «مها، خواهرت را ول کن.»

مها انگار از شدت خشم صدای مرا نمی‌شنید. من بی‌ثمر تلاش می‌کردم که مها را از امانی جدا کنم، اما او مصمم بود به خواهرش درس ادبی بدهد. مها از آنجایی که قویتر از من و خواهرش بود، فاتح این جدال سه‌جانبه بود.

من با چهره‌ای برافروخته به سوی خدمتکاران نگاهی انداختم و از آنها تقاضای کمک کردم. بلافاصله یکی از رانندگان مصری وارد میدان شد. این مرد بازوانی قوی داشت و خیلی زود موفق شد دو خواهر را از هم جدا سازد.

هر جدالی، جدالی دیگر به دنبال دارد. اهانت لفظی منجر به ضرب و شتم می‌شود. مها سیل ناسزا را به سوی خواهر کوچک‌ترش روان ساخت که به شدت گریه می‌کرد و خواهرش را متهم به لامذهبی می‌کرد.

من سعی کردم آنها را آرام کنم، اما صدایم در میان هیاهوی آنها گم شد. بازوی هر دو دختر را نیشگون گرفتم و آنها ساکت شدند. مها از جایش بلند شد و امانی که هنوز بر روی زانوانش افتاده بود، روزنامه‌های پاره‌شده را از روی زمین جمع کرد. دخترم تا لحظهٔ آخر از اعتقاداتش دفاع می‌کرد.

با خود فکر کردم که برخی از افراد، بدترین جنبهٔ شخصیت خود را در اعتقاداتشان ظاهر می‌سازند. به یقین، امانی یکی از آنها بود. پیشتر، به رغم تردیدهایم، امیدوار بودم که اعتقادات مذهبی به امانی آرامش ببخشد، نه اینکه او را تحریک کند. امّا اکنون با اطمینان می‌دانستم که امیدهایم واهی است.

دیگر طاقتم طاق شده بود. گوش هر دو دختر را گرفتم و آنها را به اتاق نشیمن بردم و با لحن قاطعی از خدمتکاران خواستم که ما را تنها بگذارند. چشم‌غرّه‌ای به بچه‌ها رفتم و با خود فکر کردم که با به دنیا آوردن دو موجود پر دردسر، چه اشتباه بزرگی مرتکب شده‌ام.

به دخترها گفتم: «شیون نوزادی که متولد می‌شود، چیزی جز اعلام خطر برای مادر نیست.»

ظاهراً چهره و نگاهم دخترها را به وحشت انداخته بود، زیرا هر دو خلع سلاح شده بودند. آن دو احترام خاصی برای لحظات دیوانگی من قائل بودند.

برای پرهیز از جدال بعدی، چشمانم را بستم و نفس عمیقی کشیدم و پس از آنکه کمی آرام شدم، به دخترها گفتم که یک به یک می توانند حرف بزنند، اما نباید دست به خشونت بزنند.

مها منفجر شد. «دیگر شورش را درآورده! امانی دارد مرا دیوانه می‌کند. یا باید مرا به حال خود بگذارد و یا...» می‌دیدم که در ذهنش به دنبال یافتن بدترین اهانت ممکن به خواهرش است. «پنهانی وارد اتاقش می‌شوم و قرآنش را پاره می‌کنم!»

امانی از وحشت فریادی کشید. من مها را از انجام دادن این عمل نادرست منع کردم.

خشم مها همچنان شعله‌ور بود. او گفت: «همین فکر احمقانه که روزنامه‌ها را

دور نریزیم! ما ناچاریم انبار بزرگی درست کنیم تا بتوانیم روزنامه‌های کهنه را نگهداری کنیم.» مها نگاهی به خواهرش انداخت. «امانی، تو عقلت را از دست داده‌ای.» بعد به من نگاه کرد و با قاطعیت گفت: «مادر، از زمانی که از سفر حج برگشته‌ایم، امانی دیگر مرا با خودش برابر نمی‌داند. فکر می‌کند ارباب من است.»

من با مها کاملاً موافق بودم. می‌دیدم که افکار مذهبی دخترم، با سرعتی وصف‌ناپذیر از مرحلهٔ سردرگمی و تردید عبور می‌کند و به نگرشی قاطع مبدل می‌گردد. احساس او در مورد حقانیّت باورهایش موجب شده بود که مقررات مسخره‌ای برای افراد خانه تعیین کند که هیچ کس از آنها معاف نبود.

امانی همین چند روز پیش، یکی از باغبانهای فیلیپینی را دیده بود که یک جفت صندل با نام الله بر تخت کفش به پا کرده است. او با خشم کفشهای باغبان را چنگ زده و وی را متهم به لامذهبی کرده و تهدید به مجازاتی سنگین کرده بود. باغبان جوان در میان اشک و آه اعتراف کرده بود که کفشها را از بازار معروفی که در مرکز شهر ریاض واقع شده است، خریده و تصور می‌کرده است که با این عمل رضایت کارفرمایان مسلمانش را جلب خواهد کرد.

امانی تولید این کفشها را عملی شیطانی خواند و بلافاصله جلسه‌ای تشکیل داد و اعضا را با رساندن این خبر به گوششان بر زمین میخکوب ساخت. این خبر به گوش سایر گروههای مذهبی رسید و خیلی زود تبلیغاتی در سراسر شهر پخش شد که افراد را از خرید چنین اجناسی منع می‌کرد.

ماجرای کفشها ما را متعجب ساخت، زیرا مسلمانان از راه رفتن بر روی هر چه که نام الله بر آن نوشته شده باشد، منع شده‌اند. با این حال واکنش امانی بسیار افراطی بود، زیرا فیلیپینی بینوا مسلمان نبود و از اصول اسلامی ناآگاه بود و دخترم با او ظالمانه رفتار کرده بود.

من از دوران کودکی‌ام همواره خداوند را رحیم و مهربان می‌دانستم؛ خدایی که لذات بشر را گناه تلقی نمی‌کند. به یقین سوگند می‌خوردم که امانی خدای محمّد را نمی‌شناسد؛ خدایی که مادر نازنینم به من شناسانده بود. من به درگاه خالق خود التماس کردم و از او خواستم که امانی را از چنین خلق و خوی

حزن‌آمیزی نجات بخشد.

از نو افکارم به بحران اخیرمان برگشت و به دخترهایم نگاه کردم.

با تهدید مها به بی‌حرمتی به قرآن، امانی دچار ترس شد و قول داد که دیگر مزاحم خواهر و برادرش نشود.

مها اعلام کرد که اگر امانی او را به حال خود بگذارد و از اعمالش خرده نگیرد، دیگر دست به خشونت نخواهد زد.

دخترها ظاهراً سازش کردند. امّا این دو موجود سرکش، معجونی بی‌ثبات بودند و صلح و صفایشان نمی‌توانست زمانی طولانی دوام بیاورد.

من آرام گرفتم و خودم را تسلیم محبّت مادرانه‌ام کردم و با عمیق‌ترین عشق آنها را در آغوش کشیدم.

مها، دخترک زودخشم که خشمش خیلی زود فروکش می‌کرد، به رویم لبخند زد، لبخندی صلح‌آمیز، و امانی که افراد خطاکار را به راحتی نمی‌بخشید، به احساسات من وقعی ننهاد و بر جایش باقی ماند.

من که از وظایف مادری احساس فرسودگی می‌کردم، با حسرت به تماشای دخترهایم نشستم که هریک راه خود را می‌پیمود.

ناگهان اتاق از سر و صدای آنها خالی شد. امّا این سکوت آرامش‌بخش نبود. من بی‌قرار و ناآرام بودم و به خود می‌گفتم که به یک محرک نیازمندم.

زنگ را به صدا درآوردم و کورا را احضار کردم و از او خواستم که فنجانی قهوهٔ ترک برایم بیاورد. بعد بدون هیچ دلیلی نظرم را عوض کردم و از او خواستم که لیوانی نوشیدنی الکلی مخلوط با کوکاکولا برایم بیاورد.

دهان کورا باز مانده بود. نخستین‌بار بود که هنگام روز از او تقاضای مشروب الکلی می‌کردم.

به او دستور دادم: «برو دیگر!»

نشستم و به خواندن روزنامه پرداختم، بی‌آنکه مفهوم کلمات را درک کنم.

با ناراحتی به انتظار رسیدن نوشابه‌ام بودم که عبدالله وارد خانه شد. او با سرعت وارد سرسرا شد. نگاهی به صورتش انداختم، و از آنچه دیدم، خوشم

نیامد. من که به خلق و خوی ملایم فرزندم خو گرفته بودم، از چهرهٔ گرفته‌اش دریافتم که دچار درد و عذابی شدید است.

صدا کردم: «عبدالله!»

عبدالله با سرعت وارد اتاق شد و بی‌آنکه از او چیزی بپرسم، درد و رنجش را بیرون ریخت. «مادر، جعفر از کشور فرار کرده است.»

«چی؟»

«با دختر فؤاد، فائزه، فرار کرده است.»

گیج شده بودم و دچار ناباوری و شک و تردید. قادر به حرف زدن نبودم. با دهانی باز نشستم و به پسرم خیره شدم.

جعفر دلال، جوانی که سالهای نخست دههٔ بیست سالگی‌اش را می‌گذراند، مورد تحسین همگان بود. او هم خوش‌قیافه و جذاب بود و هم قوی، که با چهره‌ای جدّی اما مهربان، قدرت خالی از خشونت و عقل و درایتش را به نمایش می‌گذاشت. او مصاحبی جذاب و مردی بانزاکت و فرهیخته بود. جعفر یکی از معدود مردان جوانی بود که کریم به مصاحبتش با زنان خانواده‌اش اعتماد داشت.

جعفر نزدیک‌ترین و عزیزترین دوست عبدالله بود. اغلب به کریم می‌گفتم که مایلم با والدین جعفر آشنا شوم، زیرا کسی را موفق‌تر از آنها در تربیت فرزندشان نمی‌شناختم. امّا چنین خواسته‌ای غیرممکن بود، زیرا مادر جعفر در دوران کودکی او زندگی را وداع گفته بود و پدرش در جنگهای داخلی لبنان، زمانی که جعفر هفده ساله بود، کشته شده بود. جعفر که در نوجوانی یتیم شده بود، خانه‌اش را ترک کرده و نزد عمویش در کویت رفته بود. جعفر خواهر و برادری نداشت و عمویش برای یک کویتی ثروتمند کار می‌کرد.

جعفر که مسلمان سنّی فلسطینی بود و در اردوگاه‌های پناهندگان جنوب لبنان بزرگ شده بود، زندگی راحتی را نگذرانده بود.

پس از حملهٔ عراق به کویت، فلسطین شروع به حمایت از صدام حسین کرد.

آزردگی کویتیها نسبت به فلسطینیها پس از به پایان رسیدن جنگ کویت و عراق تعجب‌آور نبود. اگرچه عموی جعفر و خانواده‌اش نسبت به کارفرمایشان وفادار بودند و هنوز هم می‌توانستند در کویت اقامت کنند، تظاهرات خصومت‌آمیز نسبت به فلسطینیها آن‌چنان بالا گرفت که کارفرمای کویتی به عموی جعفر توصیه کرد که به جای دیگری نقل مکان کنند. کارفرمای مهربان نمی‌خواست جان این خانوادهٔ وفادار را به خطر بیفکند. او قول داد: «چند سالی که بگذرد، بحران تمام می‌شود.»

کارفرمای کویتی که با کریم همکاری تجاری داشت، به او توصیه کرد که عموی جعفر را در دفتر جدیدشان در ریاض استخدام کند.

در آن زمان، به دلیل جنگ خلیج کدورتهایی میان پادشاهمان و یاسر عرفات وجود داشت و جنبش سیاسی تازه‌ای در عربستان شکل گرفته بود که از استخدام اتباع فلسطینی جلوگیری می‌کرد. امّا کریم با استفاده از قدرت و نفوذ خود، به دلخواه عمل کرد و عموی جعفر را استخدام کرد.

این مرد پس از ورود به ریاض، یکی از محرمان مورد اعتماد کریم شد و وظایف پُر مسئولیتی را به عهده گرفت. کریم برادرزادهٔ این مرد را نیز مورد اعتماد یافت و او را سرپرست یکی از دفاتر حقوقی‌اش کرد.

از لحظه‌ای که عبدالله با جعفر آشنا شد، رابطهٔ دوستانهٔ عمیقی میان آن دو شکل گرفت. عبدالله او را چون برادری که هرگز نداشت، می‌پرستید.

جعفر تنها دو سال پیش در زندگی ما ظاهر شده بود، امّا خیلی زود به صورت عضو عزیزی از خانواده‌مان درآمد. او که مردی بسیار جذاب بود، هر جا می‌رفت نظر زنها را به خود جلب می‌کرد. عبدالله می‌گفت که در هتلها و رستورانها، زنها برای او یادداشت دعوت می‌فرستادند. یک بار زمانی که جعفر و عبدالله به بیمارستان شاه‌فیصل رفته بودند تا از یکی از شاهزادگان که در آنجا بستری بود عیادت کنند، سه تن از پرستاران خارجی شمارهٔ تلفن خود را در اختیار جعفر گذاشته بودند.

من جعفر را عاقل‌تر از سنّ واقعی‌اش می‌دانستم، زیرا او در سرزمینی که

روابط غیرمشروع زن و مرد را نمی‌پسندید، با درایت کامل رفتار می‌کرد.

کریم می‌دانست که جعفر تنهاست و باید هرچه زودتر سر و سامانی به زندگی‌اش ببخشد. پس او را به دلیل عدم علاقه‌اش به ازدواج مذمّت کرد و با تلاش فراوان او را با مردهای لبنانی و فلسطینی آشنا ساخت، به این امید که از طریق آنها جعفر بتواند با دختری از این دو سرزمین آشنا شود. کریم گفت که حتی مردان باتقوی نیز با اجتناب از عشق به بیراهه کشانده می‌شوند. شوهرم چشمکی به من زد و با شیطنت ادامه داد که هر مردی باید مصاحبت زنی را تجربه کند.

امّا تلاشهای کریم بی‌ثمر ماند، زیرا این مرد جوان که مورد علاقه و احترام شدید کریم بود، هیچ‌یک از دعوتهای سخاوتمندانهٔ او را نپذیرفت.

عبدالله به این ماجرای اسرارآمیز دامن زد و گفت که دوستش مؤدبانه تمامی دعوتهای زنان را رد می‌کند. من دچار حیرت شده بودم، اما ماجراهای بحرانی دخترهایم فکرم را مشغول کرده بود و به زندگی خصوصی جعفر فکر نمی‌کردم. حال واقعیت روشن شده بود و زندگی جعفر به زودی به فاجعه ختم می‌شد.

عبدالله که عمیقاً به جعفر علاقه‌مند بود، حالا بسیار اندوهگین بود. او با حالت کودکانهٔ معصومانه‌ای شکایت کرد: «جعفر هرگز در مورد فائزه با من حرف نزده بود.»

این تاریک‌ترین روز زندگی عبدالله جوان بود. معصومیت کودکانهٔ پسرم مرا تحت‌تأثیر قرار داد. باورم نمی‌شد که به زودی بیستمین سالگرد زندگی‌اش را جشن خواهد گرفت.

در همین لحظه کریم وارد خانه شد. خشم او معادل اندوه عبدالله بود.

«عبدالله! تو زندگی خودت و یک مشت آدم بی‌گناه را به خطر انداختی!»

کریم به من گفت که عبدالله پس از شنیدن خبر ناپدید شدن جعفر، دفتر را با وضعیت خطرناکی ترک کرده، و کریم که نگران تنها پسرش بوده، او را دنبال کرده است. کریم می‌گفت که عبدالله با سرعت دیوانه‌واری در خیابانهای ریاض رانندگی کرده و حتی در محلی، از خط وسط عبور کرده و سایر رانندگان را دچار

وحشت ساخته و آنها را وادار به عقب‌نشینی کرده است.

کریم با عصبانیت سیلی محکمی به گونهٔ عبدالله زد. «ممکن بود کشته شوی!» و بعد، حیرت‌زده از عملی که انجام داده بود، ساکت شد.

در طول تمامی سالهای بحرانی رشد فرزندانم، من بارها آنها را با لذتی غیرقابل مقاومت، با سیلی و یا نیشگون تنبیه کرده بودم. امّا کریم هرگز! حالا او درست مثل من، حیرت‌زده به دستش نگاه می‌کرد. انگار این دست به او تعلق نداشت.

کریم فرزندمان را که داشت می‌لرزید، در آغوش کشید و از او عذرخواهی کرد و به او گفت که نگرانیِ از دست دادن او، موجب این عمل ناشایستش شده است.

اکنون اتاقمان مملو از احساسات بود. چند دقیقه‌ای طول کشید تا قصهٔ عشق جعفر و فائزه کاملاً روشن گردید.

فائزه دختر فؤاد بود که در سه تجارت مختلف با کریم شراکت داشت. فؤاد به خاندان آل سعود تعلق نداشت، امّا با یکی از دخترهای این خاندان ازدواج کرده بود.

چند سال قبل به فؤاد اجازه داده شده بود که با دختری از خاندان آل سعود ازدواج کند، اگرچه از خاندان نجد (منطقهٔ مرکزی عربستان سعودی) نبود. معمولاً دخترهای آل سعود تنها به دلایل سیاسی و یا اقتصادی با مردانی خارج از خاندانشان ازدواج می‌کردند. فؤاد به خانوادهٔ ثروتمند بازرگانی از جدّه تعلق داشت که در اوایل تشکیل پادشاهی سعودی، ناامیدانه با آن به جنگ پرداخته بود. او که مشتاقانه در صدد ایجاد پیوندی میان خانواده‌اش و خاندان سلطنتی بود، مهریهٔ بسیار سنگینی برای سامیه، شاهزاده‌خانمی که از زیبایی محروم بود، پیشنهاد کرد.

در خاندان سلطنتی، هیچ کس خوش‌اقبالی سامیه آگاه را باور نمی‌کرد، زیرا او سرانجام به این نتیجه رسیده بود که به ازدواج نیندیشد و مجرد باقی بماند. چشمان ریز، پوست مملو از جوش و کک مک و پشت خمیدهٔ سامیه، هر نوع

پیشنهاد خواستگاری از او را غیرممکن می‌ساخت.

فؤاد که مصمم بود به هر صورت ممکن با خاندان سلطنت پیوندی ایجاد کند، از طریق زنانی که به دربار رفت‌وآمد داشتند، ماجرای سامیه را شنید. امّا تـنها آرزوی او، ازدواج با دختری باتقویٰ و فضیلت بود. او داستانهای مـتعددی در مورد زنان زیبایی که فکری جز داشتن خانه‌های گرانقیمت، جواهـرات الوان و خدمتکاران بی‌شمار نداشتند، شنیده بود.

فؤاد اعلام داشت که زیبایی زن برایش اهمیتی ندارد و زنی را بـه هـمسری برمی‌گزیند که صمیمی و مهربان و باتقوی باشد. شاهزاده‌خانمی کـه او انـتخاب کرده بود، برخلاف ظاهر غیرجذابش، درونی زیبا و آراسته داشت و مـحبوبیت غریبی در میان اعضای خاندان سلطنت کسب کرده بود.

خانوادهٔ سامیه که فؤاد را یک احمق می‌پنداشتند، خیلی زود با تـقاضای او موافقت کردند و مراسم ازدواج را تدارک دیدند.

فؤاد از زندگی زناشویی‌اش بسیار راضی بود، و سامیه که دیوانه‌وار فـؤاد را می‌پرستید، با ویژگیهای خاص خویش، رضایت‌بخش‌ترین زنـدگی مـمکن را برای همسرش تدارک دیده بود.

فؤاد مردی سعودی بود که تنها همسرش را می‌پرستید و پدر سربلند سه پسر و یک دختر بود. بازی سرنوشت غریب است. فؤاد که چهره‌ای عـادی داشت و سامیه که به دلیل زشتی‌اش همه برایش دل می‌سوزاندند، زیباترین فـرزندان را به دنیا عرضه داشتند. سه پسر آنها به گونه‌ای باورنکردنی جـذاب بـودند و تـنها دخترشان زیبایی افسانه‌ای بود.

فائزه تنها دختری بود که با دوران جوانی خواهـرم، سارا، قـابل قیاس بـود. پوست روشن، چشمان سیاه درشت و موهای بلند و پُر پشت سیاهش، دل و دین مردان سعودی را می‌ربود؛ مردانی که تنها به جذابیت ظاهری زن اهمیت می‌دادند و با شنیدن وصف زیبایی او، ندیده دل به او می‌باختند.

فائزه دارای خصوصیت جذاب دیگری نیز بود. او بذله‌گویی و شوخ‌طبعی را از مادرش به ارث برده و گل محافل زنانه‌مان بود.

من همواره متأسف بودم که فائزه بزرگ‌تر از عبدالله است، زیرا در موقعیت مساعد، عبدالله ممکن بود چنین دختری را از صمیم قلب بپرستد.

فائزه زیبا، باهوش و شوخ‌طبع، دانشجوی دانشگاه دخترانهٔ ریاض بـود. او سال اوّل دورهٔ دندانپزشکی را می‌گذراند و قصد داشت درمانگاه دندانپزشکی ویژهٔ کودکان را بگشاید.

فؤاد نزد کریم اعتراف کرده بود که اگرچه دخترش را تشویق به گرفتن مدرک تحصیلی می‌کند، فائزه نیازی به کسب مهارتهای شغلی ندارد. با این حال داشتن مدرک تحصیلی موجب می‌شد که او با خانوادهٔ ثروتمندی وصلت کند. هم‌اکنون نیز فؤاد سه خانوادهٔ برجستهٔ سعودی را بـرای دخترش در نظر گـرفته بـود و رفت‌وآمدهایی نیز میان خانواده‌ها ترتیب داده شده بود. فؤاد در نظر داشت پس از اتمام تحصیلات فائزه، به دخترش اجازهٔ معاشرت با این سه جوان برگزیده را تحت سرپرستی یکی از اطرافیان بدهد تا دخترش بتواند در ایـن تـصمیم‌گیری بزرگ سهیم شود.

کریم برای من برنامه‌های فؤاد را نقل کرد و من بـا خـوشحالی دریـافتم کـه اوضاع نسبت به دوران جوانی مـن بـه مـیزان قـابل تـوجهی تـغییر یـافته است! هیچ‌یک از خواهران من، در انتخاب مرد زندگی‌شان حق اظهارنظر نـداشتند. و سارا! هیچ‌یک از ما قادر به فراموش کردن کابوس سارا نبودیم؛ کابوسی که سـارا در طول سال نخست زندگی زناشویی‌اش در کنار یک شیطان تحمل کرده بـود. سـارا فـقط چـهارده سال داشت کـه پـدرمان او را وادار بـه ازدواج بـا مـردی چهل و هشت سال بزرگ‌تر از خودش کرد. سارا با شنیدن این خبر دیوانه شد و به پدرمان التماس کرد که این پیوند را لغو کند. متأسفانه مادرمان نیز نمی‌توانست در تصمیم‌گیریهای پدرمان دخالتی داشته باشد. سارا در خـانهٔ شـوهرش اقدام به خودکشی کرد، و سپس به او اجازهٔ طلاق دادند. خواهرم دخترک معصومی بود که چیزی در مورد مردها و روابط جنسی نـمی‌دانست، و شـوهرش او را وادار به تحمّل ظالمانه‌ترین و کثیف‌ترین روابط جنسی می‌کرد. این پیوندی فاجعه‌آمیز بود که روح خواهرم را دچار جراحات متعددی کرد و او را واداشت که بـه فکر

خودکشی بیفتد. در خانوادهٔ ما، من تنها دختر خوش‌اقبالی بودم که شوهرم را قبل از مراسم ازدواج ملاقات کردم، و این تصمیم تنها ناشی از تهور دختری سرکش، همراه با قاطعیت خواستگار کنجکاوش بود.

من زمانی که باخبر شدم قرار است با یکی از عموزادگان درباری ازدواج کنم، به خواهر او تلفن زدم و وانمود کردم که در جریان تصادفی به شدت زخمی شده‌ام. در سرزمین من هیچ چیز مانند زیبایی زن پُربها نیست. شایعه‌ای که خود عمداً برای به هم زدن نامزدی به راه انداخته بودم، موجب شد که مادر و خواهران خواستگارم به خانهٔ ما بیایند و مرا چون شتری در بازار معاینه کنند. من با چنان واکنش وحشیانه‌ای با آنها روبه‌رو شدم که ناچار به ترک خانه‌مان شدند. کریم با شنیدن این داستان مصمم گشت که مرا ملاقات کند. خوشبختانه من و کریم یکدیگر را پسندیدیم. در غیر این صورت خدا می‌داند که چه حوادثی رخ می‌داد.

حال، مردی که در زمانه‌ای آن‌چنان سختگیر و بسته بزرگ شده بود، به دخترش اجازه می‌داد که در انتخاب همسر آینده‌اش شرکت کند.

چقدر از شنیدن این خبر خوشحال بودم!

با این حال، شادی من زیاد طول نکشید، زیرا به خوبی آگاه بودم که بیشتر زنهای سرزمینم به عنوان جایزهٔ سیاسی و یا اقتصادی مورد سوءاستفاده قرار می‌گیرند. در هر حال به خود اطمینان بخشیدم که هر پیروزی کوچکی، به پیروزی وسیع و گسترده‌ای منتهی می‌شود!

و حالا! رؤیاهای فؤاد برای آیندهٔ دخترش به باد رفته بود. تنها دخترش، زیبارویی که می‌توانست ثروتمندترین مردان سرزمینمان را به راحتی از آنِ خود کند، با پناهندهٔ فلسطینی فقیری گریخته بود!

از شوهرم پرسیدم: «چگونه چنین حادثه‌ای رخ داد؟»

کریم و فؤاد با ذهنهای فعالشان و اطلاعاتی که سامیه از اینجا و آنجا جمع‌آوری کرده بود، به رابطهٔ عاشقانهٔ این دو دلداده پی برده بودند.

چند هفته پس از آنکه جعفر کارش را در دفتر آغاز کرد، خانوادهٔ فؤاد برای

امضای مدارکی به آنجا آمدند. فؤاد تجارت بزرگی را در خارج از عربستان آغاز کرده و مدارک مالکیت خود را به نام فرزندانش به ثبت رسانده بود.

به جعفر مسئولیت داده شده بود که امضای همهٔ افراد خانواده را جمع‌آوری کند. اعضای خانوادهٔ فؤاد وارد دفتر جعفر شدند. بر طبق سنّت، سامیه و دخترش، فائزه، عبا و روبنده پوشیده بودند. این دو زن که در حضور کارمند وفادار خانواده احساس امنیت می‌کردند، عبا و روبنده را کنار زدند و شروع به امضای اوراق کردند.

سامیه با طبیعت پرهیزکارش، توجهی به آنچه در اطرافش می‌گذشت، نداشت. حتی نگاه طولانی این دو جوان را به خاطر نمی‌آورد. هنوز پی نبرده بود که رفتار ناآرام و امضای کج و معوج دخترش بر روی اسناد، از بی‌قراری او حکایت می‌کند.

در آن لحظه فائزه نگاه می‌کرد، بی‌آنکه چیزی ببیند، و گوش می‌داد، بی‌آنکه چیزی بشنود.

مرد جوان و جذاب به آنها چای تعارف کرد، و فائزه به تماشای او پرداخت. اندک اندک توجه مرد جوان نیز به سوی او جلب شد. دستهای آنها در حین رد و بدل کردن فنجان چای و قلمی که اوراق با آن امضا می‌شد، معصومانه یکدیگر را لمس کرد. سامیه به شوهرش گفت که در آن لحظه همه‌چیز را تصادفی می‌پنداشت.

کریم برایم گفت که فؤاد همسرش را به باد سرزنش گرفته و به او گفته است که همهٔ مردها به دلیل طبیعت خاص خود لاابالی‌اند، و او، به عنوان مادر دختری جوان، می‌بایست پیش از این متوجه نگاههای شیطانی جعفر می‌شد. او گفته بود جعفر چیزی ندارد جز شعری بر لب و دشنه‌ای در جیب!

سامیه چیز دیگری به خاطر نمی‌آورد، جز آنکه دخترش در حضور جعفر برافروخته و تب‌آلود به نظر می‌رسید.

خدمتکار شخصی فیلیپینی فائزه، کانی، جزئیات بیشتری می‌دانست. کریم و فؤاد او را با دقت بازجویی کردند و دریافتند که فائزه نسبت به جعفر تب و تاب

بیشتری نشان داده و او را دعوت به چنین عملی کرده است.

کانی گزارش داد که فائزه از روز نخست دیوانه‌وار عاشق جعفر شده و قدرت خوردن و خوابیدن را از دست داده بود. او که در تنگنای وحشتناکی قرار گرفته بود و نمی‌دانست میان وفاداری به خانواده‌اش و عشق کدام‌یک را انتخاب کند، سرانجام به کانی اعتراف کرده بود که عشق پیروز است و او مردی جز جعفر را انتخاب نخواهد کرد.

کانی گفت که هرگز در زندگی‌اش دختری را با چنین عشق عمیقی ندیده است. او که از برنامه‌های والدین فائزه برای دختر زیبایشان باخبر بود، خود را در موقعیت ناگواری می‌یافت. او نمی‌دانست چیزی در این مورد به فؤاد و سامیه بگوید یا نه، اگرچه باید می‌گفت. او سوگند یاد کرد که بارها به فائزه یادآوری کرده بود که دختری چون او که متعلق به یک خانوادهٔ ثروتمند سعودی است و نسبتی نیز با خاندان سلطنت دارد، نمی‌تواند با یک فلسطینی فقیر ازدواج کند.

چنین وضعی تنها به فاجعه منتهی می‌گشت.

من که همواره گرایش غریبی به انتقاد از جامعهٔ مردسالار خود داشته‌ام، از خودم سؤال کردم که کجای ماجرا لنگ بوده. با به خاطر آوردن سنتهای اجتماعی محدود عربستان، حرف کریم را قطع کردم و به او گفتم که به این نتیجه رسیده‌ام که واکنش افراطی فائزه در مقابل مردی جوان و جذاب، چیزی جز تمسخر نظام اجتماعی ما نیست. با صدایی که عجز و درماندگی مرا عیان می‌ساخت، اعلام کردم که در موقعیت عادی، چنین توهمات عاشقانه‌ای به آسانی شکل نمی‌گیرد.

به رغم اینکه اعتقاد دارم کشش و گرایش زن و مرد به سوی همدیگر در اغلب موارد به عشق منتهی می‌گردد، درست چون عشقی که با یک نگاه میان خواهرم سارا و همسرش اسد تولد یافت، چنین فرجام شیرینی بسیار نادر است. زمانی که زندگی مملو از محدودیتهای خشن اجتماعی است، زمانی که زن و مرد هرگز فرصت لذت بردن از مصاحبت همدیگر را در موقعیتهای عادی اجتماعی ندارند، چنین توهمات عاشقانه‌ای شایع می‌شود و احساسات شتابزده‌ای ظاهر می‌گردد که به فجایع شخصی وحشتناکی منتهی می‌شود.

کریم با نگاهی خسته و آزرده به من گفت که اگر باز هم در مورد موضوع موردعلاقه‌ام، زیردستی زن و زبردستی مرد، حرف بزنم، اتاق را ترک خواهد کرد، چون حوصلۀ شنیدن خطابه‌های همیشگی مرا ندارد.

عبدالله با نگاه التماس‌آمیزی به من می‌نگریست و از من می‌خواست که از نو غوغایی بر پا نسازم. من تنها به خاطر پسرم ساکت ماندم.

کریم که پنهانی خوشحال شده بود، شرح ماجرا را ادامه داد.

فائزه می‌دانست که جعفر نیز او را دوست دارد، امّا با جایگاه ضعیفی که دارد، بسیار آسیب‌پذیر است و هرگز قدمی برای ابراز عشقش بر نخواهد داشت.

فائزه متهورانه به دفتر جعفر تلفن کرد و با او قرار ملاقات گذاشت و به او قول داد که خانواده‌اش چیزی در این مورد نخواهند دانست.

جعفر، در عین حال که به عشق خود نسبت به فائزه اعتراف می‌کرد، از گذاشتن قرار ملاقات با او خودداری کرد و گفت که چنین رابطه‌ای جز غم و درد چیزی برایشان به ارمغان نخواهد آورد.

فائزه با شادمانی به کانی گفت که جعفر به زودی به تله می‌افتد و او اطمینان دارد که جعفر به زودی مایل به دیدار او خواهد شد، زیرا مکالمات تلفنی‌شان مملو از شور و حرارت است و جعفر به او هشدار داده است که اگر روزی به او دست پیدا کند، برای ابد او را از آنِ خود خواهد کرد. و او، فائزه، از شنیدن کلمات دلداده‌اش غرق لذت شده بود.

فائزه مقاومت می‌کرد. پس از دو هفته مکالمۀ تلفنی عاشقانه که تنها بر آتش اشتیاقشان دامن می‌زد، مقاومت جعفر دستخوش تزلزل شد و آنها قرار گذاشتند که در مرکز خرید بزرگی در ریاض ملاقات کنند.

سرانجام فائزه که چهره‌اش را کاملاً پوشانده بود، با تظاهر به خویشاوندی جعفر، در کنارش به راه افتاد. آن دو از مغازه‌ای وارد مغازۀ دیگر می‌شدند و حرف می‌زدند و بهتر با خلق و خو و روحیات یکدیگر آشنا می‌شدند. در واقع هیچ نوع سوءظنی متوجه آنها نمی‌شد، زیرا دیدن مردان عربی که در کنار زنانی با عبا و روبنده راه می‌روند، در عربستان بسیار شایع است.

آنها جرئت نداشتند در رستوران و یا بر روی نیمکتی استراحت کنند، زیرا رستورانها همواره هدف حملهٔ کمیته‌های مذهبی قرار می‌گرفتند و مشتریان آنها، از هر ملیّتی که بودند، دستگیر می‌شدند.

چنین کمیته‌هایی متشکل از مردانی با ظاهر خشن و تهدیدآمیزند که ناگهان و در یک چشم به هم زدن از ناکجاآباد وارد رستوران می‌شوند و میزها را محاصره می‌کنند و کارت هویت افراد را طلب می‌کنند. اگر زن و مردی که بر سر میزی نشسته‌اند نتوانند زن و شوهری و یا خواهر و برادری خود را به اثبات برسانند، دستگیر می‌شوند و به زندان فرستاده می‌شوند و کیفر می‌بینند. کیفر قانونی بر اساس ملیّت افراد تغییر می‌یابد. خلافکاران مسلمان اغلب محکوم به شلاق می‌شوند و غیرمسلمانان زندانی و یا تبعید می‌شوند.

در بدو امر، جعفر و فائزه رفتار خود را با ضوابط اجتماعی تطابق بخشیدند. پس از مدتی، یکی از دوستان لبنانی جعفر که دلش به حال او سوخته بود، آپارتمانی را در اختیارشان گذاشت. فائزه از آنجایی که به عنوان یک زن اجازهٔ رانندگی نداشت، ناچار شد به یکی از رانندگان خانواده اعتماد کند. او که می‌دانست با برملا شدن ماجرایش از عربستان تبعید خواهد شد و یا کیفر بزرگ‌تری در انتظارش خواهد بود، بی‌تردید مبلغ گزافی به راننده پیشنهاد کرد.

و عشقی بزرگ از همین نقطه شکوفا شد. آن دو می‌دانستند که به همدیگر تعلق ندارند، با این حال جعفر به فائزه پیشنهاد ازدواج کرد. و درست در لحظه‌ای که فائزه خود را آماده می‌کرد تا ماجرا را با خانواده‌اش در میان بگذارد، بحران بزرگی رخ داد. یکی از ثروتمندترین مردان سعودی، فائزه را برای بزرگ‌ترین پسرش خواستگاری کرد و فائزه از همه جانب تحت فشار قرار گرفت که با این ازدواج موافقت کند. فؤاد اعلام کرد که این داماد ثروتمند بی‌نظیر است.

فائزه با اشک و ناله به کانی گفت: «من برای ایجاد چنین ارتباطی با جعفر تمام تلاش خود را به خرج داده‌ام، و اکنون در یک چشم به هم زدن، پدرم همه‌چیز را نابود می‌سازد.»

دو دلدادهٔ مأیوس مصمم شدند که از عربستان بگریزند.

فؤاد که فریب خورده و حیثیتش به باد رفته بود، حال برای یافتن دخترش و دلدادهٔ او از هیچ تلاشی خودداری نمی‌کرد! من با آگاهی از اینکه زنان در عربستان به راحتی قادر به سفر نیستند، پرسیدم: «فائزه به تنهایی چطور از عربستان خارج شد؟»

کریم گفت: «به تنهایی خارج نشد.»

من با شنیدن این خبر خوشحال شدم. سفر تنهای زنان در سرزمین من گناهی نابخشودنی است. این محدودیت خاص، مستقیماً از کلمات پیامبر گرفته شده است که فرموده‌اند: «هیچ زن معتقدی که خداوند و روز قیامت را باور دارد، مسافتی راکه مستلزم پیمودن یک شب و روز است، به تنهایی سفر نخواهد کرد، مگر آنکه مَحرمی همراهش باشد.»

من دریافتم که فائزه در فریبکاری نیز مهارت داشته. او به والدینش گفت که نیاز دارد مدتی در تنهایی به ازدواج آینده‌اش فکر کند و تصمیم بگیرد. او گفت قصد دارد به دیدار دخترعمویش، که با مردی از دوبی ازدواج کرده بود، برود. آیا می‌توانست هفته‌ای را در کنار دخترعمویش بگذراند و سپس تن به ازدواج دهد؟

سامیه به علت کمردرد بستری بود، پس برادر جوان‌تر فائزه به عنوان مَحرم مرد او را در این سفر همراهی کرد.

و البته کسی به جعفر که همزمان با این جریان قصد داشت مرخصی سالانه‌اش را بگذراند، مشکوک نشد. هیچ کس تصور ارتباط این دو رویداد را به ذهنش راه نمی‌داد.

در دوبی، دور از تهدیدات عربستان سعودی، فائزه هنگامی که برادرش در حمام بود، گذرنامهٔ او را ربود و از زنان دیگر خواست که با هم برای خرید بیرون بروند. برادرش داوطلب رساندن او و سایر زنها به مرکز خرید شد و گفت که پس از رساندن آنها، به دیدار یکی از دوستانش خواهد رفت که در هتل شیکا گوبیچ، یکی از زیباترین سواحل امارات، اقامت داشت.

در مرکز خرید، فائزه به دخترعمویش گفت که باید به توالت برود، ولی خیلی

زود برمی‌گردد. دختر عمو که مشغول خرید عطر بود، سوءظنی به خود راه نداد و به او گفت که همان‌جا به انتظارش خواهد ماند.

فائزه هرگز برنگشت. در مقابل چشمان وحشت‌زدهٔ دختر عمو، فائزه ناپدید شده بود.

جستجو آغاز شد. وحشت سراپای فؤاد و سامیه را در بر گرفت. آیا دخترشان ربوده شده بود؟ مورد تجاوز قرار گرفته بود؟ یا کشته شده بود؟ چنین جرائمی در امارات نادر بود، ولی گه‌گاه اتفاق می‌افتاد.

کانی خبرها را شنید و در میان هق هق گریه‌هایش، ماجرا را برای والدین فائزه نقل کرد.

عشق پدری بی‌منطق است. فؤاد که دخترش را معصوم می‌دانست، جعفر را عامل این توطئه قلمداد کرد.

من و کریم هرگز فؤاد را با چنین ظاهر خشونت‌آمیزی ندیده بودیم. او که همه‌جا به عنوان مردی ملایم و مهربان محبوبیت داشت، اکنون پس از گریز افتضاح‌آمیز دخترش، دیوانه شده بود. او کانی را از خانه‌اش بیرون کرد و به مانیل فرستاد و بعد با حالتی دیوانه‌وار وارد دفتر کریم شد و عموی جعفر را به باد کتک گرفت و گفت که اگر فائزه باکره به خانه‌اش برنگردد، او را خواهد کشت.

منشی هندی دفتر که بسیار وحشت‌زده شده بود، پلیس را خبر کرد.

در عربستان سعودی، هر نوع عمل خلافی به خارجیان نسبت داده می‌شود و هرگز یک مرد سعودی مورد اتهام قرار نمی‌گیرد. در این مورد نیز پلیس محترمانه از فؤاد بازجویی کرد و به دلیل ورود به دفترش از او عذرخواهی شد و اگر دخالت کریم نبود که در موقعیت بالاتری قرار داشت، عموی جعفر به زندان می‌رفت.

خانوادهٔ من از شنیدن مسائل غیرقابل حل انسانی محزون بودند و هیچ‌کس راه‌حلی نمی‌یافت.

من و سارا به دیدن سامیه رفتیم. من آهسته گفتم: «زندگی بدون عشق ارزشی ندارد.» و چهرهٔ نازیبای سامیه حتّی زشت‌تر شد. سارا با لحنی آرام او را دلداری

داد. سامیه که از رفتار غیرمنتظرهٔ دخترش پریشان بود، به زحمت از همدردی سارا تشکر کرد.

از خانهٔ سامیه خارج شدیم. من از خواهرم پرسیدم: «این سنتهای پوسیده به کجا می‌رسد، و چگونه عوض خواهد شد بی‌آنکه انتظارات نسل گذشته را به گونه‌ای دردناک نابود کند؟»

به نظر من زندگی زناشویی‌ای که از عشقی عمیق ریشه بگیرد، بسیار مسرت‌بخش خواهد بود، حال آنکه در کشور من عشق نادیده گرفته می‌شود و تنها نیاز به داشتن مصاحب و همدمی در زندگی زناشویی است که مورد توجه قرار دارد.

ما سعودیها چگونه این اختلاف‌نظر هایمان را حل خواهیم کرد؟

فؤاد که قدرت یافتن دخترش را نداشت، دست به دامن کارآگاههای خصوصی در فرانسه و آمریکا شد. یک هفته بعد به او خبر رسید که فائزه در ایالت نوادای آمریکاست و به عنوان همسر جعفر در هتلی اتاق گرفته است!

به محض رسیدن این خبر به فؤاد، او به همراه سه پسرش به جانب آمریکا حرکت کرد، با این تعهد که فائزه را به خانه‌اش برگرداند. او به همسرش قول داد که هرگز به دخترشان اجازه نخواهد داد در کنار یک فلسطینی باقی بماند. فؤاد که در شراره‌های خشمی غیرقابل وصف می‌سوخت، گفت که مرگ فائزه را بر از دست دادن حیثیتش ترجیح می‌دهد.

این خبر غوغای غریبی در خانهٔ ما ایجاد کرد. من از شدت بی‌قراری آن‌قدر ناخنهایم را کَندم که خون از آنها سرازیر شد.

عبدالله در افسردگی کامل فرو رفت، که سلامتی‌اش را به شدت تهدید می‌کرد. او احساس می‌کرد که هیچ چیز به حالت نخست برنخواهد گشت.

امانی برای روح عشاق دلداده دعا می‌کرد، اگرچه اعتقاد داشت که دعاهایش به درگاه خداوند اجابت نخواهد شد، زیرا این دو جوان احمقانه بهشت زمینی را بر بهشت معنوی ترجیح داده بودند و به محض خروج از زمین، با آتش جهنم رویاروی می‌شدند.

عبدالله چشم‌غرّه‌ای به امانی رفت و گفت که شاید جعفر زنانگی و جذابیت فائزه را بر بهشتی که به او وعده داده شده است، مرجّح داشته است!

و مها که به جعفر و فائزه علاقه‌مند بود، نسبت به کسانی که از این دو دلداده انتقاد می‌کردند، رفتاری خصمانه در پیش گرفت و گفت هیچ انسانی و هیچ مقامی نباید عشاق را تحت فشار قرار دهد.

من و عبدالله به کریم التماس می‌کردیم که با جعفر تماس بگیرد و به او هشدار دهد که هرچه زودتر بگریزد. به کریم گفتم که مردان خانوادهٔ فائزه نیاز به زمان دارند تا درک کنند که فائزه اکنون به جعفر تعلق دارد. آنها اکنون قدرت مهار خشم خود را نداشتند، امّا زمان از شدت این خشم می‌کاست.

اما شوهرم تن به خواسته‌ام نداد. او مرا از شدت خشم دیوانه می‌کرد، زیرا به رسالت مردان عرب در پذیرش بی‌عدالتیها وفادار مانده بود؛ بی‌عدالتیهایی که با زنان خانوادهٔ مرد عرب و یا حیثیت خانوادگی‌اش مرتبط بود.

من تصور می‌کردم با اهانت به کریم، او را وادار به عمل خواهم کرد. به او گفتم که از ازدواج با چنین مردی که تنها ظاهر امور را می‌بیند و انسانی بی‌احساس است، احساس شرم می‌کنم. شوهرم با دهانی که از حیرت باز مانده بود، به من خیره شده بود. و من در حالی‌که اتاق را ترک می‌کردم، آخرین حمله را انجام دادم: «کریم، چطور عقل و احساست با هم درگیر نیستند؟ مگر انسان نیستی؟»

از اتاق خارج شدم، امّا عبدالله را واداشتم که پنهانی دفتر کریم را جستجو کند و اطلاعاتی را که کارآگاهان برای فؤاد فرستاده بودند، بیابد.

من و عبدالله دور از چشمان تیزبین کریم و امانی، که اوّلی در مسجد و دومی در اتاقش مشغول خواندن نماز بود، به فعالیت پرداختیم.

عبدالله با انگشتان لرزان، شمارهٔ تلفن هتل میراژ را در لاس‌وگاس گرفت؛ جایی که بر طبق گزارش کارآگاهان، جعفر و فائزه در آن اقامت کرده بودند.

در حالی که به چهرهٔ زیبای فرزندم خیره شده بودم که با شکیبایی منتظر دریافت جوابی از تلفنچی هتل بود، ناگهان احساس و عشق مادری‌ام غلیان کرد و آرزو کردم که درد و رنج فرزندم از آنِ من می‌شد.

جعفر تلفن را جواب داد!

عبدالله با کلمات در جدال بود، تا با آرامش خبر خطری را که جان آنها را تهدید می‌کرد به جعفر بدهد.

جعفر از شنیدن خبر وحشت‌زده شد، امّا از آنجایی که فائزه به عقد او درآمده بود، احساس اطمینان می‌کرد. از عبدالله پرسید: «چه کار می‌توانند بکنند؟»

عبدالله این سؤال را برای من تکرار کرد. گوشی تلفن را از دست عبدالله گرفتم و فریاد کشیدم: «جعفر، خیلی کارها از دستشان برمی‌آید. حیثیت فؤاد لکه‌دار شده و تنها دخترش با مردی که مناسبش نیست، فرار کرده. احمق نشو! تو خودت عربی، و می‌دانی که پدر عرب در چنین موقعیتی، چه واکنشی نشان می‌دهد!»

جعفر تلاش می‌کرد مرا آرام کند و می‌گفت که عشق آن دو همهٔ مسائل را حل خواهد کرد.

فائزه گوشی تلفن را گرفت و به آرامی شروع به حرف زدن کرد. صدای ملایمش حکایت از سرمستیِ رسیدن به دلداده‌اش می‌کرد، و اینکه به رغم تمامی موانع، او از بودن در کنار مرد محبوبش لذت می‌برد.

«فائزه، تو دختری بیست ساله‌ای که همهٔ سنتها را زیر پا گذاشته‌ای. پدرت این را نمی‌پذیرد. او مردی صحرایی است و از نظر او تو گناهی بزرگ مرتکب شده‌ای. از آنجا فرار کن. می‌توانی بعدها با مردهای خانواده‌ات روبه‌رو شوی.»

و گوشی تلفن را به عبدالله دادم. من وظیفه‌ام را انجام داده بودم.

از خودم سؤال کردم که ناآگاهی این دو جوان از فاجعهٔ بزرگی که در انتظارشان است موهبت است یا نکبت. من قادر به درک نگرش باریک آنها نسبت به زندگی نبودم. جعفر و فائزه کور بودند و باور داشتند که عشق بزرگشان به مقابله با خانواده‌ای خشمگین و بی‌ترحم برخواهد خاست.

من در سکوت دعا می‌کردم که سرنوشت شوم این دو جوان به تأخیر بیفتد.

پس از چهار روز، فؤاد به عربستان برگشت.

کریم با صدایی آهسته و لرزان از دفترش به من زنگ زد و اطلاع داد که فؤاد و

پسرانش از آمریکا برگشته‌اند.

قدرت ادای کلماتی را که بر سر زبانم بود، نداشتم.

کریم پس از مکث کوتاهی گفت که فؤاد با دخترش برگشته است، اما بدون جعفر.

به سرعت پرسیدم: «و جعفر زنده است؟»

«بله، جعفر زنده است.»

لحن کریم تردیدآمیز بود. نمی‌توانستم کلامش را باور کنم. ساکت به انتظار شنیدن خبرهایی بودم که آمادگی شنیدنشان را نداشتم.

«سلطانه، من دارم به خانه می‌آیم. من و تو با هم خبرها را به عبدالله می‌دهیم.»

فریاد کشیدم: «چه اتفاقی افتاده؟» قدرت تحمّل زمان بیست و پنج دقیقه‌ای مسافت میان دفتر کریم و خانه را نداشتم.

تلفن قطع شد. به خودم گفتم که خبرهای شوهرم باید خیلی دردناک باشد، زیرا کریم، همچون بسیاری از مردان عرب، خبرهای ناگوار را تا آخرین لحظه پنهان می‌کرد.

فؤاد چیز زیادی به‌کریم نگفته بود، جز آنکه رویارویی مختصری در اتاق هتل میان جعفر و خانوادهٔ فائزه درگرفته بود و آنها جعفر را بی‌هوش، اما بدون جراحات سنگین، بر جا گذاشته بودند.

و فائزه؟ طبیعی بود که دخترک بی‌قرار بود و اکنون در قصر فؤاد، تحت‌تأثیر داروهای آرامش‌بخش به خواب رفته بود. فؤاد اعتقاد داشت که اگر جعفر از فائزه دور می‌ماند، دخترش عقلِ از دست‌داده‌اش را بازمی‌یافت.

من به‌کریم نگاه کردم و با اطمینان گفتم: «جعفر مرده است.»

«مزخرف نگو. آنها در آمریکا بودند.»

دو هفته بعد جعفر به من تلفن کرد و گفت که به لبنان بازگشته است، و ما سرانجام از ماجرا آگاه شدیم.

به سرعت عبدالله را صدا زدم. «عبدالله، بیا، جعفر است.»

من و کریم و مها به دور عبدالله حلقه زدیم. عبدالله داشت نزدیک‌ترین

دوستش را دلداری می‌داد. «تو کاری نمی‌توانستی بکنی. این تنها راهت بود.» بعد شنیدم که گفت: «من دارم می‌آیم! هرچه زودتر به لبنان می‌آیم و در کنارت خواهم بود.»

من بازوی عبدالله را چنگ زدم و فریاد کشیدم: «نه.»

کریم مرا عقب کشید.

عبدالله گوشی تلفن را به زمین گذاشت و در حالی که اشک بر گونه‌هایش سرازیر بود، صورتش را در میان دستهایش پنهان کرد و به تلخی گریست. کلماتش نامفهوم بود. «جعفر داغان شد! داغان شد!»

پرسیدم: «برای چه می‌خواهی به لبنان بروی؟» آن‌قدر نگران بودم که وضع جعفر را فراموش کرده بودم.

کریم آمرانه گفت: «سلطانه، ساکت باش.»

عبدالله سرانجام آرام شد و داستان جدا کردن جعفر و فائزه را برایمان نقل کرد.

زنگ تلفن، جعفر و فائزه را در میان شب بیدار کرد. در آن لحظات، فؤاد و پسرهایش در سراسری هتل بودند. فؤاد مؤدبانه از جعفر سؤال کرد: «اجازه می‌دهی بالا بیاییم؟»

جعفر بدون نگرانی آنها را به اتاقشان دعوت کرد. و درِ اتاق را با لبخند به روی آنها گشود.

فؤاد و پسرهایش وقت را به گفتگو تلف نکردند. لبخند جعفر را پوزخند پنداشتند و چهار نفری به او حمله‌ور شدند. شکی نیست که جعفر حریف مناسبی برای آنها نبود. جعفر گفته بود که ناگهان شیئی سنگین به سرش اصابت کرده بود و او از هوش رفته بود.

چند ساعت بعد، زمانی که جعفر به هوش آمد، تازه‌عروسش را برده بودند.

جعفر می‌دانست که همه چیز را باخته است. او به خوبی آگاه بود که در عربستان، ازدواج یک دختر سعودی با مردی از ملیّتی متفاوت غیرقانونی است، پس او نمی‌توانست برای برگرداندن همسرش از قانون کمک بگیرد، اگرچه با

فائزه ازدواج کرده بود. عکس این قضیه در عربستان به راحتی امکان‌پذیر بود، و اگر جعفر ملیّت عربستان سعودی را داشت، بی‌هیچ مانعی می‌توانست با دختر دلخواهش ازدواج کند.

با این حال جعفر از تلاشهای عبث خود دست نکشید. او به لندن رفت تا شاید راهی برای ورود به عربستان پیدا کند، اما به او گفتند که ویزای اقامتش بی‌اعتبار است.

جعفر بر ترسش غلبه کرد و خواست که با کریم صحبت کند، و سؤال کرد که آیا وی می‌تواند برای گرفتن ویزا به او کمک کند.

کریم گفت که می‌تواند، امّا این کار را نخواهد کرد، و حال که از زنده بودن جعفر اطمینان یافته است، هرگز جان او را در معرض خطر دیگری قرار نخواهد داد. کریم به او هشدار داد که اگر به عربستان برگردد، مرگش به دست فؤاد و پسرانش حتمی خواهد بود.

کریم چیزی نمی‌گفت، اما اطمینان داشتم که هرگز جعفر را به دلیل عمل فریبکارانه‌ای که انجام داده است، نخواهد بخشید. شوهرم رنج زیادی متحمل شده بود، زیرا کارمند مورداعتمادش، تنها دختر شریکش را ربوده بود، و تنها عشق بیکرانش به عبدالله بود که او را ساکت نگه داشته بود.

کریم که هرگز بیش از توانایی‌اش قولی به کسی نمی‌داد، به جعفر توصیه کرد که در لبنان باقی بماند و زندگی‌اش را ادامه بدهد، زیرا اکنون دیگر آرامش بر لبنان حکمفرماست.

گفتم: «چه دردناک! این پایان قصهٔ عشقی بزرگ است، و حالا جعفر ناچار است به تنهایی در مقابل یک قدرت بزرگ بایستد.»

پسرم در لباس سفیدش، ساکت در گوشهٔ اتاق ایستاده بود. عبدالله با قامت صاف و بلندش، ناگهان مرد به نظر می‌رسید. چهره‌اش غمگین بود و با قاطعیت گفت که دوستش، جعفر، تنها نخواهد ماند و او به کمک دوستش خواهد رفت. او به لبنان می‌رفت.

من و کریم به او اجازهٔ چنین کاری را ندادیم، اما عبدالله همچنان قاطعانه

می‌جنگید. من در حالی که آمادهٔ رفتن به بستر بودم، به خود گفتم که به هر شکل ممکن از چنین سفری جلوگیری خواهم کرد.

اما باید می‌دانستم که موفق نخواهم شد، زیرا تعیین تکلیف کردن برای جوانی که دوران شکوفایی مردانگی را می‌گذراند، غیرممکن است. این قدرت جوانی هرگز پذیرای شکست نخواهد بود.

۹

عبدالله

ما آن را به فرزندانمان خواهیم داد، و فرزندانمان به فرزندانشان، پس هـرگز نـابود نخواهد شد.

— خلیل جبران

پس از حادثهٔ ناگواری که برای جعفر و فائزه اتفاق افتاد، من به افسردگی مـزمن مبتلا شدم و در خود فرو رفتم. عبدالله با سرسپردگی کامل برای سفرش به لبنان برنامه‌ریزی می‌کرد و می‌گفت که هیچ چیز، هیچ قدرتی نمی‌تواند مانع این سفر بالقوه خطرناک گردد. او آن‌چنان قاطع حرف می‌زد که من گفته‌اش را باور کردم.

کریم عکس‌العملی نشان نمی‌داد. او اعتقاد داشت عبدالله زمانی کـه بـا مشکلات عملی این سفر مواجه گردد، خود به خود نظرش را عوض می‌کند.

من نسبت به شوهرم خشمگین بودم. صدایم را به علامت اعتراض بلند کردم و گفتم که چگونه می‌تواند نسبت به سرنوشت فرزندمان، که مرا دچار عذاب و اندوه کرده است، بی‌توجه باقی بماند.

کریم با لبخندی مرموز به من یادآوری کرد که گذرنامهٔ عبدالله در صـندوق سرّی ماست و چنین سفری برای عبدالله غیرممکن خواهد بود.

به همین دلایل، مقاومت من نسبت به سفر عبدالله پراکنده و متزلزل بود. در عرض چند روز، رابطهٔ نزدیک من و پسرم تغییر شکل داد و به سکوتی سنگین تبدیل شد.

همهٔ ساکنان قصرمان بی‌حوصله و بدخلق بودند. زمانی که عبدالله چمدانش را می‌بست، خواهرش امانی به شیون پرداخت. می‌دانست که در تقویت اعتقادات برادر و خواهر بزرگ‌ترش موفقیتی به دست نیاورده است. این بار امانی کارکنان خانه را زیر نظر گرفت و با پی بردن به ماجراهایی که در میان لشکر شصت‌نفری خدمتکارانمان رخ می‌داد ــ روابط عاشقانهٔ متعددی که در میان خدمتکاران وجود داشت ــ با وحشت نفرت خود را از وضع حاکم اعلام کرد و مصمم گشت که خدمتکاران هندو و مسیحی را به دین اسلام هدایت کند.

پس از صدها جدال و بگومگو با دخترم و تقبیح رفتار نادرستش، که معتقدان به سایر مذاهب را تحت فشار نهاده بود، سرانجام دریافتم که امانی الگوی مرا تکرار می‌کند؛ دختری که با پافشاری‌هایش روز به روز بر فاصلهٔ میان خود و مادرش می‌افزود.

من ساعات متمادی را در اتاقم و در سکوت محض می‌گذراندم و به سرنوشت فرزندانم می‌اندیشیدم.

فرزندانم زمانی که کوچک بودند، مفهوم زیبایی به زندگی‌ام می‌بخشیدند. در سالهای نخست کودکی‌شان، تنها مها بود که دردسر درست می‌کرد، و من هرگز تصور نمی‌کردم که در آینده با مشکلات عدیده روبه‌رو خواهم شد. در آن روزگار خوش، لذت مادری ترسهای گاه و بی‌گاه را در مورد آیندهٔ کودکانم تحت‌الشعاع قرار می‌داد.

اکنون که فرزندانم به دوران جوانی نزدیک می‌شدند، به این نتیجهٔ ترسناک دست می‌یافتم که بهتر است همه‌چیز را به دست سرنوشت محول کنیم، زیرا هرچه که می‌گفتم و هر کاری که می‌کردم، قادر به تغییر رفتار غیرقابل پیش‌بینی فرزندانم نبودم.

من، زنی که به راحتی شکست را نمی‌پذیرد، به بسترم پناه بردم و ناله‌کنان

به کریم گفتم که امیدهای زندگی‌ام بر باد رفته است و هیچ چیز مطابق میلم نیست. این سقوط روانی درست زمانی اتفاق افتاد که تجارت کریم در حال گسترش بود و او اوقات فراغت اندکی داشت، و بنابراین زمانی بـرای بـودن در کـنار مـن و تسکین روح دردمندم نداشت؛ دردی عـاطفی کـه شـادیهای زنـدگی‌ام را نـابود ساخته بود.

خودم را بی‌نهایت تنها احساس می‌کردم. من که هر احساسی جز دلسوزی برای خـود را سرکوب مـی‌کردم، قـادر بـه خـوابیدن نبودم. دیوانـه‌وار شـروع به خوردن کردم و ناگهان وزنم بـه شـدت بـالا رفت. چـون احسـاس مـی‌کردم عزیزانم مرا نادیده می‌گیرند، با فرزندان و اطرافیانم به بدرفتاری پرداختم. حتی با گرویدن به عادتی زشت، بی‌وقفه موهای سرم را می‌کشیدم و یا آنها را به دنـدان می‌گرفتم. موهایم روز به روز کوتاه‌تر و کم‌پشت‌تر می‌شد، تا آنکه کریم متوجه عادت زشت من شد و با تمسخر گفت که تصور می‌کرده آرایشگر تازه‌ای یافته‌ام و مدل موهایم را تغییر داده‌ام!

به کریم نگاه کردم. نگاهش به دوردستها بود. از من فاصله گرفته بود و اگرچه در اتاق حضور داشت، فکرش جای دیگری بود. چند لحظه بعد به من گفت که در تلاش بوده تا شعری راکه در مورد تربیت فرزندان شاد و سرزنده گفته شده است، به خاطر آورد. کریم خواند: «مـی‌توانی بـه فـرزندانت عشـق و مـحبت خـود را ببخشی، امّا نه افکارت را، زیرا آنها افکار خود را دارند.»

گفتم: «خلیل جبران.»

«چی؟»

«این شعر را من زمانی که به انتظار تولد اولیـن فـرزندمان بـودیم، بـرای تـو خواندم.»

چهرۀ عبوس کریم مهربان شد و لبخندی بر لبانش ظاهر گشت، و من از خود پرسیدم که آیا کریم به لحظات شیرین تولد نخستین فرزندمان، عبدالله، فکـر می‌کند؟

امّا تصور من درست نبود. کریم گفت: «سلطانه، تو موجود عـجیبی هسـتی.

چطور چنین چیزی را به خاطر داری؟»

کریم همواره حافظهٔ مرا تحسین می‌کرد، زیرا با یک بار خواندن و یا شنیدن شعری و یا گفته‌ای، هرگز آن را فراموش نمی‌کردم.

من از تمجید کریم خوشحال شدم، امّا ریشهٔ نارضاییهایم آن‌قدر عمیق بود که به راحتی تسلیم نمی‌شدم. من در رویارویی با فرزندانم، به دلیل عشق کورکورانه‌ای که نسبت به آنها احساس می‌کردم، ذهن منطقی شوهرم را به دست فراموشی سپرده بودم و در عمق دیوانگی‌ام، او را با فریبکار رومی، نِرون، مقایسه می‌کردم که چشمانش را بر فجایع بسته بود، حتی زمانی که قلمروش به آتش کشیده شده بود.

کریم که از اهانتهای تکراری من به جان آمده بود، مرا با افکار آزاردهنده‌ام تنها گذاشت. قبل از ترک اتاق گفت: «سلطانه، تو همه چیز داری و با این حال از همه‌چیز وحشت داری و حقایق را درک نمی‌کنی. پیش‌بینی می‌کنم که یک روز از آسایشگاه روانی سر در بیاوری.»

من چون ماری به خود می‌پیچیدم. کریم اتاق را ترک کرد و تا دو روز به آنجا برنگشت.

زمان کوتاهی پس از این بگومگوی داغ، یک روز باز هم مشغول کشیدن موهایم بودم که ناگهان چشمم به مقاله‌ای در یکی از مجلات خارجی افتاد. این مقاله می‌گفت که اخیراً بیماری تازه‌ای در میان خانمها رواج یافته است که بیماران دسته‌دسته موهای خود را می‌کَنند و سرانجام طاس می‌شوند و پس از طاسی سر، این زنهای نگون‌بخت متوجه موهای ابرو، مژه و بدن می‌شوند.

بی‌اختیار موهایم را رها کردم. آیا من نیز مبتلا شده بودم؟ به طرف آینه دویدم و به بازرسی کف سرم پرداختم تا لکه‌های طاسی را پیدا کنم. موهایم کاملاً کم‌پشت شده بود. اکنون واقعاً نگران بودم، زیرا همواره به ظاهرم اهمیت می‌دادم و هرگز دلم نمی‌خواست طاس بشوم! به علاوه، در مذهب اسلام، طاسی زن مجاز نیست.

گذشت زمان ثابت کرد که من مبتلا به این بیماری نبودم، زیرا برخلاف زنانی

که در مقاله به آنها اشاره شده بود، علاقه‌ام به زیبایی موجب گشت که این عادت بد را کنار بگذارم.

با این حال، ترس از آن داشتم که عشق به زندگی را از دست داده باشم. به خود گفتم که اگر فکری برای افسردگی بی‌پایانم نکنم، پیری زودرس به سراغم خواهد آمد، و در حالی که برای خود احساس دلسوزی می‌کردم، در ذهن خـود مـرگی تدریجی را که ناشی از از دست دادن عقلم خواهد بود، مجسّم کردم.

خواهر عزیزم مرا از این خودتباهی نجات داد.

سارا، که نابغه‌ای متفکر بود، به فقدان شور زندگی من پی برده بود. او ساعات زیادی را در کنار من سپری کرد و به پرستاری و مراقبت از مـن پـرداخت. سـارا به خوبی از احساساتم آگاه بود و می‌دانست که نگرانی برای سرنوشت عبدالله و امانی مرا به این روز انداخته است.

خواهرم با دلسوزی به چشمان اشک‌آلودم نگاه کرد. به او گفتم: «سـارا، فکر می‌کنی من می‌توانم به زندگی عادی‌ام برگردم؟ شک دارم. نمی‌توانم این وضع را تحمل کنم.»

سارا با لبخندی بر لب گفت: «سلطانه، اگر تو بتوانی دوام بیاوری و زنده بمانی، تعداد اندکی از افراد خانواده‌مان قادر به ادامهٔ زندگی خواهند بود.»

صدای خنده‌هایمان فضا را پُر کرد.

سارا موجودی بی‌نظیر بود. زندگی خود او خالی از مشکلات نبـود. او نیز گرفتار فرزندی سرکش بود. امّا اکنون که به او نیاز داشتم، به‌کمکم شتافته بـود. چهار تن از پنج فرزند سارا در جهت خودشکوفایی و پیشرفت قدم برمی‌داشتند، امّا دخترک نوجوانش، نَشوا، کـه در روز تـولد امانی مـتولد شـده بـود، درست برخلاف آنها گام برمی‌داشت.

خواهرم پنهانی به من اعتراف کرد که گرایش مـذهبی امانی مـوهبتی بـزرگ است و من باید از خداوند به خاطر چنین موهبتی سپاسگزار بـاشم، زیرا نَشوا راهی متضاد را می‌پیمود. نشوا دیوانه‌وار به جانب جنس مخالفش گرایش داشت و اسد دو بار او را در هنگام ملاقات با پسرهای نوجوان سعودی در مغازهٔ فروش

نوار موسیقی در مرکز خرید شهر دستگیر کرده بود.

سارا در حالی که اشک بر گونه‌هایش جاری بود، اعتراف کرد که نَشوا با هر مردی که وارد خانه‌شان می‌شود، به مغازله می‌پردازد. گفت که هفتهٔ گذشته، نَشوا را در حین گفتگویی بسیار وسوسه‌انگیز و اغواگر با دو رانندهٔ فیلیپینی قصرشان یافته بودند. یکی از برادران نَشوا این گفتگو را شنیده بود و زمانی که از نَشوا توضیح خواسته بود، او با جسارت به عمل خود اعتراف کرده و گفته بود که ناگزیر از انجام دادن کاری غیرمعمول است تا یکنواختی زندگی در عربستان سعودی را تحمل کند.

اسد رانندگان جوان را اخراج کرده و مردان میانسال مصری مسلمانی را به جای آنها استخدام کرده بود که به ارزشهای اسلامی احترام می‌گذاشتند.

همان روز صبح، سارا مکالمهٔ تلفنی دخترش را با یکی از دوستان مؤنث شنیده بود. دو دختر به تفصیل در مورد اندام ورزیدهٔ برادر بزرگ‌تر او صحبت می‌کردند. سارا به این نتیجه رسیده بود که نَشوا نسبت به برادر دوستش بی‌علاقه نیست، و حال درصدد یافتن راهی بود که رفت‌وآمد نَشوا را به خانهٔ دوستش محدود کند.

چهرهٔ سارا از شدّت نگرانی تکیده و بی‌رنگ بود، و می‌گفت اکنون این گفتهٔ قدیمی را باور دارد که می‌گوید طبیعت، زیبایی و تقویٰ را یکجا به زن نمی‌بخشد. نَشوا زیبارویی بود که فاقد هر نوع تقوی بود.

باید قبول می‌کردم که مشکلات امانی در مقایسه با گرفتاریهای خواهرم با دخترش رنگ می‌باخت. دلخوش بودم که دست‌کم رفتار افراطی امانی مورد تأیید مقامات مذهبی است، حال آنکه رفتار نَشوا ممکن بود تیشه به ریشهٔ زندگی خانوادگی سارا بزند.

یک بار دیگر به‌این فکر افتادم که در بیمارستان اشتباهی رخ داده و فرزند واقعی من نَشواست، حال آنکه امانی می‌تواند فرزند حقیقی سارا باشد. یک لحظه وسوسه شدم که این راز را با سارا در میان بگذارم، امّا چه گواهی بر گفتهٔ خود داشتم؟ با خود گفتم که در سرزمین من داشتن فرزندی با اعتقادات متعصبانهٔ

مذهبی به مراتب بهتر از فرزندی است که سنتهای کهنه را به باد تمسخر می‌گیرد و در جستجوی ارضای شهوانی خویش است.

برای آنکه خواهرم را دلداری دهم، گفتم که ما مادرها در اغلب موارد فقط نقایص فرزندانمان را می‌بینیم. دلم می‌خواست پاره‌ای از خصوصیات شایستهٔ نَشوا را به سارا یادآوری کنم، امّا هر چه فکر کردم، چیزی به خاطر نیاوردم.

من و سارا مدتی به همدیگر خیره شدیم. هر دو می‌دانستیم که به گونه‌ای غریزی یکدیگر را خوب درک می‌کنیم.

خواهرم که هنوز هم نَشوا را در ذهن داشت، به پیشرفت تمدن اشاره کرد. فرزندان ما از تمامی محرومیتهای مادی برحذر بودند و در رفاه کامل، تحت هدایت اخلاقی و راهنماییهای هوشمندانهٔ ما قرار داشتند، و با این حال، برنامه‌ریزی دقیق زندگی‌شان تأثیر اندکی بر پیشرفت آنها نهاده بود.

سارا گفت به این نتیجه رسیده است که شخصیت انسان تنها با خصوصیات وراثتی‌اش در ارتباط است، و اینکه فرزندان او نیز ممکن است چون علف هرز رشد کنند. بعد با خنده افزود: «به علاوه، شخصیتهای افراطی هر نسل، مرتجعان نسل بعدی می‌شوند. پس چه کسی از سرنوشت نهایی فرزندانمان آگاه است؟»

از آنجایی که شنیدن رنج و درد دیگران، حتی درد و رنج عزیزان، بار غم انسان را سبک می‌کند، من پس از مدتها احساس سرزندگی می‌کردم.

خندیدم و به خواهرم گفتم که با او کاملاً موافقم، و همهٔ دانه‌هایی که ما کاشته‌ایم، بارور نشده‌اند. با خودم فکر کردم که سرنوشت همهٔ انسانها در دست خداست و من نباید بیش از این خودم را با نگرانیهایم رنج بدهم.

سارا به سراغ فرزندان کوچک‌ترش رفت که در حیاط قصر، در کنار باغ وحش امانی مشغول بازی بودند. من به او قول دادم که حمام کنم و لباسهایم را عوض کنم و همراهش به ملاقات فائزه برویم.

من و سارا، فائزه را پس از بازگشت به عربستان ملاقات نکرده بودیم، اگرچه با حیرت شنیده بودیم که حال فائزه بهبود یافته و اکنون دوستان و خویشاوندانش را ملاقات می‌کند.

من از آرامشی که بعد از روزهای متوالی بر ذهنم حاکم شده بود، لذت می‌بردم. و درست در همین زمان، شوهرم تلفنی خبر تکان‌دهنده‌ای را به من داد.

صدایش بسیار گرفته بود. «سلطانه، برو به صندوق سر بزن و ببین گذرنامهٔ عبدالله آنجاست؟»

«چرا؟»

کریم از من خواست که چیزی نگویم و کاری راکه خواسته است، انجام بدهم.

در حالی که بدترین افکار ممکن به ذهنم راه یافته بود، تلفن را به زمین انداختم و به طرف دفتر خصوصی شوهرم دویدم. دستهایم می‌لرزید. پس از سه بار تلاش، توانستم صندوق را باز کنم.

شوهرم گذرنامه‌اش را در صندوق دفتر کارش نگه می‌داشت، اما گذرنامه‌های من و فرزندانم در صندوقِ خانه بود.

با انگشتانی لرزان، اسناد و مدارک را زیر و رو کردم. گذرنامهٔ عبدالله گم شده بود. ناگهان با وحشت دریافتم که از چهار گذرنامهٔ موجود در صندوق، تنها دو گذرنامه باقی مانده است. با دقت بیشتری نگاه کردم. گذرنامهٔ مها نیز همراه با گذرنامهٔ برادرش گم شده بود.

چه اتفاقی افتاده بود؟ هیچ کس جز من و کریم رمز باز کردن صندوق را نمی‌دانست.

با نگاه دیگری دریافتم که رضایت‌نامه‌ای که کریم برای سفر زنان خانواده‌اش بدون همراهی مردی امضا کرده بود نیز در صندوق نیست. با وحشت فریاد کشیدم: «نه.»

گیج شده بودم. آیا مها به تنهایی قصد سفر داشت؟ یا او و برادرش با همدیگر کشورمان را ترک کرده بودند؟

تلفن خصوصی دفتر کریم به صدا درآمد.

کریم که از انتظار کشیدن خسته شده بود، به محض آنکه گوشی را برداشتم، فریاد کشید: «سلطانه، چه خبر است؟»

خبرهای ناگوار را به او دادم.

«دلارها چی؟ دلارها هم گم شده‌اند؟»

به فکر دلارها نبودم. کریم همواره مبلغ گزافی پول در صندوق نگه می‌داشت تا اگر انقلابی رخ داد، بتوانیم از کشور خارج شویم؛ پولی که امیدوار بودیم هرگز مورد استفاده قرار نگیرد.

کشوی بزرگی راکه در بالای صندوق قرار داشت، باز کردم. کریم حق داشت. پولی در آنجا نبود! ما در طول سال‌ها، با افزایش نگرانی‌هایمان در مورد سرزمین عرب و خطراتی که تهدیدش می‌کرد، به میزان این پول افزوده بودیم. عبدالله مبلغی معادل یک میلیون دلار از صندوق ربوده بود. آیا پسرم دیوانه شده بود؟

با اندوه به کریم خبر دادم: «دلارها را برداشته‌اند.»

«برو به مدرسهٔ مها. من هم خودم را به فرودگاه می‌رسانم.»

فریاد کشیدم: «عجله کن.»

می‌دانستم که پسرم در راه لبنان است. امّا مها در این میان چه می‌کرد؟ به یقین عبدالله خواهرش را به آن سرزمین خطرناک نمی‌برد. سرم داشت گیج می‌رفت.

«من از ماشین به تو زنگ می‌زنم. حالا عجله کن و به مدرسهٔ مها برو.»

لباس ساده‌ای پیدا کردم و بر تن کردم و سپس در جستجوی عبا و چادرم برآمدم. در حالی که لباس‌هایم را می‌پوشیدم، با فریاد سارا را صدا کردم تا مرا همراهی کند. به کانی گفتم که موسی، رانندهٔ جوان مصری را پیدا کند. به تجربه می‌دانستم که این مرد جوان شهر را با سرعت زیر پا خواهد گذاشت.

مدرسهٔ مها به فاصلهٔ پانزده دقیقه از قصرمان قرار داشت. در طول راه ماجرا را برای سارا شرح دادم.

هفده هم‌شاگردی مها در کلاس درس مشغول یادداشت برداشتن بودند و تصویر معلم مرد بر صفحهٔ تلویزیونی که در وسط کلاس قرار داشت، دیده می‌شد. به شاگردان از طریق نوارهای ویدیویی درس داده می‌شد، زیرا حضور استاد مرد در کلاس دخترانه ممنوع است.

مها با دیدن من که دیوانه‌وار او را صدا می‌کردم، برافروخت. خودم را به میز او رساندم و گفتم: «مها، تو اینجایی؟»

مها دستهایم را که بر گردنش حلقه کرده بودم، کنار زد و گفت: «می‌خواستی کجا باشم؟»

به مدیر گفتم که ناچارم دخترم را به خانه‌مان ببرم. مدیر بدون ابراز کنجکاوی در مورد رفتار غیرعادی من، به مها دستور داد که وسایلش را جمع کند. بعد از من سؤال کرد که آیا مها بیش از یک هفته غایب خواهد بود. من که نمی‌دانستم چه بگویم، جواب مثبت دادم. مدیر گفت که در این صورت از معلم خواهد خواست که مها را پس از بازگشت تعلیم بدهد.

در حالی که به سوی اتومبیل می‌رفتیم، مها با نگرانی پرسید: «مادر، چه خبر است؟»

«می‌ترسیدم همراه عبدالله باشی.»

«عبدالله؟»

مها در آن زمان هفده ساله بود و سال سوم دبیرستان را می‌گذراند. عبداللهِ نوزده ساله می‌بایست به دانشگاه می‌رفت؛ جایی که دخترها از رفتن بـه آن محروم‌اند.

مها با حیرت به من نگاه کرد. «مـادر، مثل دیوانـه‌ها رفتار مـی‌کنی.» بـعد به خاله‌اش نگاه کرد. «خاله، چه خبر شده؟»

سارا ماجرای گذرنامه‌ها را برای مها نقل کرد و گفت که ما دلیـل گـم شدن گذرنامهٔ او را نمی‌دانیم.

خواهرم از بالای سر مها نگاهش را به نگاه مـن دوخت. هـر دو در یک فکر بودیم، و هر دو با هم گفتیم: «فائزه!»

بـه راننده گفتم: «هـرچـه سـریع‌تر مـا را بـه خانهٔ فـؤاد و سـامیه بـرسان. زودتر!»

حالا نقشهٔ عبدالله برایم روشن بود. پسرم گذرنامهٔ مها را برای فائزه برده بود. او می‌خواست همسر دوستش را نجات دهد. فائزه بود که با گـذرنامهٔ مـها سفر

می‌کرد و همراه عبدالله به لبنان می‌رفت. شناسایی یک زن سعودی به دلیل پوشیدن نقاب غیرممکن بود.

مها زمانی که به عمل برادرش پی برد، با التماس از ما خواست که به خانه‌مان برگردیم. «مادر، بگذار بروند!»

لحظهٔ حساسی بود. اگر پدر و مادر فائزه را در جریان نمی‌گذاشتم، شریک توطئهٔ فرزندم محسوب می‌شدم که در زندگی خصوصی خانواده‌ای مداخله کرده بود. و اگر مانع پیوستن فائزه به دلداده‌اش می‌شدم، هرگز دیگر نمی‌توانستم از حقوق زنان سرزمینم دفاع کنم.

من و سارا لحظاتی طولانی به همدیگر خیره شدیم. نگاه سارا شفاف و نافذ بود. حتم داشتم که به روزهای تاریک ازدواج اولش فکر می‌کند. در واقع اگر مادرم زندگی‌اش را به خطر نینداخته بود و امکان طلاق و جدایی دائمی از فرزندانش را به جان نخریده بود، خواهرم به صورت بردهٔ جنسی، تا آخر عمر در خدمت مردی درمی‌آمد که از او نفرت داشت، و هرگز با عشق زیبایی که اکنون نسبت به اسد احساس می‌کرد، آشنا نمی‌شد.

تصمیم من، انعکاسی از زجر و رنج تحمیل‌شده بر زنان سرزمینم بود. به موسی دستور دادم: «ما را به خانه برسان.»

مها خندید و مرا در آغوش کشید و بوسه‌هایش را نثارم کرد.

چشمان سارا برق می‌زد. با لبخندی دستم را فشرد و گفت: «سلطانه، نگران نباش. تو تصمیم درستی گرفته‌ای.»

چشمان موسی از حیرت گشاده بود. دهانش را چند بار باز و بسته کرد، که مرا به یاد پرنده‌ای انداخت که در زیر خورشید بی‌امان بیابان گرفتار شده باشد. رنگ چهره‌اش تیره‌تر به نظر می‌رسید، و من به وضوح عدم موافقت او را با این کار می‌دیدم.

به زبان فرانسه به سارا و مها گفتم: «به صورت راننده نگاه کنید. از این تصمیم خوشش نیامده است.»

مها گفت: «کدام مرد در این کشور با حق انتخاب همسر برای زن موافق است؟

تنها یک نفر را نشان بده تا من با او ازدواج کنم!»

ماجراهای آن روز را به خاطر آوردم، و ناگهان احساس سبکبالی کردم. دخترم در خون انقلابی یک مرد سهیم بود، امّا هنوز او را نمی‌شناخت.

به آرامی گفتم: «عبداللّه، پسر من و برادر تو، چنین مردی است.»

با سکوت رضایت‌بخشی به چهرهٔ دخترم خیره شدم، اگرچه غرق در گذشته‌ها بودم. نوزاد پسری را دیدم که در میان بازوانم نهاده شد. احساس ویژه‌ای که در آن لحظه لمس کرده بودم، در یک لحظه به سراغم آمد و سراپایم را فراگرفت. در آن لحظه از خودم سؤال کرده بودم که آیا فرزندم نیز از سنتهای پوسیدهٔ این سرزمین حمایت خواهد کرد، و بعد به درگاه خداوند دعا کرده بودم که اجازه ندهد چنین اتفاقی رخ دهد، و کاری کند پسرم بتواند با روشی سازگارانه، در تاریخ سرزمینمان مؤثر واقع گردد و سنتهای اجتماعی کهنه را دگرگون سازد.

قضاوت در مورد عمل عبدالله برایم دشوار بود. امّا با ارزیابی صادقانه‌ای به این نتیجه رسیدم که بزرگ‌ترین آرزویم تحقق یافته است. فرزند پسری از بطن من، الگوی سرزمین زادگاهم را عوض می‌کرد.

پسرم چقدر شجاع بود!

دیگر واکنش موسیٰ برایم اهمیتی نداشت. به زبان عربی گفتم که مردان نسل شوهرم با حقوق زنان خود منطقی برخورد می‌کردند، امّا متأسفانه این منطق با جبر افراطیون مذهبی ساکت شده بود، و من که به حال این مردهای ترسو تأسف می‌خوردم، امیدی به حمایتشان برای رهایی زنها نداشتم.

امّا امیدهایم را از دست نداده بودم، زیرا هنوز هم زنهای سعودی می‌توانستند فرزندانی چون عبدالله به دنیا آورند.

به مها و سارا گفتم که به یقین یک روز فرزندم، عبدالله، از تمامی قدرت خود برای تقویت جایگاه زن سعودی کمک خواهد گرفت.

در طول راه، در مورد چیزی جز این امید بزرگ حرف نمی‌زدم، و موسی را به باد تمسخر می‌گرفتم که زن جوانش را وادار ساخته بود در دهکدهٔ کوچکی در

مصر، در کنار پدر و مادرش زندگی کند و خود به عربستان آمده بود و مشغول کار بود.

کریم در خانه بی‌صبرانه منتظر بازگشت من بود. او از دیدن چهرهٔ بشاش و برافروخته‌ام متعجب نشد. تصور می‌کنم کریم شادی مرا به خاطر یافتن مها می‌پنداشت. او باور نداشت که این حالت پیروزمندانهٔ من به دلیل رفتار شهامت‌آمیز پسرمان عبدالله است که پشت به بی‌عدالتیها کرده بود و آرزومند آزادی همهٔ افراد بشر بود.

مها که از دیدن چشمان خشمگین پدرش اندکی دچار ترس شده بود، به بهانهٔ انجام دادن کارهای عقب‌افتاده‌اش ما را ترک کرد.

سارا نیز کودکانش را جمع کرد و به خانه‌اش رفت. در حال رفتن در گوشم نجوا کرد که هر چه زودتر به او تلفن کنم.

از دور صدای امانی را می‌شنیدم که با صدای بلند مشغول راز و نیاز با پروردگار بود.

سرانجام با شوهرم تنها مانده بودم.

با خودم فکر کردم که چهرهٔ شوهرم از سنگینی بار کشف واقعیات، عبوس و گرفته به نظر می‌رسد. به هیچ وجه آمادگی اتهامات بی‌پروای او را نداشتم.

کریم بی‌آنکه از من چیزی بپرسد، احساساتش را بیرون ریخت. «سلطانه، تو در توطئهٔ پرواز فائزه دست داشته‌ای.»

برای لحظه‌ای کوتاه از اتهام بی‌دلیل او ساکت ماندم. من که در حالت خشم قادر به خویشتنداری نبودم، مشتی بر بازوی کریم فرود آوردم.

کریم که با خلق و خوی آتشین من به خوبی آشنا بود، آمادهٔ این واکنش بود. با حرکتی خودش را کنار کشید.

در طول سالها، کریم یاد گرفته بود که خشونت خود را مهار کند. بنابراین، من بودم که همواره ستیزه‌جو به نظر می‌رسیدم. آن روز هم مثل روزهای دیگر بود.

کریم گفت: «سلطانه، حالا وقت جنگ و جدال نیست. پسرمان و فائزه از عربستان گریخته‌اند.» بعد با خشونت مرا جلو کشید و گفت: «تو باید نقشه‌های

آنها را برایم برملا کنی.»

انکار من کریم را متقاعد نساخت. گفتم که شاید پسرمان، عبدالله، مهارت فریبکاری مرا به ارث برده باشد، امّا سوگند یاد می‌کنم که من در این ماجرا دخالتی نداشته‌ام.

درست مثل دزد سابقه‌داری که در هر سرقتی مورد اتهام قرار می‌گیرد، گذشتهٔ تاریکم مانع آن شد که کریم واقعیات را بپذیرد. او سیل اتهامات را متوجّه من کرد که کمترین گناهی نداشتم.

داشتم بهای سنگینی را برای گذشتهٔ پُرماجرای خود می‌پرداختم.

به کریم گفتم انتظار داشتم که او در نقش همسرم، وفاداری بیشتری به من نشان بدهد.

کریم پرسید که چگونه می‌تواند حرف مرا باور کند. او با زنی ازدواج کرده است که نیمی فرشته و نیمی شیطان است، و شیطان درون من در اغلب موارد بر جانب فرشته‌سانم غلبه می‌کند و هر زمان که مبحث زنها به میان می‌آید، من جز در جهت دروغ گفتن و توطئه‌چینی قدم برنمی‌دارم!

با خشمی غیرقابل توصیف، تفی بر زمین انداختم و از اتاق خارج شدم، درحالی‌که سوگند می‌خوردم هرگز دیگر با او هم‌کلام نشوم.

کریم تصمیم گرفت شک و تردیدهایش را پنهان سازد، زیرا می‌دانست که بدون کمک من قادر به یافتن عبدالله و فائزه نخواهد بود. از من عذرخواهی کرد و خواست که مانع ارتکاب اشتباهات بیشتر از سوی فرزندمان شوم.

من که انگیزهٔ واقعی او را از این عذرخواهی می‌دانستم، چشمهایم را بستم تا چهره‌اش را نبینم، و با دست به او اشاره کردم که اتاق را ترک کند.

به محض آنکه کریم اتاق را ترک کرد، لذت انتقامجویی قلبم را ترک کرد.

پسرم کجا بود؟ آیا سالم بود؟

به مدت پنج روز، خانه‌مان روی صلح و آرامش را ندید، زیرا من و کریم خیال آشتی نداشتیم. امانی دعا می‌خواند و گریه می‌کرد، در حالی که مها آوازهای عاشقانه می‌خواند و فرار فائزه را جشن می‌گرفت.

در زندگی چیزی شیرین‌تر از موفقیت هست؟

فائزه با هدف واحدی که در سر می‌پروراند، خود را نجات داد و به دلداده‌اش پیوست.

من هرگز نمی‌توانستم واکنش فؤاد و سامیه را در قبال گریز فائزه پیش‌بینی کنم. انتظار داشتم که فؤاد، کریم را به عنوان سرپرست عبدالله تحت فشار بگذارد و دست به عملی خشونت‌آمیز بزند. ناگهان از شنیدن خبر تسلیم فؤاد غرق حیرت شدم.

پنجمین روز پس از فرار عبدالله و فائزه، عبدالله از قبرس، جزیرهٔ کوچکی که در نزدیکی سواحل لبنان واقع شده است، به ما زنگ زد. عبدالله ترسی از واکنش ما نداشت، و قاطعانه گفت که عدالت را اجرا کرده، نه انتقام را، که جعفر و فائزه را به هم رسانده است.

با شنیدن این خبر که فائزه یک ساعت پیش به والدینش زنگ زده است و فؤاد و سامیه به آنها فرصت دیگری داده‌اند و قصد دارند جعفر را به عنوان پسرشان بپذیرند، نفسم بند آمد. فؤاد به فائزه گفته بود که اگر به خانواده‌اش پشت نکند، او هرگز دست به عمل خشونت‌آمیزی نخواهد زد.

واقعیت این است که بشر در دوران قدرت خود، از مصالحه و سازش سر باز می‌زند و تنها زمانی که به ضعف می‌رسد، دست سازش به سوی خصم خود دراز می‌کند.

فؤاد و سامیه که وحشتِ از دست دادنِ ابدی فرزندشان را داشتند، به این نتیجه رسیده بودند که باید واقعیتِ داشتنِ دامادی را که نسبت به آنها فرودست است، بپذیرند.

من با طبیعت شکاکی که دارم، فکر کردم این توطئه‌ای بیش نیست و آنها در صدد کشاندن جعفر به سرزمینی هستند که در آن فاقد هر نوع حقوقی است و به راحتی زندانی خواهد شد.

والدین فائزه سوء ظن مرا برطرف ساختند.

همان روز، فؤاد و خانواده‌اش به یونان پرواز کردند و جعفر و فائزه را در سرزمینی طلایی که از تمدنی باستانی بهره‌مند است، ملاقات کردند. افکار سیاه و تلخ به دست فراموشی سپرده شد و فائزه و جعفر لذت تعلق به خانواده را لمس کردند؛ خانواده‌ای که پیشتر، مشروعیت عقد آن دو را زیر سؤال برده بود.

اجازهٔ ویژه‌ای برای فائزه گرفته شد تا بتواند با مرد مسلمانی از کشوری دیگر ازدواج کند، و جشن باشکوهی در هتل بزرگ قاهره ترتیب داده شد.

من و کریم به همراه دو دختر‌مان به قاهره پرواز کردیم تا به عبدالله بپیوندیم. جعفر و فائزه در هتل مِنا از مهمانان زن و مرد خود پذیرایی کردند. این عشق پُرشور و حرارت، لبخند را حتی بر لب‌های کریم عبوس ظاهر ساخت، اگرچه او شاهزاده‌ای بود که از دخالت فرزندش در زندگی خصوصی دیگران شرم داشت. فؤاد اعتراف کرد که از افسردگی و اندوه دخترشان احساس گناه می‌کرده و با سامیه به این نتیجه رسیده بودند که هرچه زودتر با ازدواج این دو دلداده موافقت کنند. کریم با شنیدن این اعتراف زنده شد. انگار بار سنگینی از دوشش برداشته شده بود.

فؤاد جعفر و فائزه را در آغوش کشید. برق شادی را در چشمان جعفر می‌خواندم. با نگاهی عاشقانه فائزه را می‌نگریست، انگار بیش از هر زمان دیگری او را می‌پرستید.

دیر وقت آن شب، من و کریم در حیاط ویلایمان در قاهره، آسمان مصر را تماشا می‌کردیم.

شوهرم با عذرخواهی صمیمانه‌اش مرا حیرت‌زده کرد. او با شرمندگی قول داد که دیگر هرگز در مورد من پیشداوری نکند. گفت عبدالله به او گفته است که من کوچک‌ترین نقشی در این ماجرا نداشته‌ام، و خود کریم بوده که پیشتر، رمز صندوق را به عبدالله داده بوده.

بعد کریم به یاد چیزی افتاد. دست در جیب برد و بزرگ‌ترین الماسی را که در عمرم دیده‌ام، بیرون آورد که به زنجیری طلایی آویزان بود. شوهرم با ملایمت زنجیر را به گردن من بست، و من تماس لب‌هایش را بر شانه‌ام احساس کردم.

چند سال پیشتر، من از خالی بودن زندگی زناشوییام دچار نفرت شده بودم. اکنون به مفهوم واقعی آن پی میبردم. در آن لحظهٔ خاص، احساسات مختلف عیان شده بود ــ محبّت، ندامت، و بالاتر از همه سردرگمی. آیا کریم همان پدیدهٔ نادر بود؛ شوهری سعودی که مهربان، ملایم، واقعبین و باهوش بود؟ آیا در ارزیابی او اشتباه کرده بودم؟

چگونه یک مرد سعودی میتوانست منبع شادیهای من باشد، حال آنکه تمام عمرم را در برابر مردهای سعودی جنگیده بودم؟

شنیده بودم که مرد خسیس هرگز از میزان ثروتش راضی نخواهد بود و دانشمند از میزان دانش خویش. آیا من نیز زنی بودم که هرگز موفقیتهایم راضیام نمیکرد؟ این فکر باعث ترسم میشد.

فکر دیگری به ذهنم راه یافت. یک ضربالمثل عربی میگوید: «اگر شوهرتان از عسل ساخته شده است، او را مصرف نکنید.»

من با دید تازهای به کریم نگاه کردم، و با یادآوری اهانتهای بیشماری که نثارش کرده بودم، به درگاه پروردگار التماس کردم که زبانم را کوتاه سازد و بر عقل و منطقم بیفزاید.

به روی شوهرم لبخند زدم. ناگهان احساس کردم که بسیاری از زخمهای کهنهام التیام یافته است؛ جراحاتی که ناشی از رفتار کریم در سالهای نخست زندگیمان بود.

به دلایلی، جراحاتم دیگر قابل رؤیت نبود.

۱۰

فاطمه

چیزی در درون همهٔ ما مرده بود، و آن امید بود.

ــ اسکار وایلد

بعدازظهر روز بعد، من و کریم و فرزندانمان در ایوانِ ویلایمان در قاهره در کنار هم نشسته بودیم. باغ پُر گل زیبایی ایوان سرپوشیدهٔ خانه‌مان را احاطه کرده بود و رایحهٔ شیرین گلهای رُز و پیچ امین‌الدوله فـضا را پـر کـرده بـود، کـه حـضور انگلیسیهای ثروتمند را در قاهره، شهری که روی خوشی بـه اشـغالگران خـود نشان نمی‌داد، به خاطر می‌آورد. من و همسرم از هوای خنک این فضای دلپذیر لذت می‌بردیم، زیرا در خارج از این فضا حتی نسیم بعدازظهر نمی‌وزید. ساختار سیمانی این شهر شلوغ، گرمای روز را بـه خـود جـذب کـرده بـود. هشت مـیلیون جمعیت قاهره از گرمای خفقان‌آوری رنج می‌بردند.

سه فرزندمان در میان خود پچ‌پچی کردند و به یکـدیگر گـفتند کـه بـاز هـم «فاطمهٔ فراموشکار» ما را فراموش کرده است. این لقبی بود که بچه‌ها به کدبانوی مصری ویلایمان داده بودند.

به بچه‌ها اخطار کردم که با فاطمه شوخی نکنند، چون او دیگر جوان نیست و

به زحمت هیکل چاق و چله‌اش را حرکت می‌دهد. با این حال، در دلم حق را به بچه‌ها دادم.

به احتمال زیاد، فاطمه کاملاً ما را به دست فراموشی سپرده و مشغول کار دیگری شده بود. او بسیار فراموشکار بود و در اغلب موارد علت ورودش به اتاق و یا ترک اتاق را فراموش می‌کرد. کریم اغلب شکایت می‌کرد و اعتقاد داشت که باید فاطمه را مرخص کرد و خدمتکار جوان‌تر و چابک‌تری را جایگزین او کرد. امّا من مقاومت می‌کردم، زیرا این زن کسی را نداشت و همواره عاشقانه به سه فرزندمان عشق می‌ورزید.

کریم مرا متهم می‌کرد که فاطمه را به دلیل داستانهای رسوایی‌آمیزی که از قاهره برایم نقل می‌کند، رها نمی‌کنم. امّا این اتهام واقعیت نداشت.

از سالها پیش، از زمان خرید این ویلا، فاطمه به عنوان کدبانوی دائمی خانه به کار مشغول شده بود. در آن زمان عبدالله دو ساله بود و دخترانم هنوز به دنیا نیامده بودند. فاطمه عمری را در زندگی ما سپری کرده بود.

قصد داشتم از جایم بلند شوم و به سراغ فاطمه بروم که صدای دمپایی‌های گشاد او را بر روی مرمرهای سرسرا شنیدم که به طرف ایوان می‌آمد.

به کریم نگاه کردم و او سرش را با انزجار تکان داد. کریم قدرت درک موقعیت خدمتکاری را که رو به پیری می‌رفت، نداشت.

با شیطنت گفتم: «شوهر جان، فراموش نکن که خدا تو را می‌بیند.»

شوهرم با عصبانیت جواب داد: «سلطانه، تو نگران رابطهٔ من با خدا نباش!»

فرزندانمان نگران آن بودند که از نو بگومگویی آغاز شود. پس امانی دستهایش را به گردن پدرش انداخت و مها شانه‌های مرا مالید و التماس کرد که عصبانی نشوم.

اما من حالم خیلی خوب بود و به هیچ وجه خیال دعوا نداشتم. درست در همان لحظه متوجه فاطمه شدم. با یادآوری زن باریک و خوش‌اندام سالهای پیشتر، با دلسوزی اندام چاق و خستهٔ فاطمه را دنبال کردم که با دشواری درِ شیشه‌ای سرسرا به ایوان را می‌گشود و به سختی سینی حاوی لیوانهای کریستال

و تُنگ کریستال مملو از لیموناد را در دستهایش نگه داشته بود.

درست مثل سایر زنان مصری، فاطمه نیز از زمان تولد اولین فرزندش دچار ازدیاد وزن شده و روز به روز بزرگتر و بزرگتر شده بود، تا آنجا که عبدالله کوچک با لحن معصومانه‌ای از من سؤال کرده بود که چطور پوست فاطمه نمی‌ترکد.

لحظات زیادی به طول انجامید تا فاطمه دو سه پلّهٔ ایوان را بالا بیاید و سینی را روی میز بگذارد. عبدالله از جایش پرید و سینی را از دست او گرفت. شوهرم را دیدم که لبش را گاز گرفت تا اعتراضی نکند. عبدالله از کودکی نسبت به درد و رنج طبقهٔ محروم حساس بود. من به این خصوصیت فرزندم می‌بالیدم، حال آنکه شوهرم از آن نفرت داشت.

برای منحرف کردن ذهن کریم، از عبدالله خواستم که جزئیات سفرش به لبنان را برایمان نقل کند، زیرا از زمانی که در قاهره به همدیگر پیوسته بودیم، فرصتی برای گفتگو نیافته بودیم. می‌دانستم که کریم در دورهٔ جوانی‌اش سالهای زیادی را در شهر زیبای بیروت گذرانده است. این شهر قبل از آنکه با جنگی دیوانه‌وار و ننگین ویران شود، محل استراحت شاهزادگان سعودی بود.

کریم اعتقاد داشت که امیدی برای لبنان نیست، حال آنکه عبدالله امید را در آنجا لمس کرده بود. او می‌گفت که به شدّت تحت تأثیر روحیهٔ لبنانیها قرار گرفته و به این نتیجه رسیده است که لبنانیها نه تنها دوام آورده‌اند، بلکه در مقابل یکی از ویران‌کننده‌ترین جنگهای داخلی نیز طاقت آورده و تلاش کرده‌اند که هرگز گذشتهٔ پرافتخارشان را فراموش نکنند. عبدالله اعتقاد داشت که اگر به لبنانیها فرصت کوچکی داده می‌شد، از نو به پا برمی‌خاستند و سرزمین خود را که روزگاری در دنیای عرب بی‌همتا بود، احیا می‌کردند.

عبدالله مکثی کرد و نگاهی به پدرش انداخت و از او پرسید که آیا مایل است در لبنان سرمایه‌گذاری کند.

کریم با لبخند گرمی به عبدالله پاسخ داد. شوهر من مردی است که از جستجوی فرصتهای اقتصادی در هر گوشهٔ دنیا بازنمی‌ایستد، و فقدان علاقهٔ

عبدالله به این موضوع همواره موجب آزردگی کریم می‌شد. امّا خیلی زود لبخند کریم محو شد، زیرا عبدالله به او گفت که زیربنای اقتصادی لبنان در حال نابودی است و کریم می‌توانست شالودهٔ بنیادهای مختلفی را در این کشور بنا کند.

با دیدن چهرهٔ کریم خنده‌ام گرفت. کریم راست نشست و تلاش کرد که خود را به موضوع علاقه‌مند نشان دهد. امّا تلاشی بی‌ثمر بود و شوهرم نمی‌توانست نـاامیدی‌اش را پنهان سـازد. او بـه پسـرمان طـوری نگـاه مـی‌کرد کـه انگـار نخستین‌باری است که او را می‌بیند.

می‌دانستم که کریم هنوز عبدالله را نبخشیده است. عبدالله با افتخار اعلام کـرده بـود کـه یـک میلیون دلاری را کـه از صندوق پـدرش بـرداشته بـود، به بیمارستانی در لبنان که برادر بزرگ‌تر جعفر در آن بستری بود، اهدا کرده است. کریم نمی‌توانست پسرش را به دلیل چنین عمل خیری مذمّت کند. او با محبت و نگاهی اندوه‌گین به عبدالله خیره شد، اگرچه از دست دادن یک میلیون دلار او را می‌آزرد.

بعدها کریم به من اعتراف کرد که اهدای پول به لبنانیها به مثابهٔ تلف کردن پول بی‌زبان است، زیرا برای خرید اسلحه و زبانه کشیدن شعله‌های جنگ مصرف خواهد شد. گفت اگر لبنانیها نشان دهنـد کـه در مـورد صلـح قاطـع‌انـد، او نیز به هم‌مسلکان عربش کمک خواهد کرد.

عبدالله از فقدان تسهیلات درمانی لازم در بیمارستانی که برادر جعفر در آن بستری بود، حیرت کرده بود. او گفت که هرگز نخواهد توانست وضع وحشتناک زخمیان جنگ را کـه در بیمارستان بستری بودند، فراموش کنـد. او در حـالی کـه اشک در چشمانش جمع شده بود، به زنان و مردانی اشاره می‌کرد که پاهایشان را از دست داده بودند، امّا در اتاقهایی کوچک زندانی بودند، زیرا بیمارستان فـاقد صندلی چرخدار بود. عبدالله مردهایی را دیده بود که به میزهای چوبی بسته شده بودند، بدنشان کمترین حرکتی نداشت و زندگی را بـه هـمان صـورت پـذیرفته بودند.

پسرمان گفت که واقعیتی فاجعه‌آمیز را کشف کرده است، و آن اینکه بسیاری

از زخمیان جنگ خانوادهٔ خود را از دست داده بودند و بنابراین کسی برجا نمانده بود که مخارج درمانی آنها را تأمین کند و با درد و اندوه سؤال کرد: «دنیا از صدماتی که بر این کشور وارد شده است خبر دارد و یا اهمیّتی به آن می‌دهد؟»

سعی کردم عبدالله را دلداری بدهم. به او گفتم که برادر جعفر بسیار خوش‌اقبال‌تر از سایر افراد بوده است، زیرا جعفر برای تأمین مخارج درمانی برادرش بی‌وقفه پول فرستاده است. امّا واقعیت این بود که حتی برادر جعفر نیز در قیاس با تسهیلاتی که پول بادآوردهٔ نفت به سرزمین ما آورده بود، از محرومیت بی‌بهره نبود. خوشبختانه برادر جعفر به زودی از آخرین درمانهای پزشکی بهره‌مند می‌شد، زیرا فؤاد مایل بود که برادر دامادش را به عربستان بیاورد و او را عضوی از خانوادهٔ خود کند.

اکنون پسرمان از پدرش می‌خواست که مقداری از ثروت بیکران خود را صرف این کشور محروم بنماید. عبدالله می‌گفت که افتتاح بیمارستانی با آخرین تجهیزات پزشکی در آن کشور، آغازی تحسین‌انگیز خواهد بود.

به جلو خم شدم تا پاسخ شوهرم را بشنوم، زیرا به خوبی می‌دانستم که کریم در مقابل خواستهٔ پسرش مقاومت نخواهد کرد.

کریم چشمانش را بست و در حالی که پیشانی‌اش را با انگشتانش لمس می‌کرد، به فکر فرو رفت. و ناگهان صدای فریاد دردناکی فضا را پُر کرد.

ما به همدیگر نگاه کردیم. صدا از درون ویلا بود. صدای فاطمه بود.

کریم نفس راحتی کشید، زیرا توجّه عبدالله به موضوع دیگری جلب شده بود. عبدالله نخستین کسی بود که از جایش بلند شد. من و دخترانم او را دنبال کردیم و کریم را در ایوان تنها گذاشتیم.

اولین تصورم آن بود که فاطمه سوخته است، زیرا او در کنار اجاق گاز ایستاده و مشغول سرخ کردن گوشت و پیاز شام بود. امّا خیلی زود دریافتم که ناله‌های او مانع ادامهٔ کارش نشده است، زیرا او همچنان به سرخ کردن پیاز مشغول بود و هیچ درنیافته بود که صدای فریادش دیوارهای ویلا را به لرزه درآورده است.

عبدالله پرسید: «فاطمه، چه شده؟»

فاطمه چون مرده‌ای به عبدالله جواب داد: «عبدالله، خوشبخت‌ترین زن کسی است که متولد نشده است، و دومین زن خوشبخت کسی است که در کودکی مرده است.» و با مشت به سینه‌اش کوبید.

مها قاشق بزرگ چوبی را از دست فاطمه گرفت و امانی او را با کلمات ملایمی دلداری داد.

عبدالله با چشمان قهوه‌ای‌رنگش، نگاهی پرسشگر به سوی من کرد. من شانه‌هایم را بالا انداختم. شاید شوهر فاطمه او را طلاق داده و با زنی جوان‌تر ازدواج کرده بود، اگرچه در گذشته زندگی رضایت‌بخشی داشتند.

شوهر فاطمه، عبدل، هم باغبانی می‌کرد و هم رانندهٔ ویلا بود، و این زن و شوهر اغلب از بخت خود ابراز رضایت می‌کردند و از اینکه حقوق خوبی می‌گرفتند، خوشحال و راضی بودند. کارفرمایشان نیز به ندرت به ویلا می‌آمد، پس آنها اوقات فراغت زیادی را برای گذراندن در کنار فرزندانشان داشتند که در آپارتمانی در قاهره با مادر عبدل زندگی می‌کردند. با این حال می‌دانستم که بر اساس قانون، مرد مصری، درست چون مرد عرب، بر همسرش تسلط کامل دارد و طلاق دادن زن قبلی و ازدواج با زنی جوان، در میان مردان سالخوردهٔ مصری غیرمتعارف نبود.

تجارب زندگی‌ام به من نشان داده بود که ریشهٔ درد و اندوه زنها در بسیاری از مواقع مردها هستند، و با شنیدن کلمات فاطمه، تصور کردم که همسرش موجب این درد و اندوه گشته است، زیرا چیزی نفرت‌انگیزتر از آن نیست که زنی سالخورده از جانب شوهرش طرد شود.

من و عبدالله و امانی فاطمه را به سوی صندلی راحتی‌ای در اتاق نشیمن بردیم و مها پخت و پز نیمه کارهٔ فاطمه را ادامه داد.

فاطمه در حال حرکت شیون می‌کرد و دستش را بر روی سرش نهاده بود. انگار از دردی بزرگ رنج می‌برد.

برای دانستن علت ناراحتی فاطمه، به بچه‌ها اشاره کردم که از اتاق خارج شوند. سپس با صراحت از او پرسیدم: «فاطمه، عبدل طلاقت داده؟»

فاطمه سرش را بلند کرد و به من نگاه کرد و سؤال مرا زیر لب تکرار کرد. «عبدل طلاقم داده؟» بعد لبخند زد. «آن پیرمرد؟ اگر این کار را بکند، سرش را مثل تخم‌مرغ داغان می‌کنم و مغزش را در تابه سرخ می‌کنم.»

به زحمت جلوی خندهٔ بلندم را گرفتم، زیرا کریم همیشه اعتقاد داشت که عبدل به شدّت از فاطمه واهمه دارد، و دست‌کم زنی در دنیای عرب وجود داشت که نیازی به پند و اندرز من نداشت.

عبدل نصف هیکل فاطمه را داشت و کریم یک بار که سر زده وارد خانه شده بود، فاطمه را دیده بود که با تخته‌ای شوهرش را کتک می‌زد.

پرسیدم: «خب، پس مسئله چیست؟»

فاطمه صورت پر چین و چروکش را در هم کشید و غرق در افکار خود شد. آه سنگینی کشید، و من از خودم سؤال کردم که علت این درد جانکاه چه ممکن است باشد.

ناگهان چهرهٔ رنگ‌پریدهٔ فاطمه شعله‌ور شد و شروع به حرف زدن کرد.

«نوه‌ام، اَلحان. پدرش شیطان است. الاغ است. همان ناصر. اگر دخترم می‌گذاشت، با همین دستهایم او را خفه می‌کردم. امّا نه، او و خانواده‌اش باید به سزای عملشان برسند!»

خشم در چشمان فاطمه زبانه می‌کشید و سینه‌های بزرگش بالا و پایین می‌رفت. «دختر خودم از من می‌خواهد که مداخله نکنم.» با نفرت به من نگاه کرد و گفت: «فکرش را بکنید، من در زندگی نوه‌ام دخالت نکنم.»

من که گیج شده بودم، پرسیدم: «ناصر چه کار کرده؟» و با خودم فکر کردم که اگر مادرِ دختر اعتراضی ندارد، پس صدمه‌ای به او وارد نشده است.

با تعجب فاطمه را دیدم که بر روی قالی تازهٔ اتاق تفی انداخت.

فاطمه در هم و برهم حرف می‌زد. به ناصر ناسزا می‌گفت و به خداوند التماس می‌کرد که به نوه‌اش کمک کند.

صبرم تمام شده بود. صدایم را بلند کردم و از او ماجرا را پرسیدم: «فاطمه، بگو چه اتفاقی افتاده؟»

فاطمه دستم را محکم فشرد و گفت: «امشب، امشب می‌خواهند اَلحان را زن بکنند. دلاک را خبر کرده‌اند. این کارها لازم نیست. من برای هیچ‌کدام از دخترهایم دلاک خبر نکردم. همه‌اش تقصیر این ناصر است. خانم، شما را به خدا کمک کنید.»

ناگهان گذشته‌ها در مقابل چشمانم جان گرفت. داستان وحشتناکی را که خواهر بزرگ‌ترم، نورا، برایم نقل کرده بود، فراموش نکرده بودم.

من و کریم هنوز ازدواج نکرده بودیم و من شانزده ساله بودم. مادرم به تازگی فوت کرده بود و من از نورا خواسته بودم که ختنهٔ زنها را برایم توضیح بدهد. تا آن زمان نمی‌دانستم که نورا و دو خواهر دیگرم تحت این عمل وحشیانه قرار گرفته بودند، که نتیجه‌اش دردی مادام‌العمر بود.

در گذشته‌ای نه چندان دور، در عربستان سعودی ختنهٔ زنها متداول بود و هریک از قبایل سنتهای خاص خود را دنبال می‌کردند. همین سال گذشته، کتابی را که عبدالله از لندن خریده بود، می‌خواندم. کتاب وادی خالی نام داشت. این کتاب را سنت جان فیلبی، که جهانگرد انگلیسی معروفی بود، با همکاری پدربزرگ من، عبدالعزیز آل سعود، نوشته بود. فیلبی در دههٔ ۱۹۳۰ به اکتشافات زیادی در عربستان دست یافته بود.

من با لذت مشغول خواندن این کتاب بودم که تاریخ قبایل بدوی عرب را شرح داده بود. امّا با خواندن فصلی که در مورد ختنهٔ زنها در عربستان به نگارش درآمده بود، اندوه بر من چیره شده بود. ناگهان درد و رنج خواهرانم در مقابل چشمانم جان گرفته و با خواندن گفتگویی میان فیلبی و مردان عرب، اشکهایم سرازیر شده بود.

«این مراسم مناسیر نام دارد. دختر تا زمان ازدواج دست‌نخورده باقی می‌ماند، و سپس یکی دو ماه قبل از مراسم ازدواج، جشنی برپا می‌کنند و در این زمان او را ختنه می‌کنند، نه در زمان تولد که در میان سایر قبایل عرب رایج است. پس زنهای این قبیله تا زمان ازدواج گرم و شهوانی هستند، و در آن زمان همه‌چیز را از آنها می‌گیرند. این عمل در چادرها و توسط زنانی ماهر انجام می‌گیرد که یک دلار

و یا کمی بیشتر دستمزد می‌گیرند. آنها از چاقو، قیچی، تیغ و یا سوزن استفاده می‌کنند...»

این مقاله مرا به فکر واداشت. آیا زن کامل از نظر مردها، زنی شهوانی بود؟ من می‌دانستم که این عمل موجب وحشت زنها از ایجاد ارتباط جنسی با همسرانشان می‌شود، و به این نتیجه رسیدم که در زمان مثله کردن زنها، هیچ منطق و الگویی وجود ندارد.

پدربزرگ من، عبدالعزیز آل سعود، مردی بود که جلوتر از زمان خود می‌اندیشید و از رشد و پیشرفت در هر زمینه‌ای استقبال می‌کرد. او که از سرزمین نجد برخاسته بود، به ختنهٔ دخترها اعتقاد نداشت.

برخی از قبایل ختنهٔ زنها را ممنوع ساخته‌اند، اما برخی دیگر به برداشتن بخشی از کلیتوریس اکتفا می‌کنند. این عمل کمتر متداول است و تنها جریانی است که همسان ختنهٔ مردانه است.

اما زنان بینوایی از عربستان بودند که به قبایلی تعلق داشتند که به برداشتن کامل کلیتوریس اعتقاد داشتند. این روش رایج‌تر از سایر روشهاست. مادرم که از سنتهای کهنه حمایت می‌کرد، سه تن از خواهرانم را تسلیم این عمل شقاوت‌آمیز کرد. سایر خواهرانم به دلیل مداخلهٔ پزشکی غربی و اصرار پدرم، جان سالم به در بردند. گفتنی است که ختنهٔ دخترها به اصرار مادران مسلمان صورت می‌گیرد، زیرا ترس از آن دارند که امیال جنسی فرزندشان ظاهر شود و باعث بی‌آبرویی خانواده و در نتیجه بی‌شوهر ماندن دختر شود. در این مبحث خاص، مردهای تحصیلکرده، قدمی جلوتر از همسرانشان برداشته‌اند.

روش خطرناک‌تری نیز برای ختنهٔ زنان وجود دارد. من قادر به تجسم درد زنانی که تحت این عمل قرار می‌گیرند، نیستم. این افراطی‌ترین روش متداول است و در این جریان، همهٔ بخشهای اندام زنانه برداشته می‌شود.

این سنتهای بدوی که هنوز هم بر جامعه‌مان حکومت می‌کند، چقدر وحشیانه است! در عربستان سعودی موفقیتهایی در جهت نابودی چنین سنتهایی کسب شده و اکثریت زنان سرزمینم از چنین تجربهٔ ناگواری جان سالم به در

برده‌اند. مردان خانوادهٔ من اجرای چنین سنتی را ممنوع کرده‌اند. با این حال پاره‌ای از خانواده‌های آفریقایی‌تبار که در عربستان زندگی می‌کنند، حاضرند مجازات این عمل ممنوعه را بپذیرند و این سنت وحشیانه را اجرا کنند، زیرا به جرئت سوگند می‌خورند که نابودی میل جنسی در زن، تنها راه نجات او از گمراهی است!

می‌دانستم که این سنت در کناره‌های رود نیل شکل گرفته است، و با این حال امیدوار بودم که این بربریت در همان نقطه‌ای که آغاز شده بود، به پایان برسد. امّا هنوز هم بسیاری از زنان این منطقه و سایر مناطق آفریقایی محکوم به تحمل این عمل غیرانسانی بودند.

از آنجایی که این عمل وحشیانه در خانوادهٔ من صورت نمی‌گرفت، در طول سال‌ها، تصور وحشتناک مثله کردن زن‌ها را از ذهنم رانده بودم.

اکنون فاطمه به آستین من آویخته بود. حالت التماس‌آمیزش مرا به لحظات حال بازگرداند. با اندوهی عمیق چهرهٔ جوان الحان را به خاطر آوردم. او بارها برای ملاقات مادربزرگش به ویلای ما آمده بود. دختر قشنگی بود که باهوش و شاد به نظر می‌رسید. در ذهنم مجسم کردم که دخترک را به جانب قتلگاهش می‌کشانند و باکمک مادرش او را در مقابل چاقوی تیزی قرار می‌دهند.

ترس وجودم را فراگرفت و از خود پرسیدم که چگونه مادر دختر راضی به اِعمال چنین عمل وحشتناکی بر دختر زیبایش می‌شود. با این حال، به خاطر آوردم که مادر خود من نیز از چنین ماجرایی استقبال می‌کرد. سازمان جهانی بهداشت اعلام کرده است که ۸۰ تا ۱۰۰ میلیون دختر در سراسر جهان تحت این عمل وحشیانه قرار گرفته‌اند، و چه درد و رنجی را تحمل کرده‌اند!

فاطمه با امید به صورت من نگاه کرد و پرسید: «خانم، می‌توانید نوه‌ام را نجات بدهید؟»

سرم را با سنگینی تکان دادم. «چه کاری از دست من ساخته است؟ من عضو خانواده نیستم و آنها دخالت مرا نمی‌پسندند.»

«شـما یک شاهزاده‌خانم هستید. دخترم به یک شاهزاده‌خانم احترام

می‌گذارد.»

از سالها پیش دریافته بودم که فقرا، اغنیا را عاقل و با درایت می‌دانند. امّا این مبحثی فرهنگی بود و من به طور غریزی می‌دانستم که دختر فاطمه از مداخلهٔ من در این امر استقبال نخواهد کرد.

دستم را با ناامیدی تکان دادم و گفتم: «فاطمه، چه کار می‌توانم بکنم؟ من از زمانی که خودم را شناخته‌ام، تلاش کرده‌ام که زنها را از چنین فجایعی نجات بدهم. امّا به نظر می‌رسد که دنیا برای همجنسان من روز به روز تاریک‌تر و تاریک‌تر می‌شود.»

فاطمه چیزی نگفت و اندوه عمیقی چشمان سیاهش را پوشاند.

«اگر می‌توانستم، به نوه‌ات کمک می‌کردم. امّا من قدرتی ندارم.»

فاطمه به رغم ناامیدی‌اش مرا سرزنش نکرد و با چشمان بسته التماس کرد: «خانم، حرف شما را می‌فهمم، امّا خواهش می‌کنم همراه من به خانهٔ دخترم بیایید.»

از سرسختی و سماجت فاطمه متعجب شده بودم. احساس می‌کردم که مقاومتم در هم می‌شکند. بدنم لرزید و با صدای ضعیفی پرسیدم: «دخترت کجا زندگی می‌کند؟»

فاطمه با لحنی هیجان‌آلود جواب داد: «خیلی نزدیک. با ماشین راه کوتاهی است. اگر همین حالا برویم، قبل از آنکه ناصر از سرِ کار به خانه برگردد، به آنجا می‌رسیم.»

همهٔ شهامتم را به کمک طلبیدم و از جایم بلند شدم. به خودم گفتم به رغم شکستی حتمی که در انتظارم خواهد بود، باید تلاش کنم. می‌دانستم که ناچار خواهم بود به کریم دروغ بگویم، چون در غیر این صورت اجازهٔ رفتن به من نمی‌داد.

«فاطمه، برو حاضر شو. به هیچ کس هم چیزی نگو.»

«چَشم، خانم. این کمک خداوند است که مرا همراهی می‌کنید.»

او را که با عجله اتاق را ترک می‌کرد، تماشا کردم. هرگز این چابکی را در

فاطمه ندیده بودم. به رغم فاصلهٔ عمیقی که میان دنیای من و فاطمه وجود داشت، من و او دوستان نزدیکی بودیم که برای یک هدف می‌جنگیدیم.

من موهایم را شانه کردم و ماتیکی به لبهایم زدم و کیفم را برداشتم. در این میان دروغی را که قرار بود تحویل شوهرم بدهم، ساختم و پرداختم. به کریم می‌گفتم که دختر فاطمه به مرض زنانهٔ خطرناکی مبتلا شده است و حاضر نیست به ملاقات پزشک برود، و اعتقاد دارد که هر چه خداوند بخواهد، اتفاق خواهد افتاد. او حاضر نیست هیچ پزشک مردی او را درمان کند. فاطمه التماس کرده که به ملاقات دخترش بروم و از او بخواهم که دست‌کم به خاطر بچه‌هایش با این بیماری بجنگد و زنده بماند. و برای آنکه کریم را بیشتر متقاعد سازم، به او می‌گفتم که اصلاً میل به رفتن ندارم، امّا اگر دختر فاطمه بمیرد، هرگز خودم را نخواهم بخشید. این صحنه‌سازی ضعیفی بود، امّا کریم حتی اگر معترض هم بود، حرفی نزد و اجازهٔ رفتن داد.

بعد روشن شد که من ناچار به گفتن چنین دروغ بزرگی نبودم، زیرا عبدالله به من گفت که در غیابم، یکی از عموزادگان کریم به او تلفن کرده بود و قرار گذاشته بودند که در کازینوی قاهره همدیگر را ملاقات کنند. کریم از عبدالله خواسته بود به من اطلاع دهد که تا دیروقت به خانه برنخواهد گشت. به خوبی می‌دانستم که شوهرم با گریز از خانه، درصدد است که از قبول پیشنهاد پسرمان که او را تشویق به کمک به اقتصاد متزلزل لبنان می‌کرد، اجتناب کند. با خودم فکر کردم که این عمل کریم به بدی دروغی است که من به او گفته‌ام. شوهرم قادر به گفتنِ نه نبود، امّا تلاش می‌کرد که خودش را از چشم درخواست‌کننده دور سازد.

گفتم: «چه خوب!» شاید این گریز کریم از خانه در مناسب‌ترین زمان ممکن اتفاق افتاده بود.

عبدالله پس از دادن پیغام پدرش، متوجه برنامهٔ تلویزیونی شد. دیدم که با تماشای یک مجموعهٔ تلویزیونی مصری، مسحور شده بود. این برنامه‌ای بود که در میان ملیتهای مختلف عرب بسیار محبوبیت داشت. امانی را دیدم که با نگاهی

انتقادآمیز عبدالله را تماشا می‌کرد. دخترم از رفتار برادرش ناراضی بود، زیرا این برنامهٔ خاص در عربستان اجازهٔ نمایش نداشت. صحنه‌های مختلفی که حکایت از روابط زن و مرد می‌کرد، در عربستان ممنوع بود.

«عبدالله، می‌توانی مرا به خانهٔ دختر فاطمه برسانی؟»

پسرم از هر فرصتی برای راندن مرسدس بنز تازه‌ای که کریم خریده و به ویلایمان در قاهره فرستاده بود، استفاده می‌کرد. می‌دانستم که کریم مرسدس بنز قدیمی را برای رفتن به منطقهٔ شلوغ شهر انتخاب کرده است، زیرا راننده‌های تاکسی در آن منطقه با سرعت سرسام‌آورشان او را دچار وحشت می‌کردند.

عبدالله با حرکت سریعی تلویزیون را خاموش کرد و از جایش بلند شد و گفت: «من می‌روم ماشین را بیاورم.»

خیابانهای قاهره مملو از اتومبیلهای مختلف بود و عبور و مرور تقریباً بند آمده بود. عابران با سرعت از مقابل اتومبیلها عبور می‌کردند. در اتوبوسهای مملو از مسافر، زن و مرد خود را به میله‌های اطراف اتوبوس و یا به پنجره‌ها آویخته بودند. انگار این طبیعی‌ترین روش رفت‌وآمد بود.

در حالی که اتومبیلمان با سرعتی اندک به جلو می‌رفت، من با حیرت به تودهٔ جمعیتی که در خیابان به چشم می‌خورد، خیره شده بودم. با نگرانی به خود گفتم که این شهر نمی‌تواند به این صورت دوام بیاورد و به زودی اتفاقی خواهد افتاد.

عبدالله با پرسیدن نشانی دختر فاطمه، افکارم را به هم ریخت.

پسرم را سوگند دادم که این راز را حفظ کند، و داستان نوهٔ فاطمه را برایش نقل کردم. هاله‌ای از خشم چهرهٔ پسرم را فراگرفت.

عبدالله گفت که چنین داستانهای رسوایی‌آمیزی را شنیده است، امّا آنها را باور نمی‌کرده. او از من سؤال کرد. «این جریان واقعیت دارد؟ این کار را با دخترهای جوان انجام می‌دهند؟»

می‌خواستم قصهٔ تلخ خاله‌اش نورا را برایش نقل کنم، امّا مقاومت کردم، زیرا

این مسئله‌ای بسیار خصوصی بود و نورا در مقابل پسرم احساس شرمندگی می‌کرد. پس چگونگی ختنهٔ دخترها را برایش نقل کردم.

پسرم از شنیدن اینکه چنین عمل وحشیانه‌ای در سرزمینمان خاتمه یافته است، خوشحال شد، و با این حال تحمل درد سایر زنانی که به این سرنوشت شوم دچار می‌شدند، برایش غیرممکن بود.

بقیهٔ راه را همه در سکوت گذراندند. هر یک از ما در افکار خود غوطه می‌خوردیم.

دختر فاطمه در یکی از کوچه‌های فرعی مرکز خرید قاهره زندگی می‌کرد. عبدالله با پرداخت مبلغ گزافی به صاحب یک مغازهٔ فروش البسه، اتومبیلش را در پیاده‌روی مقابل مغازهٔ مرد پارک کرد و به او قول داد که اگر مراقب اتومبیلش باشد، مبلغ بیشتری به او خواهد داد. سپس در حالی که دستش را بر پشت من و فاطمه قرار داده بود، از میان سیل جمعیت ما را به درون کوچه هدایت کرد. کوچه آن‌قدر باریک بود که برای اتومبیلها قابل عبور نبود. پس ما پیاده به جانب خانهٔ فاطمه حرکت کردیم. بوی غذاهای ادویه‌دار عربی فضای کوچه را پُر کرده بود، زیرا کافه‌های زیادی در کوچه وجود داشت.

من و عبدالله نگاههایی رد و بدل کردیم، زیرا هرگز بخش فقیرنشین قاهره را ندیده بودیم. خانه‌های کوچک و متصل به هم و ساکنان فقیر آن ما را حیرت‌زده کرده بود.

دختر فاطمه در ساختمان سه طبقه‌ای در وسط کوچه زندگی می‌کرد. ساختمان رو به روی مسجد محل قرار داشت که مخروبه بود و نیاز به مرمّت کامل داشت. طبقهٔ اوّل را یک نانوایی اشغال کرده بود و دو طبقهٔ بالای آن مسکونی بود. فاطمه گفت که دخترش، الهام، در طبقهٔ سوم زندگی می‌کند. ظاهراً الهام از پنجره بیرون را نگاه می‌کرد و مادرش را دیده بود. در میان هیاهوی عابران، صدای الهام به گوشمان رسید که مادرش را صدا می‌کرد.

عبدالله نمی‌دانست که زنان این خانواده اجازهٔ ملاقات مردهای غیرخویشاوند را دارند (در مصر این سنت از خانواده‌ای به خانوادهٔ دیگر متغیر

است)، و به من گفت که در یکی از کافه‌های این کوچه که ساندویچ شاوارما (گوشت گوسفند لای نان عربی همراه با گوجه‌فرنگی، نعناع و پیاز) می‌فروخت، منتظرمان خواهد ماند. این ساندویچ موردعلاقهٔ هر سه فرزندم بود، و عبدالله گفت که احساس گرسنگی می‌کند.

الهام و سه تن از چهار فرزندش در راه‌پله به استقبالمان آمدند و همگی با هم با حالتی نگران سؤال کردند که چه اتفاقی افتاده است.

نخستین فکری که از ذهنم گذشت، این بود که الهام کاملاً شبیه جوانی مادرش است.

فاطمه مرا به الهام معرفی کرد، و الهام بهت‌زده به من خیره شد. او هرگز یک شاهزادهٔ سعودی را ملاقات نکرده بود. من نیز الهام را ندیده بودم، اگرچه بسیاری از فرزندان و نوادگان فاطمه را دیده بودم. ناگهان از استفاده از جواهراتم احساس شرمندگی کردم. در شتابی که برای رسیدن به خانهٔ الهام داشتیم، فراموش کرده بودم گوشواره‌های برلیان گران‌قیمت و انگشتر ازدواجم را که نگین بزرگی آن را مزیّن می‌کرد، در خانه درآورم. دختر کوچک شش‌سالهٔ الهام به آرامی انگشتش را بر روی نگین انگشترم کشید، و مادرش با سیلی محکمی او را به عقب راند.

با اصرار الهام، وارد اتاق نشیمن شدیم، و او برای درست کردن چای ما را تنها گذاشت. فاطمه دو تن از نوه‌هایش را بر روی زانوانش نشانده بود و دیگری را در کنار پایش. الحان دیده نمی‌شد.

به اطرافم نگاه کردم. الهام زندگی ساده‌ای داشت. سعی کردم به فرش‌های فرسوده‌ای که کف زمین را پوشانده بود، نگاه نکنم. میز مربّعی در کنار دیوار دیده می‌شد که کتاب‌های متعدد مذهبی آن را پوشانده بود. یک چراغ گازی از سقف آویزان بود و من از خودم سؤال کردم که آیا آپارتمان فاقد برق است. با نگاهی به اطراف دریافتم که این خانهٔ فقیرانه از تمیزی برق می‌زند. روشن بود که الهام زنی کدبانو و نظیف است.

الهام کمی بعد برگشت و سینی چای را همراه با شیرینی‌های بادامی که می‌گفت خودش به مناسبت جشن آن شب پخته بود، بر روی زمین گذاشت. او به مادرش

گفت که الحان بسیار هیجان‌زده است و در پشت‌بام مشغول خواندن قرآن است و خودش را برای مهم‌ترین روز زندگی‌اش آماده می‌کند.

تا زمانی که فاطمه نگرانی‌اش را مطرح نکرده بود، فضای خوشایندی بر اتاق حاکم بود. امّا فاطمه شروع به التماس کرد و از دخترش خواست که نظرش را عوض کند و الحان را از درد و رنج نجات بخشد. فاطمه از چهرهٔ دخترش دریافت که گفته‌هایش کمترین تأثیری در تصمیم او نداشته است. پس به او گفت که اگر حاضر به قبول گفته‌های مادرش نیست، دست‌کم به توصیه‌های یک شاهزاده خانم تحصیل‌کرده گوش کند که دارای عقل و درایت است و از پزشکان معتبر شنیده است که دین اسلام ختنهٔ دخترها را تشویق نمی‌کند و این در دنیای امروز سنتی فرسوده و بی‌مفهوم است.

تنش اتاق را فراگرفت. الهام مؤدبانه به گفته‌های من گوش کرد، امّا خیلی زود قاطعیت تصمیمش را در چشمانش خواندم. من که از گفته‌های فاطمه می‌دانستم خانوادهٔ الهام بسیار مذهبی است، از اصول مذهبی کمک گرفتم و به او گفتم که در هیچ کجای قرآن به این امر اشاره‌ای نشده است و اگر خداوند این امر را واجب می‌دانست، پیام خود را به گوش پیامبرش می‌رساند تا مردم را آگاه سازد.

الهام اعتراف کرد که در قرآن اشاره‌ای به ختنهٔ دختران نشده است، امّا این کار بر اساس روایات پیامبر شکل گرفته است و اکنون به صورت حکمی واجب برای همهٔ مسلمانان درآمده است. او به حدیث معروفی اشاره کرد که بر طبق آن، روزی حضرت محمّد به ابن عطیّه، زنی که این عمل را با دخترها انجام می‌داده، فرموده‌اند: «ضعیفش کن، امّا نابودش نکن.»

بر اساس همین حدیث، الهام و شوهرش قصد ختنهٔ دخترشان را داشتند و آنچه من بر زبان آوردم، تأثیری در تصمیمشان نداشت.

ما همچنان به مذاکره ادامه دادیم، تا زمانی که احساس کردم اتاق کم‌نور شده و غروب آفتاب نزدیک است. می‌دانستم که ناصر به زودی به خانه برمی‌گردد، و هرگز قصد نداشتم در مورد چنین موضوع حساسی با او بگومگو کنم. گفتم که باید به خانه برگردم.

فاطمه احساس کرد تلاش ما بی‌ثمر مانده و شروع به ناله و شیون کرد و آن‌قدر سیلی به صورت خود نواخت که چهره‌اش آتش گرفت.

الهام احساس ناراحتی می‌کرد و نگران مادرش بود، امّا می‌گفت که این تصمیم شوهرش است و او با این تصمیم موافقت کرده است و هـر چهار دخترش بـا رسیدن به سنّ مناسب، ختنه خواهند شد.

احساس می‌کردم که الهام بی‌صبرانه منتظر رفتن ماست، و احساس می‌کردم که برای دختران این خانه کاری از دستم ساخته نیست. پس از جایم بلند شدم و خداحافظی کردم.

الهام با اعتماد به نفس کامل به من نگاه کرد و مؤدبانه خداحافظی کرد. «شما با آمدنتان به خانه‌مان، مرا غرق افتخار کردید. خواهش می‌کنم باز هم ما را سرفراز کنید و باز هم به اینجا بیایید.»

فاطمه به رغم میل دخترش، در خانهٔ او ماند تا در مراسم شرکت کند و گفت اگر قرار است این مراسم شیطانی انجام گیرد، او نیز در کنار الحان خواهد ماند تا اطمینان یابد که کمترین صدمهٔ ممکن به نوه‌اش وارد خواهد شد.

من بی‌آنکه به هدفم دست یافته باشم، شکست را پذیرفتم و خانهٔ الهام را ترک کردم. در حالی که از پله‌ها پایین می‌رفتم، سنگینی پاهایم را احساس مـی‌کردم. برای آنکه کمی آرام بگیرم، در میان پله‌ها ایستادم و آیه‌ای از قرآن را خواندم. «تو نمی‌توانی همه کس را به راه راست هدایت کنی. پروردگار است که چنین قدرتی دارد.»

پسرم منتظر بود. او بر سر میز کوچکی در مقابل کافه نشسته بود. در حالی که به سوی او می‌رفتم، با نگاه‌های پرسشگرش مرا برانـداز مـی‌کرد. بـا کنجکاوی پرسید: «خُب؟»

«نتوانستم کاری انجام دهم.»

چهرهٔ عبدالله در هم رفت.

«بیا، باید به خانه برگردیم.»

از بالای شانه‌ام نگاهی به آسمان تاریک انداختم. خانهٔ الهام نیز در تاریکی گم

شده بود. انگار هرگز وجود خارجی نداشت.

به محض آنکه پسرم خواست حرف بزند، دستم را بر روی لبهایش فشردم.

قادر به جلوگیری از اشکهایم نبودم. پسرم در سکوت مادر گریانش را به خانه برد. به محض آنکه وارد ویلا شدم، به دخترهایم گفتم که هر کاری در دست دارند زمین بگذارند و چمدانهایشان را ببندند، چون به محض آنکه پدرشان به خانه بیاید، قاهره را ترک خواهیم کرد.

آهسته به عبدالله گفتم که شهری که از دوران کودکی موردعلاقه‌ام بود، اکنون نفرت مرا به خود جلب می‌کرد، اگرچه امیدوار بودم که ماجرای آن روز مرا از سایر خصوصیات مصر منزجر نسازد.

نگاه عبدالله به من می‌گفت که حرفهایم را درک می‌کند. خوشحال بودم که پسرم به منطق من پی برده است.

کمی بعد کریم وارد خانه شد. بوی الکل از دهانش به مشام می‌رسید، که بلافاصله امانی را بر آن داشت برای پدرش دعا کند و از خداوند بخواهد که گناهان پدرش را عفو کند. امانی در میان دعاهایش به آتش جهنم اشاره کرد که اعضای خانواده‌اش را خواهد سوزاند.

من که حال بدی داشتم، حوصله‌ام از حرفهای تکراری امانی سر رفته بود. می‌دانستم که او از هر فرصتی برای انتقاد از افراد خانواده‌اش استفاده می‌کند. با لحنی جدّی به او گفتم که هنوز پیام خداوند را مبنی بر رسالت او دریافت نکرده‌ام، و او وظیفه ندارد اطرافیانش را دچار وحشت سازد.

دستم را دراز کردم تا گونهٔ امانی را نیشگون بگیرم. کریم دستم را محکم گرفت و به سینه‌اش چسباند و به امانی دستور داد که اتاق را ترک کند و دعاهایش را در اتاقش کامل کند.

شوهرم که مست لایعقل بود، صدای اعتراضش را بلند کرد و گفت که من هرگز قادر به مهار خشم خود نیستم، و حال زمان آن رسیده است که درس مناسبی به من بدهد.

ما مدتی به همدیگر خیره شدیم. کریم ساکت ایستاده بود و به انتظار دریافت

جوابی از من بود. لبهایش را با تحقیر به هم می‌فشرد. کاملاً روشن بود که یکی از مواقع نادری است که کریم خیال جنگ دارد.

با سرعت به اطراف اتاق نگاه کردم تا چیزی برای حمله به شوهرم پیدا کنم. من زنی هستم که در موقعیتهای تهدیدآمیز به اعمال وحشیانه دست می‌زنم. اما کریم که به خوبی مرا می‌شناخت، بلافاصله میان من و گلدانی برنجی که برای حمله در نظر گرفته بودم، قرار گرفت.

ناگهان احساس کردم که میل به جدال وجودم را ترک کرده است و باید متوسل به عقل شوم. به علاوه، هیکل کریم دو برابر من بود و من بدون داشتن اسلحه‌ای خیلی زود در مقابل او از پا درمی‌آمدم. همچنین به خوبی می‌دانستم که در چنین موقعیتی اجتناب از جدال راه بهتری است، زیرا تجارب گذشته به من نشان داده بود که جر و بحث با آدمی مست بی‌ثمر است. امّا به شدت آزرده‌خاطر بودم و از خود سؤال می‌کردم که چگونه زمانی این مرد را دوست می‌داشتم.

برای پرهیز از جدال بی‌ثمر، خیلی زود روش خود را عوض کردم. خندیدم و به کریم گفتم: «نگاه کن، تو درست مثل فیلی هستی که مورچه‌ای را تهدید می‌کند!» بعد به روی او لبخند زدم و گفتم که خیلی خوشحالم شوهرم زود به خانه برگشته است و من به مصاحبت او نیازی شدید دارم تا برایش درد دل کنم.

کریم خیلی زود تسلیم شد. او که از تغییر ناگهانی رفتارم دچار حیرت شده بود، خیلی زود در دام افتاد و از کلماتی که بر زبان آورده بود، پشیمان شد. بعد در حالی که شانه‌ام را نوازش می‌کرد و عذرخواهی می‌نمود، از من دلیل ناراحتی‌ام را پرسید.

به ساعتم نگاه کردم. تقریباً نُه شب بود. با یادآوری این مطلب که الحان بی‌گناه به زودی زیر چاقو قرار خواهد گرفت، افکار دیگر را فراموش کردم و به شوهرم گفتم که زندگی هرگز برای زنها شیرین نخواهد بود و از نظر من، مرگ برای زنها بهتر از زندگی است.

کریم قادر به درک گفته‌های من نبود. از من سؤال کرد که چرا از زندگی‌ام راضی نیستم و آیا خواسته‌ای دارم که شوهرم قادر به تحقق آن نیست؟

او با آگاهی از اینکه منبع اغلب آزردگیهای من بی‌عدالتی نسبت به زنهاست، گفت که ما باکمک یکدیگر محیط خانه‌مان را برای دخترهایمان عاری از هر نوع تعصب و فشار اجتماعی ساخته‌ایم؛ همان چیزی که زنهای سرزمینمان را عذاب می‌دهد. و یک مرد بیش از این چه می‌تواند برای عزیزانش انجام بدهد؟

کریم باگرمی به روی من لبخند می‌زد. ناگهان این فکر به ذهنم خطور کرد که او از موهبت جذابیت برخوردار است؛ جذابیتی که خصوصیات ناخوشایندش را تحت‌الشعاع قرار می‌دهد.

کریم گفت که تولد من در عربستان سعودی، سرنوشت من است و در نهایت، زنها ناچار به قبول محدودیتهایی هستند که فرهنگمان بر آنها تحمیل می‌کند. شوهرم به من یادآوری کرد که خداوند از همه چیز آگاه است و من هرگز به حکمت خداوند در این مورد و تولدم در این خاک پی نخواهم برد.

در حالی که هنوز احساساتم با هم در جدال بودند، باز هم هجوم نفرت را نسبت به کریم احساس کردم. چرا همهٔ مردها زن نمی‌شدند و در دنیای محدود و ظالمانهٔ ما زندگی نمی‌کردند تا به واقعیات پی ببرند؟ دلم می‌خواست فریادهای خشمم را بر سر شوهری که قادر به درک رنجهای جنس مخالف خود نبود، خالی کنم.

چگونه زنی می‌تواند احساس همدردی مرد را نسبت به غم و دردی که بر روی کرهٔ زمین در حرکت است و به نوبت در مقابل پای یک یک زنها به زمین می‌نشیند، جلب کند؟ امّا افکارم عبث بود. به شوهرم پیشنهاد کردم که هر چه زودتر به بستر برویم تا فردا صبح با افکار تازه‌تر و شیرین‌تری از خواب بیدار شویم.

کریم پیشنهاد مرا قبول کرد و به بستر رفت. شوهرم همیشه پس از خوردن الکل آمادهٔ جدال بود، و اکنون با تغییر روش من و پرهیز از جدال، بدون مقاومت به رختخواب رفت. به سراغ فرزندانم رفتم و به آنها گفتم که ما در سر میز شام حاضر نخواهیم شد و آنها چمدانهایشان را حاضر کنند تا فردا صبح قاهره را ترک کنیم.

زمانی که به اتاق خوابمان برگشتم، شوهرم به خواب عمیقی فرو رفته بود. من که هنوز هم با افکار انقلابی‌ام و با فاجعهٔ الحان در جـدال بـودم، بـه یـاد گفته‌های کریم افتادم. او حق داشت. سرنوشتم بود که مرا زنی سعودی خلق کرده بود. با این حال، به رغم فرودست بودن نسبت به جایگاه مرد، به خوبی می‌دانستم که هرگز تسلیم پذیرش مطیعانهٔ چنین سنتهای شرم‌آوری نخواهم شد.

قبل از آنکه به خواب آشفته‌ای فـرو روم، بـا خـود عـهد کـردم کـه خشـم و نگرانی‌ام نسبت به سرنوشت دخترانـی چـون الحـان، سـنتهای بـدوی را نـابود سازد.

۱۱

مونت‌کارلو

«ضعیفه خواندن زن هتک حرمت است. این بی‌عدالتی مردها نسبت به زنان است. شـما بـاید از حیـثیت هـمسرتان دفـاع کـنید؛ و نـه اربـابش، کـه دوست نزدیکش باشید. نگذارید هیچ‌یک از شما دو نفر، دیگری را ابزار شهوت خود بداند.»

ــ مهاتما گاندی

فاطمه در حالی که به ما صبح‌به‌خیر می‌گفت، با تلاش فراوان تظاهر به آرامش و نشاط می‌کرد. او در آشپزخانه مشغول کار بود که ما از خواب بیدار شـدیم، و از شنیدن خبر تصمیم ناگهانی ما برای سفر به مونت‌کارلو دچار حیرت شد. ما قرار بود در ریویرای فرانسه به سه خواهرم و خانواده‌هاشان که تعطیلات خـود را در آنجا می‌گذراندند، ملحق شویم.

من فاجعهٔ شب گذشته را در ذهنم مجسم کرده بودم و می‌دانستم که کـلمات قادر به توصیف زشتی آن نیستند. با این حال، با ترفندی از افراد خانواده‌ام دور شدم و نزد فاطمه رفتم و ماجرای شب گذشته را از او سؤال کردم.

فاطمه در حالی که مشت‌هایش را گره کرده بود و شعلهٔ خشم در چشمانش زبانه

می‌کشید، گفت که به دستور دامادش، دلاک تمامی کلیتوریس الحان را برداشته و اکنون با درمانهای مختلف باید جلوی خونریزی را می‌گرفتند.

احساس گناهی سراسر وجودم را در بر گرفت که سزاوارش نبودم، زیرا تا آنجا که می‌توانستم برای جلوگیری از چنین عمل وحشیانه‌ای تلاش کرده بودم. با نگرانی از او سؤال کردم: «فکر می‌کنی که الحان دچار عوارض بعدی شود؟»

فاطمه با دیدن اشکهایم سعی کرد لحن کلامش را آرام سازد. مرا در آغوش کشید و گفت: «کاری است که شده و ما باید آن را قبول کنیم. شما هر چه می‌توانستید، کردید. خدا شما را حمایت کند که به افرادی هم که همخونتان نیستند، لطف و محبت دارید. مطمئن باشید که الحان هم حالش خوب می‌شود.»

نمی‌توانستم حرف بزنم. فاطمه مرا رها کرد و به چشمانم خیره شد. من و او مدتی به همان حال باقی ماندیم. هیچ‌یک حرکت نمی‌کردیم. و من احساس می‌کردم که سیل عشق و محبت از قلب فاطمه به سویم روان است.

فاطمه لبهایش را با زبانش مرطوب ساخت و گفت: «شاهزاده‌خانم سلطانه، دیشب شما را در خواب دیدم، و وظیفهٔ خود می‌دانم که این خواب را به شما بگویم.»

نفسم را نگه داشتم، از ترس آنکه پیام بدی دریافت کنم. با خودم فکر کردم که من هرگز قادر به پیش‌بینیهای ماوراءطبیعی نیستم.

فاطمه با اندوه به من نگاه کرد. «خانم، شما با مادیات زندگی احاطه شده‌اید، در حالی که قلبتان خالی است. این عدم رضایت شما از قلبتان سرچشمه می‌گیرد که به معصومیت قلب یک کودک است، اما در جسم یک زن قرار گرفته است. چنین ترکیبی منبع دشواریهای فراوان برای روح انسان است. از من خواسته شده که این پیام را به گوشتان برسانم که قبول حقایق مایهٔ شرم نیست و شما باید به شور و حرارتی که در رگهایتان جاری است، اجازه دهید خاموش گردد.»

چهرهٔ مادرم به صورت مبهمی از خاطرات گذشته‌ام جدا شد و در مقابلم ظاهر گشت. شکی نداشتم که مادرم از طریق فاطمه پیامش را به گوش کوچک‌ترین فرزندش رسانده است. کلمات فاطمه درست همان اندرزهایی بود

که مادرم در دوران کودکی به من می‌داد. آن موقع قادر به درک مفهوم کلمات مادرم نبودم، امّا حالا همه چیز فرق کرده بود. در آن زمان به رغم کودکی، می‌دانستم که تنها نگرانی مادرم در زمان مرگ، رفتار مهارنشدنی دختر کوچکش است که بدون داشتن راهنمایی او را ترک می‌کرد. مادرم ترس از آن داشت که در جوانی نیز در قبال مسائل زندگی تصمیمات عجولانه بگیرم و دردسرهای متعددی برای خود درست کنم.

مادر نازنینم با من ارتباط برقرار کرده بود.

ناگهان حرکت جریان گرم و مطبوعی را در بدنم احساس کردم و پس از روزهای متوالی، آرامش بر من حاکم شد. اکنون دیگر خاطرهٔ مادرم مبهم نبود و من به خوبی حضور وی را در کنارم احساس می‌کردم.

نالهٔ بی‌امانی که از گلویم خارج شد و هق هق گریه‌هایم، فاطمه را غافلگیر ساخت. خودم را میان بازوان قوی فاطمه رها کردم. خود را کودکی احساس می‌کردم که دیوانه‌وار آرزوی در آغوش کشیدن مادری را دارد که به او زندگی بخشیده است.

در آغوش فاطمهٔ مهربان فریاد کشیدم: «خوشبخت آنهایی که مادر دارند!»

در حالی که قاهره را ترک می‌کردیم، هنوز در فکر دختران نگون‌بخت آن شهر بودم. در گوش عبدالله گفتم که چنین فجایعی در مصر، زندگی در آن را دشوارتر از سایر کشورها می‌سازد.

بعدازظهر آن روز، هواپیمای اختصاصی ما در فرودگاه بین‌المللی نیس ـ کوت در جنوب فرانسه به زمین نشست. سه شوهر خواهرم ویلایی در بالای تپه‌های موناکو اجاره کرده و به کریم اطمینان داده بودند که فاصلهٔ زیادی با فرودگاه نخواهد داشت. اسد سه اتومبیل لیموزین تدارک دیده بود که خانواده و چمدانها را از فرودگاه به ویلا برساند.

این ویلا در واقع قصری بود که در گذشته به یک خانوادهٔ اشرافی فرانسوی تعلق داشت و دارای بیش از شصت اتاق بود، بنابراین فضای گسترده‌ای بیش از

اندازهٔ لازم در اختیارمان قرار داشت. هیچ یک از شوهران خواهرانم بیش از یک همسر نداشتند، بنابراین ترکیب این چهار خانواده که مرکب از هشت بزرگسال و شانزده فرزندشان بود، نسبت به گردهماییهای خانوادگی خانواده‌های عـرب بسیار کوچک بود.

سه شاهراه نیس را به موناکو اتصال می‌دهد، اما هیچ‌یک از ما مایل به عبور از جادهٔ ساحلی نبودیم که معمولاً به دلیل ازدحـام اتـومبیلها، عـبور و مـرور از آن دشوار است.

من شاهراه میانی را انتخاب کردم، زیرا با مناظر زیبای آن به خوبی آشنا بودم. کریم با من مخالفت کرد و گفت دخترهایمان باید تصمیم بگیرند.

مـن آهسته پـای او را نیشگون گـرفتم، امـا او هـمچنان مـی‌گفت کـه بـاید دخترهایمان جادهٔ دلخواهشان را انتخاب کنند.

همان‌طور که حدس می‌زدم، به زودی مها و امانی عقیدهٔ خـود را کـه مـطابق معمول متضاد یکدیگر بود، بیان کردند.

آهسته به کریم گفتم: «دیدی بهت گفتم؟».

دختران ما از زمانی که حرف زدن آموختند، در هیچ مـوضوعی بـه تـوافق نرسیده‌اند. به خودم اعتراف کردم که از زمان تولد سه فرزندم، زندگی‌مان هرگز جریان عادی نداشته است.

راننده اختلاف آنها را حل کرد و گفت که کامیونی حامل تـخم‌مرغ در جـادهٔ میانی تصادف کرده و راه بند آمده است و دو جادهٔ دیگر نیز به همین دلیل دچار ازدحام اتومبیلها شده است، بنابراین ما مسیری جز جادهٔ گـرانـد را نـمی‌تـوانـیم انتخاب کنیم.

امانی با همان خلق و خوی بچگانه‌اش شروع به غر و لند کرد، امّا مها و عبدالله سرحال بودند و به مناظر زیبای در اطراف جاده اشاره می‌کردند. آخرین سفرمان به موناکو سه سال پیشتر صورت گرفته بود.

جادهٔ گراند کورنیش را ناپلئون ساخته بود. او از مهندسان سازندهٔ این جـاده خواسته بود که الگوی رم قدیم را تقلید کنند. زیبایی مناظر غیرقابل توصیف بود.

به اطرافیانم گفتم که پس از تماشای سایه و روشن رنگهای کرم و قهوه‌ای کشورهای بیابانی، دیدن سرسبزی زیبای کشورهای اروپایی بسیار لذتبخش است.

امانی گفتهٔ مرا اهانتی به سرزمین پیامبر پنداشت و کریم که دیگر طاقتش طاق شده بود، از دخترش خواست که ساده‌ترین امور اجتماعی را با تعبیرات مذهبی‌اش ترکیب نکند.

به خودم گفتم که دخترک دُردانه‌ام به تدریج مبدل به انسانی نفرت‌انگیز می‌گردد. من مثل همیشه دیوانه‌وار دوستش داشتم، امّا گه‌گاه واکنشهای افراطی‌اش مرا به ستوه می‌آورد و باعث می‌شد از او بدم بیاید.

من از به پایان رسیدن این سفر و دیدار قریب‌الوقوع خواهرانم، سارا، تهانی و نورا، به وجد آمده بودم. اندکی بعد اتومبیل در مقابل ویلا توقف کرد.

خواهرانم با گرمی به استقبالمان آمده و در مقابل در به انتظارمان ایستاده بودند.

امّا خوشحالی من زیاد طول نکشید.

به محض آنکه مراسم خوش و بش به پایان رسید و فرزندانم به دنبال خاله‌زاده‌هایشان رفتند، نورا گفت: «ریما در بیمارستان بستری است.»

«چی؟» این چه نوع بیماری‌ای بود که پنجمین خواهرم را راهی بیمارستان کرده بود؟

سارا در حالی که نگاههای معنی‌داری با نورا رد و بدل می‌کرد، گفت: «ریما زخمی شده.»

تصادفات اتومبیل در عربستان عامل اصلی مرگ و میر افراد است، زیرا بسیاری از پسرهای جوان با بی‌پروایی در خیابانهای شهر حرکت می‌کنند.

من و خواهرانم در سکوت به همدیگر خیره شدیم. من پا به پا می‌شدم تا شاید یکی از خواهرها در مورد علّت جراحت ریما چیزی بگوید.

کریم و اسد در کناری ایستاده بودند و بی‌آنکه کلامی بر زبان آورند، به ما نگاه می‌کردند.

زمانی که سکوت ادامه یافت، طاقتم طاق شد. آیا خواهرم مرده بود؟ و هیچ‌کس جرئتِ دادنِ این خبر را به من نداشت؟

با ضعف پرسیدم: «جراحاتش جدّی است؟»

نورا گفت: «نه، زندگی‌اش در خطر نیست.»

اجتناب سعودیها از دادنِ اخبارِ بد دیوانه کننده است! دلم می‌خواست فریاد بکشم تا کسی واقعیت را به من بگوید و مرا از این نگرانی جانکاه نجات دهد.

«چه اتفاقی افتاده؟ شنیدن هر خبری بهتر از این نگرانی دیوانه کننده است.»

خواهرانم با حالتی غریب به هم نگاه کردند. به یقین ریما مرده بود!

اسد به آرامی دستش را روی بازوی سارا گذاشت و گفت: «برویم تو، من چای درست می‌کنم.»

من به دنبال سارا وارد ویلا شدم، بی‌آنکه به اطرافم توجّه کنم. فقط به ریما فکر می‌کردم. پنجمین دختر خانواده، همواره دلسوزی همهٔ ما را برمی‌انگیخت؛ از همان روز تولدش. ریما فاقد زیبایی و هوش و ذکاوت بود و اگرچه در صورت و اندامش جراحت و یا نقصی وجود نداشت، ظاهر جذابی نیز نداشت.

یک بار نورا نزد من اعتراف کرده بود که ریما تنها دختر خانواده بود که مادرمان سنگی آبی را که برای جلوگیری از نظر خوردن است، به گردنش نمی‌آویخت، زیرا چه کسی می‌توانست چنین دختر زشت‌رویی را چشم بزند؟

به علاوه، ریما از بدو زندگی دچار ازدیاد وزن شدید بود و کودکان بی‌احساس همواره به او طعنه می‌زدند.

از نُه خواهرم، سارا زیباترین آنهاست. میان سایر خواهرانم چهار تن زیبا هستند، سه تن جذاب‌اند و یک تن دیگر بسیار شیک‌پوش و خوش‌اندام است، و تنها ریمای بینواست که سهمی از زیباییهای ظاهری نبرده است. در خانواده‌ای که صاحب ده دختر بود، ریما از همه چیز محروم مانده بود. حتی در مدرسه و در اجرای بازیها نیز مهارتی نداشت. تنها مهارت ریما در تقلید از آشپزی مادرم بود و غذاهای عالی عربی و فرانسوی‌ای تهیه می‌کرد که موجب ازدیاد وزن هرچه بیشتر او می‌شد.

در جامعه‌ای که به چیزی جز زیبایی ظاهری زن توجه نداشت، ریمای بیچاره مطرود بود.

پس از آنکه در اتاق نشیمن دور هم جمع شدیم، کریم و اسد برای درست کردن چای از اتاق خارج شدند. با بسته شدن درِ اتاق، صدای پچ‌پچ اسد را با کریم شنیدم. به یقین می‌دانستم که شوهرم قبل از من به ماجرای ریما پی برده است.

«من باید حقیقت را بدانم. راستش را بگویید. ریما مرده؟»

نورا جواب داد: «نه.» چهرهٔ جدّی خواهرم به من می‌گفت که ماجرایی ساده نیست.

سرانجام تهانی گفت: «سلیم به او حمله کرده است.»

بدنم یخ کرد. «راستی؟»

نورا گفت: «خواهر عزیزمان مورد حملهٔ شوهرش قرار گرفته.»

از خودم سؤال کردم که سلیم چرا باید به همسرش آزار برساند. «اطمینان دارم که ریما مقصر نیست.»

ریما مانند بسیاری از افراد زشت‌رو، دارای شخصیت جذابی بود و اطرافیانش را غرق شادی و لذت می‌کرد. انگار با شخصیت دوست‌داشتنی‌اش، خط بطلان بر عمل ناگوار طبیعت می‌کشید و دیگران را به تحسین وامی‌داشت.

سلیم؟ شوهر خواهرم را به خاطر آوردم. سلیم نیز چون ریما فاقد جذابیت ظاهری بود، امّا مرد ساکتی بود که طبیعتی ملایم داشت. ضرب‌المثلی هست که می‌گوید «در و تخته با هم جور می‌شوند»، و سلیم مناسب‌ترین شوهر برای ریما بود. عمل خشونت‌آمیز او باورکردنی نبود.

منطقی‌ترین احتمال ممکن به ذهنم رسید، و از نورا پرسیدم: «سلیم دیوانه شده؟ و به همین دلیل ریما را کتک زده؟»

من آمادهٔ شنیدن جوابی که خواهرم داد، نبودم.

درست یک سال قبل، ریما به بزرگ‌ترین خواهرمان اعتراف کرده بود که راز وحشتناکی زندگی‌اش را تباه کرده است. او گفته بود که شوهر عزیزش در حال تغییر است و شخصیت جذابش دچار دگرگونی غریبی شده که با نوعی بی‌قراری

و عدم رضایت آغاز شده است. این مرد آرام و بی‌خیال ناگهان دچار افسردگی شدیدی گشته بود. او که زمانی از بودن در کنار همسر و خانواده‌اش لذت می‌برد، اکنون با بهانه‌های کوچک ریما و چهار فرزندش را به باد ملامت می‌گرفت. او به کارش نیز علاقه‌ای نشان نمی‌داد و اغلب روزها را تا بعدازظهر در رختخواب می‌ماند. سلیم در دام احساسات منفی‌اش گرفتار شده بود و خانواده‌اش را نیز از زندگی عادی محروم کرده بود.

علاقه و عشق ریما نسبت به سلیم در طول سالهای زندگی مشترکشان نسبت به سلیم افزایش یافته بود، حال آنکه سلیم با خونسردی به او گفته بود که هرگز علاقه‌ای به او نداشته است و با مفهوم عشق بیگانه است و تنها به این دلیل با ریما ازدواج کرده که از نام خانوادهٔ سلطنتی وی بهره بگیرد.

ریما با عشقی عمیق در مقابل اهانتهای شوهرش مقاومت می‌کرد. او به نورا گفته بود ترس از آن دارد که شوهرش دچار غدهٔ مغزی شده باشد و یا از نوعی عدم تعادل روانی رنج ببرد. چطور ممکن بود مردی دچار چنین تغییرات شدیدی گردد، بی‌آنکه دچار اختلال سختی شده باشد؟

ریما با التماس از شوهرش می‌خواست که به پزشک مراجعه کند، امّا سلیم به توصیه‌های او عمل نمی‌کرد و در دنیای افسردگی خود غوطه می‌خورد. سلیم، مردی که به ندرت مشروب الکلی می‌نوشید، اکنون روز به روز بر مصرف الکل خود می‌افزود و اعمال خشونت‌آمیزی نسبت به ریما و بزرگ‌ترین دخترشان انجام می‌داد.

ریما ترس از آن داشت که سلیم به زودی او را طلاق بدهد و دو پسر کوچکش را از او جدا کند، زیرا سلیم تهدید کرده بود که این تنها راه رهایی‌اش است.

نورا راه‌حلی نمی‌یافت، زیرا بدون ایجاد تنش و اختلاف، شکایت به خانوادهٔ سلیم غیرممکن بود. اخیراً خانوادهٔ سلیم دختر بزرگ نورا را برای پسرشان خواستگاری کرده بودند. این وصلت سر نگرفت، زیرا احمد و نورا خواستگار دیگری را پسندیده بودند، و از آن زمان روابط این دو خانواده به سردی گراییده بود.

نورا می‌گفت که سلیم با تلاش فراوان کارش را از سر گرفته، اما رفتار تحقیرآمیزش نسبت به ریما شدّت بیشتری یافته است. سلیم برنامه‌های مختلف سفر به خاور دور برای خود ترتیب می‌داد و ریما به خوبی می‌دانست که هیچ‌یک از آنها سفر کاری نیست. سلیم مشتری دایمی خانه‌های زنان هرجایی در بانکوک و مانیل شده بود.

حدود یک ماه قبل، ریما با صورتی کبود و داستانی وحشتناک به خانهٔ نورا رفته بود. خواهرمان شوهرش را با یکی از خدمتکاران سری‌لانکایی در بستر یافته بود. با اعتراض ریما، سلیم به او حمله‌ور شده و تهدیدش کرده بود که اگر دهانش را باز کند و این ماجرا را با کسی در میان بگذارد، او را از دیدن فرزندانش محروم خواهد ساخت. خانوادهٔ سلیم باتقوی و مذهبی بودند و در صورت اطلاع از رفتار او دچار شرم می‌شدند، اگرچه کاری از دستشان برنمی‌آمد.

واقعیت این است که بسیاری از مردان سعودی برای ارضای شهوت خود ارتباطات نامشروع دارند. اما هیچ‌یک از خواهران من با مردی ازدواج نکرده بودند که وقیحانه با خدمتکار خانه‌شان ارتباط جنسی برقرار سازند.

ریمای سرگردان که نمی‌دانست از چه کسی کمک بگیرد، به سراغ یک زن مذهبی مصری رفت و از او خواست که جواب سؤالش را بر روی کاغذی بنویسید: آیا اسلام به مرد اجازه می‌دهد که با خدمتکار خانه‌اش رابطهٔ نامشروع برقرار سازد؟ ریما تصور می‌کرد که شوهرش با دیدن جواب سؤال که به دستور قرآن اشاره می‌کند، تسلیم می‌شود و قدمی برخلاف آن برنخواهد داشت.

نورا به خواهرمان هشدار داده و او را از این عمل برحذر داشته بود.

از نورا سؤال کردم که آیا کلماتی را که آن زن مذهبی مصری بر روی کاغذ آورده بود، به خاطر می‌آورد.

او گفت که نسخه‌ای از آن کاغذ را نگه داشته است. کسی چه می‌داند، شاید روزی او نیز به چنین کاغذی نیاز داشته باشد.

نورا گفت: «حکم امام مصری بر این اصل بود که هر نوع رابطهٔ نامشروع میان آقای خانه و خدمتکار بر اساس دستور قرآن مذموم است. امام گفته بود که چنین

رابطه‌ای شرم‌آور است و از نظر اسلام، رابطهٔ جنسی تنها در صورت پیوند عقد مشروع است.»

امام فتویٰ داده بود که چنین رابطه‌ای حرام است و به سه عمل شیطانی که در اسلام ممنوع می‌شد، منتهی می‌گردد. این سه عمل شیطانی عبارت‌اند از : «هر نوع ارتباطی که بر اخلاقیات جامعه تأثیر بگذارد، و یا به بی‌بند و باری ختم شود، و یا حقّ کسی را ضایع کند. در اسلام، تنها روش مشروع رابطهٔ جنسی، ازدواج است.»

من از شهامت ریما دچار حیرت شدم. او طبیعتی فرمانبردار داشت.

از خواهرم پرسیدم: «این حکم موجب حملهٔ سلیم به ریما شده؟»

نورا سرش را بالا انداخت.

«پس چی؟»

سارا شروع به گریستن کرد و در حالی که از اتاق بیرون می‌رفت، گفت که تحمل شنیدن جزئیات ماجرا را ندارد. تهانی از جایش بلند شد تا به دنبال سارا برود، امّا اسد که نزدیک در ایستاده بود، بازوانش را به دور گردن سارا حلقه کرد و او را به گوشهٔ خلوتی کشاند.

تهانی برگشت و در کنار من نشست و با حالتی عصبی دستم را گرفت و آن را نوازش کرد.

به خودم گفتم که باید منتظر شنیدن خبر ناگواری باشم.

«پزشک همهٔ ماجرا را به ما نمی‌گوید. امّا پدر و علی به مطب پزشک رفتند و واقعیت را شنیدند، زیرا سلیم سرانجام حقایق را به پزشک اعتراف کرد.»

«ظاهراً سلیم از سفر کوتاهی به بانکوک برگشته بود و تعدادی نوار ویدیویی مبتذل و ممنوع با خود به عربستان آورده بود. یک شب پس از خوردن مشروب زیاد و تماشای فیلمها، به سراغ ریما آمده بود تا با او هم‌بستر شود، اگرچه ماهها بود که توجهی به او نداشت.

«او نیمه‌های شب ریما را از خواب بیدار کرده بود، امّا ریما به او گفته بود که به دلایل زنانه نمی‌تواند با او هم‌بستر شود.»

نورا با چشمان نیمه‌بسته به پشتی تکیه کرد.

به خوبی می‌دانستم که قرآن، ارتباط جنسی مرد و زن را در زمان عادت ماهانهٔ زن ممنوع کرده است. «آنها آلوده و دچار دردند. در این دوره از زنهایتان دوری کنید و تا زمانی که پاک نشده‌اند، به آنها نزدیک نشوید. امّا پس از آن می‌توانید در هر زمان و مکانی با آنها همخوابه شوید.»

آیا اعتراض ریما موجب شده بود که سلیم او را مورد تجاوز قرار دهد؟

به نورا نگاه کردم. به فکر فرو رفته بود تا مناسب‌ترین کلمات را برای شرح ماجرا انتخاب کند. «سلیم که مست لایعقل بود، از دست همسرش خشمگین شد.» خواهرم نفس عمیقی کشید. «سلطانه، ریما به شدت کتک خورد و بعد مورد تجاوز سلیم قرار گرفت. پزشک درمانگاه به پدر گفت که حملهٔ سلیم آن‌چنان خشونت‌آمیز بوده که ریما نیاز به جراحی فوری دارد. ریما بقیهٔ عمرش را ناچار به استفاده از کیسهٔ مخصوص جذب مدفوع خواهد بود.»

دهانم باز مانده بود. ریما؟ علیل و بیمار برای تمام عمر؟ خشم و خصومت وجودم را فراگرفته بود. حال می‌فهمیدم که چرا سارا اتاق را ترک گفته است، زیرا او نیز در ازدواج نخست، در دام شوهر دیوانه‌ای افتاده بود که او را مورد تجاوز جنسی قرار می‌داد.

از جا بلند شدم و پایم را محکم به زمین کوبیدم. گلدان روی طاقچه تکان خورد و چیزی نمانده بود که به زمین بیفتد. «اگر سلیم در این اتاق بود، با دستهای خودم خفه‌اش می‌کردم.» و بعد با خشم پرسیدم: «سلیم زندانی شده؟»

تهانی جواب داد: «زندانی؟ سلیم شوهر ریماست و هر کاری که بخواهد می‌تواند انجام بدهد.» خواهرم به شدّت رنگ‌پریده به نظر می‌رسید.

گفتم: «امّا رفتارش نامشروع بوده. به یقین می‌توانیم به مقامات مذهبی شکایت کنیم.»

نورا با عشق و اندوهی عمیق به من نگاه کرد. «سلطانه، مثل بچّه‌ها حرف می‌زنی. در سرزمین ما چه کسی از زنی در قبال شوهرش دفاع می‌کند؟ پدر و برادرمان گفته‌اند که این مسئله‌ای شخصی میان زن و شوهر است و هیچ‌کس حق دخالت ندارد.»

تهانی اعتراف کرد: «پدر ما را تهدید کرد که ماجرا را به تو نگوییم، اما ما می‌دانستیم که تو با دیدن ریما به ماجرا پی می‌بری. پس همه‌چیز را گفتیم.»

با سماجت گفتم: «ریما باید طلاق بگیرد. این کمترین کاری است که می‌تواند انجام بدهد.»

نورا واقعیت وضع ریما را به من یادآوری کرد. «که بچه‌هایش را از دست بدهد؟ هر دو دخترش به سن بلوغ رسیده‌اند و پسرها هشت ساله و نُه ساله‌اند. سلیم بر طبق قانون حق دارد آنها را از مادرشان بگیرد، و این کار را خواهد کرد. همین حالا هم ریما را تهدید کرده. ریما از غصّه می‌میرد.»

نورا دریافت که خشم من بی‌پایان است، و پرسید: «به من بگو، سلطانه، خودت می‌توانی بدون بچه‌هایت زندگی کنی؟»

در سرزمین من، فرزند شیرخواره نزد مادر می‌ماند. در بسیاری از موارد، مادر می‌تواند تا زمان بلوغ دخترش، سرپرستی او را به عهده بگیرد. امّا فرزندان پسر تنها تا هفت سالگی حق دارند در کنار مادر باقی بمانند. و در این سن کودک باید تصمیم بگیرد و مادر یا پدر را انتخاب کند. معمولاً پسرها در هفت سالگی از آنِ پدر می‌شوند. پسر با رسیدن به سن بلوغ، به هر حال باید در کنار پدرش باشد.

اغلب، پدر اجازهٔ سرپرستی پسر را، در هر سنّی که باشد، به مادر نمی‌دهد. من خودم زنی را می‌شناسم که اجباراً کودکان خردسالش را به دست شوهرش سپرد و دیگر هرگز آنها را ندید. متأسفانه اگر پدری داوطلب نگهداری بچه‌ها شود، هیچ مقامی نمی‌تواند او را وادار به برگرداندن فرزندان به مادر کند.

می‌دانستم که اگر سلیم سرپرستی فرزندانش را به عهده بگیرد، ریما برای همیشه از دیدن آنها محروم می‌ماند و هیچ دادگاه و قانونی قادر به برگرداندن آنها به ریما نخواهد بود.

شیون می‌کردم. فکر کردم اگر فقط مردان خانواده به ما کمک می‌کردند، چه کارهایی می‌توانستیم بکنیم. پدرم و علی می‌توانستند ریما را حمایت کنند و پشت سرش بایستند، امّا آنها اعتقاد داشتند که مرد مجاز است هر عملی را نسبت به همسرش انجام دهد، و هرگز دست کمک به سوی ریما دراز نمی‌کردند.

لحظاتی دشوار بود.

نورا امیدوارانه گفت: «شاید سلیم سرِ عقل بیاید.»

تهانی زیر لب گفت: «بیخودی دل خودت را خوش نکن.»

پس از گفتگوهایی طولانی، من و خواهرانم مصمم شدیم کـه بـه ریـاض برگردیم. ریما به ما احتیاج داشت. ما فرزندانمان را با شوهرانمان در مونت‌کارلو ترک می‌کردیم و فردای آن روز به عربستان برمی‌گشتیم.

آن شب کریم در حالی که سعی می‌کرد مرا دلداری بدهد، گفت که خـواهـرم به دلیل جراحات نمرده است، و به هر حال شاید زندگی‌اش عوض شـود. کـریم گفت که نباید امیدمان را از دست بدهیم، و به یقین سلیم دچار بحرانی مردانه شده است.

کریم با شنیدن گفته‌های من که به او اطمینان می‌دادم سلیم را بدون مجازات رها نخواهم کرد، دچار نگرانی شد. او برای آنکه خشـم جنـون‌آمیزم را تسکین بدهد، به شوخی گفت: «سلطانه، دلم نمی‌خواهد تو را با شمشیر یک میرغضب ببینم. بیا و زندگی سلیم را به او ببخش.»

شوهرم همچنان حرف می‌زد، امّا من چیزی نمی‌شنیدم و با خود می‌اندیشیدم که زادگاه و سرزمین چنین مذهب باشکوهی را جهالت و نادانی افرادش احـاطه کرده است.

۱۲

خانـــه

«دختر چیزی جز حجاب و گور ندارد.»

ــ ضرب‌المثل عربی

برادرمان، علی، در فرودگاه بین‌المللی شاه‌خالد به استقبالمان آمد که در سی و پنج کیلومتری شهر ریاض واقع شده است. علی به نظر آشفته‌حال می‌رسید، و خیلی مختصر گفت که ما را از فرودگاه مستقیماً به درمانگاهی خصوصی که ریما در آن بستری بود، خواهد برد، زیرا آن روز حال ریما بسیار وخیم بوده و از صبح زود خواهرمان نورا را صدا می‌کرده.

عبور و مرور در خیابان سنگین بود و بیش از یک ساعت طول کشید تا به درمانگاه رسیدیم. در طول راه، هر یک از ما در افکارمان غرق بودیم و به ریما فکر می‌کردیم. همه ساکت بودند و جز کلماتی ضروری میان ما چیزی رد و بدل نمی‌شد.

علی که از سکوت خسته شده بود، لب به اعتراف گشود و گفت که خـودش درگیر بحرانی خانوادگی است. با لحنی رنجیده گفت که حـادثۀ ریما در زمانی بدتر از حالا ممکن نبود اتفاق بیفتد، و اینکه اصلاً دلش نـمی‌خواهـد در ایـن

ماجرای خانوادگی دخالت کند. بعد با صدای بلند گفت معلوم نیست ریما چه کاری کرده که موجب خصومت سلیم شده است.

علی خواهرش را به باد سرزنش گرفته بود و او را محکوم می‌کرد.

سارا و تهانی به علی نگاه کردند، و من در نگاه پُرملامت آن دو، نفرت نسبت به برادرمان را خواندم.

نمی‌توانستم جلوی زبانم را بگیرم. گفتم: «علی، انگار روز به روز شعورت کمتر می‌شود و نادانی‌ات بیشتر.»

دلم می‌خواست سیلی محکمی به گوش علی بزنم، امّا در مقابل نورا و تهانی جلوی خودم را گرفتم. علی فقط یک سال از من بزرگ‌تر بود، امّا با صورت پُرچین و چروک و پُف زیر چشمهایش، ده سال بزرگ‌تر به نظر می‌رسید. او در جوانی مردی جذاب بود، اما در میانسالی با غبغب بزرگی که از زیر چانه‌اش آویزان بود، جذابیت خود را از دست داده بود. زندگی بی‌بند و بار برادرم، جای پای شفافی بر چهرهٔ او نهاده بود که باعث خوشحالی من بود.

خواهر بزرگم، نورا که چهره‌اش کاملاً گرفته بود، با لحن ملایم از علی پرسید که بحران زندگی‌اش چیست.

از ده خواهر علی، تنها نورا قلباً به او علاقه‌مند بود. نُه خواهر دیگر او را با دیدهٔ حقارت و دلسوزی می‌نگریستند. نورا بزرگ‌ترین فرزند خانواده است و علی دومین فرزند کوچک آن، و این تفاوت سنّی موجب شده است که نورا از تیغ انتقاد و شرارتهای تنها برادرمان در امان باشد. زمانی که علی متولد شد، نورا ازدواج کرده و صاحب فرزندانی بود و به برادر تازه تولد یافته‌اش عشق می‌ورزید. به علاوه، نورا شخصیت پُرمهر مادرمان را به ارث برده و از افراد نادری است که همیشه داوطلبانه از همه عذرخواهی می‌کند و کسی را به باد ملامت نمی‌گیرد، اگرچه گناهی بزرگ مرتکب شده باشد. بنابراین او از شنیدن خبر بحران خانوادگی علی دچار نگرانی شدیدی شد.

علی اخمهایش را در هم کشید و از پنجرهٔ اتومبیل بیرون را نگاه کرد و گفت: «من ندا را طلاق دادم.»

نورا با حیرت پرسید: «باز هم؟»

علی به نورا نگاه کرد و سرش را تکان داد.

«علی، چطور می‌توانی؟ تو به ندا قول داده بودی که دیگر این کار را تکرار نکنی.»

ندا زیباترین و سوگلی‌ترین زن علی بود. او هفت سال پیشتر با علی ازدواج کرده و دارای سه فرزند دختر بود.

آزادی مرد در طلاق همسرش در قرآن قید شده است. این نظام تهدیدآمیز که همواره امنیت زن را مورد خطر قرار می‌دهد، او را در وضعی متزلزل و غیراستوار قرار می‌دهد. بسیاری از مردها در این امر، راه مبالغه را پیموده، با کوچک‌ترین بهانه‌ای همسرشان را طلاق می‌دهند و جایگاه اجتماعی زن را هرچه بیشتر مورد تحقیر قرار می‌دهند.

زنها چنین اختیاری ندارند، زیرا اجازهٔ طلاق زمانی به زن اعطا می‌گردد که تحقیقات لازم به عمل آید، و در اغلب موارد زنها حق طلاق گرفتن ندارند. این قانون غیرمنصفانه موجب شده است که مردها از آن سوءاستفاده کنند و اغلب روشهای یک‌جانبه و ظالمانه‌ای را برای تسلط بر زنان خود در پیش بگیرند. کلمهٔ طلاق به راحتی بر لبهای هر یک از مردان سعودی که قصد تنبیه همسران خود را داشته باشند، جاری می‌شود. تنها با گفتن «من تو را طلاق می‌دهم» و یا «من تو را مرخص می‌کنم»، مرد می‌تواند زن را تبعید کند و او را بدون فرزندانش از خانه‌اش بیرون کند.

علی، مردی که نمی‌توانست بر رفتار و زبان گزنده‌اش غلبه کند، اغلب طلاق را به عنوان اسلحه‌ای علیه همسرانش به کار می‌گرفت.

می‌دانستم که برادرم هر یک از همسرانش را دست‌کم یک بار طلاق داده است. او ندا را دو بار طلاق داده بود. علی اغلب پس از آنکه خشمش فروکش می‌کرد، زنی را که شب گذشته طلاق داده بود، به خانه برمی‌گرداند. امّا این بار قضیه فرق داشت. مردان مسلمان قادر نیستند زنانشان را به همین سادگی طلاق دهند و از نو رجعت کنند. بر طبق قانون اسلام، هر مردی می‌تواند همسرش را دو

بار طلاق بدهد، و اگر این عمل برای بار سوم اتفاق بیفتد، جریان رِجعت پیچیده می‌شود.

علی در اوج خشم، ندا را برای بار سوم طلاق داده بود، و این بار نمی‌توانست او را به آسانی به خانه‌اش برگرداند، مگر آنکه ندا با مرد دیگری ازدواج می‌کرد و طلاق می‌گرفت و از نو به همسری علی درمی‌آمد. در واقع حضور محلّل ضروری بود. علی با رفتار کودکانه‌اش سوگلی‌اش را از دست داده بود.

در حالی که سعی می‌کردم آیهٔ قرآن را به طور کامل به خاطر بیاورم، به زحمت لبخندم را پنهان ساختم.

«تو می‌توانی همسرت را دو بار طلاق بدهی و پس از آن او را با مهربانی به خانه‌ات برگردانی و یا با آذوقهٔ کافی از خود جدا کنی. اگر شوهری همسرش را برای بار سوم طلاق بدهد، برگرداندن زن به خانه نامشروع خواهد بود، تا زمانی که او با مرد دیگری ازدواج کند.»

من به چشمان علی نگاه کردم و با شیطنت پرسیدم: «علی، حالا ندا با چه کسی ازدواج خواهد کرد؟»

علی با چشمانی از حدقه درآمده به من خیره شد و با سردی جواب داد: «نه، نه! ندا میل ندارد با مرد دیگری ازدواج کند.»

«چی؟ ندا در میان زنها به زیبایی معروف است. به محض آنکه خبر طلاقش به گوش مادرها و خواهرها برسد، بلافاصله برای پسران و برادرانشان او را خواستگاری می‌کنند. صبر کن تا ببینی!»

سارا مداخله کرد. او برای جلوگیری از جدال همیشگی من و برادرم پرسید: «علی، چه شد که ندا را طلاق دادی؟»

ناراحتی علی به روشنی مشخص بود. او گفت که این مسئله‌ای خصوصی است، امّا از سارا و نورا خواست که به دیدن ندا بروند و به او بگویند که علی عجولانه تصمیم گرفته و ندا باید به او فرصت دیگری بدهد، و اینکه علی قلباً مایل به طلاق وی نیست. اگر ندا همه چیز را نادیده می‌گرفت و مقامات را مطلع نمی‌کرد، علی می‌توانست او را در خانه‌اش نگه دارد.

نورا و سارا موافقت خود را اعلام کردند.

اتومبیل از سرعت خود کاست. علی از میان پردهٔ آبی تیره‌رنگ پنجرهٔ اتومبیل به بیرون سرک کشید و بعد به تلّ عباهایی که روی صندلی ماشین به چشم می‌خورد، اشاره کرد و گفت: «رسیدیم. عجله کنید، لباسهایتان را بپوشید.»

کار دشواری بود. ما در فضای تنگ اتومبیل، به سرعت خود را آمادهٔ ورود به درمانگاه کردیم. علی ما را از هواپیمای خصوصی‌مان مستقیماً به اتومبیل هدایت کرده بود، بنابراین نیازی به پوشیدن عبا نبود.

من و خواهرانم از میان دری مخفی به درون درمانگاه هدایت شدیم، و در آنجا با یکی از پزشکان ریما ملاقات کردیم. پزشک به ما گفت که متخصص داخلی و اهل بیروت است و اخیراً از طرف درمانگاه استخدام شده تا در خدمت خاندان سلطنتی سعودی درآید. او مردی بلندقد و جذاب بود که چهره‌اش اعتماد به نفس کاملش را عیان می‌ساخت و به ما این احساس را می‌بخشید که خواهرمان به پزشک قابل اعتمادی سپرده شده است.

پزشک میان علی و نورا قدم برمی‌داشت. من هر چه تلاش کردم و سرم را به جلو کشاندم، نتوانستم مکالمهٔ آرام آنها را بشنوم. ما از مقابل گروهی از پرستاران آسیایی که در جایگاه مخصوص جمع شده بودند، گذشتیم. لهجه‌شان نشان می‌داد که فیلیپینی هستند.

پنجره‌های اتاق ریما هنوز بسته بود، امّا کرکره‌ها راکمی گشوده بودند و نور ملایمی به درون اتاق می‌تابید. همه‌چیز اتاق سفیدرنگ بود. بالای سر ریما چلچراغ سفیدرنگی آویزان بود که برای فضای بیمارستان بسیار نامناسب به نظر می‌رسید.

ریما در حال استراحت بود، اما به محض آنکه صدای ما را شنید، چشمهایش را باز کرد. چهره‌اش کاملاً رنگ‌پریده بود و چشمان وحشت‌زدهٔ کودکی ترسیده را داشت. سرمها و لوله‌های متعددی به بازو و بینی‌اش وصل بود.

نورا با عجله خود را به کنار تخت ریما رساند و دستهایش را به گردن شبحی که بر روی تخت خوابیده بود، انداخت. سارا و تهانی با اشکهایشان می جنگیدند،

و من که دیگر قادر به دیدن چیزی نبودم، خودم را بر روی صندلی سفیدرنگی رها کردم. لبم را گاز گرفتم، آن‌قدر که خون از آن جاری شد و انگشتانم را به دستهٔ صندلی فشردم، با شدّتی که ناخنهایم شکست.

علی که از دیدن این صحنه احساس ناراحتی می‌کرد، به سارا گفت که یک ساعت دیگر برمی‌گردد و ما را به خانه می‌برد. قبل از ترک اتاق به سارا گفت که ملاقات آن شب با ندا را فراموش نکند.

من از شدّت خشم به خود می‌پیچیدم. با خود گفتم که ای کاش می‌توانستم این سرزمین را به آتش بکشانم، شاید شیطانی که بر این سرزمین حاکم است نیز در کنار جسم مردانی که با وقاحت دستورهای قرآن مقدس را در جهت سوءاستفاده از همجنسانم به کار می‌گیرند، به آتش کشانده شود.

تلاش کردم خودم را آرام کنم، زیرا قشقرق و هیاهو تنها به رنج و درد ریما می‌افزود. نوید پیامبر را به خاطر آوردم که گناهکاران در آتش دوزخ خواهند سوخت. امّا حتی گفته‌های پیامبر قادر به تسکینم نبود، اگرچه می‌دانستم که سلیم در نهایت به دلیل مصائبی که بر ریما وارد کرده، در آتش سوزان دوزخ خواهد سوخت. من دیگر صبر و حوصله نداشتم. هیچ چیز نمی‌توانست خون جوشانم را سرد کند، مگر دیدن لاشهٔ سلیم!

نورا ریما را دلداری داد و او یک به یک با خواهرانش حرف زد و با التماس از ما خواست که به سلیم چون گذشته احترام بگذاریم، و یادآوری کرد که یکی از وظایف یک مسلمان خوب، گذشت است. با دیدن شعله‌های خشم در چشمان من، به آیه‌ای از قرآن اشاره کرد. «سلطانه، گفتهٔ پیامبر را فراموش نکن. حتی زمانی که خشمگین هستید، عفو کنید.»

نمی‌توانستم گفتهٔ ریما را بی‌جواب بگذارم. آیه را کامل کردم. «بگذار جواب شیطان را شیطان بدهد.»

سارا پشتم را نیشگون گرفت. من از کنار بستر ریما دور شدم و به کنار پنجره رفتم و بیرون را نگاه کردم، اما هیچ چیز نمی‌دیدم.

ریما همچنان حرف می‌زد. باورم نمی‌شد که چنین کلماتی از دهان ریما

خارج می‌شود؛ زنی که جانش در معرض خطر مرگ قرار گرفته بود.

از نو به جانب بستر ریما رفتم و به چهره‌اش خیره شدم.

احساسات ریما هر لحظه شدت بیشتری می‌یافت، و همراه با آن لبهایش با قاطعیت بیشتری به حرکت درمی‌آمد. خواهرم گفت که سلیم توبه کرده و به او قول داده است که دست از پا خطا نکند و او را طلاق ندهد. گفت که خودش هم طلاق نمی‌خواهد.

ناگهان به آنچه در قلب ریما بود، پی بردم. وحشت خواهرم به دلیل محرومیت از دیدار فرزندانش بود. آن چهار فرزند ریما را بر آن داشته بودند که سلیم را مورد عفو قرار بدهد. خواهرم هر نوع حقارتی را می‌پذیرفت تا از فرزندانش دور نشود.

ریما از ما می‌خواست به او اطمینان بدهیم که کسی از خانواده‌مان در این جریان مداخله نخواهد کرد.

این دشوارترین قولی بود که از میان لبهایم خارج شد. می‌دانستم که راهی جز اطاعت از خواستهٔ خواهرم ندارم.

ریما پس از بهبودی به خانهٔ آن مرد برمی‌گشت؛ مردی که در طول سالهای زندگی مشترکشان، با مهارت قساوت قلبش را پنهان کرده بود. می‌دانستم که هیچ چیز نخواهد توانست رفتار سبعانهٔ سلیم را عوض کند.

زمانی که پرستار مصری به نورا گفت که صبح زود آن روز سلیم از خواهرم عیادت کرده، سردرگمی‌مان افزایش یافت. سلیم در مقابل چشمان پرستار لباس ریما را بالا زده و از دیدن سوراخی که در پهلوی خواهرم برای خارج شدن مدفوع ایجاد شده بود، ابراز انزجار کرده بود. پرستار گفت که سلیم پس از ادای زشت‌ترین ناسزاها به خواهرم گفته بود که اگرچه هرگز او را طلاق نخواهد داد، هرگز پا به بسترش نخواهد گذاشت، زیرا قادر به تحمل همسرش نخواهد بود.

من و خواهرانم به صورت گروهی متّحدالقول وارد درمانگاه شده بودیم تا خواهرمان را از چنگ شوهر شیطان‌صفتش نجات دهیم. ریما با کلمات ملتمسانه‌اش ما را وادار به ترک بیمارستان کرد. ما دسته‌ای زن بی‌مقدار پیچیده در

عباهای سیاهمان بودیم که قدرت مجازات شیطانی به نام مرد را نداشتیم.

نیش شکست غیرقابل تحمل بود.

از آنجایی که همسران و فرزندانمان هنوز در مونت‌کارلو بودند، همگی مصمم گشتیم که شب را در خانهٔ نورا بگذرانیم. علی ما را به آنجا برد. نورا و سارا از علی خواستند که راننده‌ای برای بردن آنها به خانه‌اش بفرستد و آن شب را در خانهٔ همسر دیگری سپری کند.

پس از آنکه تلفنی با شوهرانمان در مونت‌کارلو صحبت کردیم و خبرها را به گوششان رساندیم، تهانی ابراز خستگی کرد و به بستر رفت. من با اصرار قصد داشتم همراه سارا و نورا به خانهٔ علی بروم. آنها از من قول دیگری گرفتند؛ که مبادا ندا را برای جدایی از علی ترغیب کنم.

خواهرانم به خوبی مرا می‌شناسند. باید اعتراف کنم که چنین نقشه‌ای در سر داشتم و قصد داشتم ندا را ترغیب به ازدواج با مرد دیگری بنمایم. برادرم همواره رفتاری اهانت‌آمیز نسبت به زنها داشت، و اکنون به عقیدهٔ من زمان آن رسیده بود که بداند نمی‌تواند طلاق را به عنوان اسلحه‌ای علیه زنانش استفاده کند. شاید برادرم اگر محبوب‌ترین زن خود را از دست می‌داد، رفتار قلدرمآبانه‌اش را عوض می‌کرد.

اکنون ناچار بودم به قول دومی هم که داده بودم، عمل کنم.

ساعت در حدود نُه شب بود که وارد خانهٔ علی شدیم. خانه آرام‌تر از همیشه به نظر می‌رسید. هیچ‌کدام از زنهای علی و صیغه‌ها و فرزندانش در باغ دیده نمی‌شدند. اتومبیل در طول جاده‌ای که چهار قصر برادرم را احاطه کرده بود، حرکت کرد و در مقابل سومین قصر که متعلق به ندا بود، ایستاد.

کدبانوی مصری ندا از ما خواست که منتظر خانمش بمانیم، زیرا خانم در حمام بود، امّا از او خواسته بود که ما را به اقامتگاه خصوصی‌اش راهنمایی کند.

تأثیرات ثروت بادآوردهٔ نفت در تمامی گوشه و کنار خانهٔ برادرم هویدا بود. با ورود به سرسرای عریض مرمرین سفیدرنگ که به پهنی یک ترمینال فرودگاه بود، تجملات افراطی فضای خانه در مقابلمان عیان گشت. با دیدن راه‌پلّهٔ زیبایی

که به تالارهای طبقهٔ بالا منتهی می‌شد، به یاد برادرم افتادم که با مباهات ستونهای زیر پله‌ها را به ما نشان می‌داد و می‌گفت که این ستونها با نقرهٔ واقعی پوشانده شده است. درهای بلند ساختمان که همگی دارای دستگیره‌های نقره‌ای بودند، به اقامتگاه خصوصی ندا راه می‌یافتند.

به خاطر آوردم که در سال ۱۹۸۰ بازار نقره با بحران شدیدی روبه‌رو شد و برادرم دچار خسارت مالی جدّی گشت. با خوشحالی به خود گفتم که به یقین برادر طماعم بیش از نیاز خود از این فلز قیمتی خریداری کرده و پس از سقوط قیمت نقره، به ناچار آنها را به مصرف خانه‌اش رسانده است!

من هرگز اتاق خواب ندا را ندیده بودم. سارای حیرت‌زده و اندوهگین به من گفت که تخت ندا از عاج ساخته شده و علی بارها با لاف و گزاف گفته که چندین فیل کشته شده‌اند تا عاج موردنیاز تخت مذکور به دست آید؛ تختی که بتواند هیکل سنگین او را تحمل کند.

با نگاهی به اطراف خانهٔ برادرم، خیلی زود حکم تبعید علی را از خاک سعودی در ذهنم صادر کردم، زیرا این شکوه و تجمّل بوی فساد می‌داد. آیا پادشاهان ما نیز روزی چون شاه ایران، ملک فاروق مصر و یا ملک اِدریس لیبی خلع سلطنت می‌شدند؟ یک چیز مسلّم بود. اگر طبقهٔ کارگر عربستان اقامتگاه شاهزاده علی آل سعود را می‌دیدند، وقوع انقلاب اجتناب‌ناپذیر بود.

این فکر وحشتناک بدنم را کرخت کرد.

در همین لحظه ندا خرامان وارد اتاق شد. موهایش را به آخرین مدل روز آراسته بود و لباس لَمهٔ طلایی رنگی که سینه‌های درشتش را نمایان می‌ساخت، بر تن داشت. روشن بود که چرا برادرمان دیوانه‌وار این زن زیبا را می‌پرستد. ندا در خانوادهٔ ما به دلیل پیروی از آخرین مدلهای جسورانه و اراده‌ای قوی در جدال با مردی که هیچ زنی در مقابلش مقاومتی نشان نداده بود، معروف بود. به زعم توانایی ندا در به دام انداختن برادرمان، من همواره برق نوعی شرارت را در چشمان او می‌خواندم و به یقین می‌دانستم که او به دلیل ثروت بیکران علی، خود را شیفته و عاشق وی نشان می‌دهد. سارا می‌گفت که ندا به دلیل

احساس عدم امنیت در زندگی زناشویی، تظاهر به داشتن خصوصیاتی می‌کند که فاقد آنهاست، زیرا ترس از آن دارد که روزی علی او را نیز مثل زنهای دیگر طلاق بدهد. در چنین وضعیتی، زن باید در جهت تقویت امنیت مالی آیندهٔ خود برآید. امّا من هنوز هم در مورد ذات واقعی ندا شک داشتم و به خود می‌گفتم که او برای ادامهٔ زندگی در میان چنین تجملات خیره کننده‌ای، بهای سنگینی پرداخته است، زیرا زندگی در کنار برادرمان کار ساده‌ای نبود.

ندا گفت: «علی شما را به اینجا فرستاده است، نه؟»

من چهره‌اش را تماشا کردم، و با خود اندیشیدم که او با چهرهٔ اعتراض آلودش وانمود می‌کند که عمل ما اشتباه بوده است. احساسات متضادی نسبت به ندا در درونم جریان داشت، و در حالی که خواهرانم به دور همسر برادرمان جمع شده بودند، به آنها گفتم که می‌روم لیوانی نوشابه برای خود بیاورم.

خانه کاملاً ساکت بود و کسی در آنجا دیده نمی‌شد. پس از آنکه لیوانی آشامیدنی برای خود ریختم، احساس کردم که حوصلهٔ پیوستن به جمع خواهرانم را ندارم. در قصر به راه افتادم و سرانجام به کتابخانهٔ علی رسیدم که در پایین‌ترین طبقهٔ خانه‌اش قرار داشت.

کنجکاوی کودکانه‌ای وجودم را فراگرفته بود. در میان متعلقات برادرم شروع به جستجو کردم. لذت غریبی احساس می‌کردم.

پاکت کوچکی را از روی میز کارش برداشتم. در درون پاکت دستور عمل پوشیدن لباس زیر مردانه‌ای که به یقین برادرم از سفر اخیرش به هنگ‌کنگ آورده بود، قرار داشت. با علاقه به خواندن دستور عمل پرداختم.

لباس زیر معجزه‌آسا: به خریداران این محصول تبریک می‌گوییم. این لباس باید هر روز پوشیده شود تا تقویت قدرت جنسی شما را تضمین کند.

راز این محصول معجزه‌آسا در کیسهٔ «استراتژیک» آن است که اندام جنسی را در حرارت مناسب و وضعیت عالی نگه می‌دارد.

این محصول به همهٔ مردها توصیه می‌شود، به‌ویژه بـه آنـهایی کـه دارای فعالیت شدید جنسی‌انـد و آنـهایی کـه در سـر کـارشان نـاچار به نشستن هستند.

غش غش می‌خندیدم. شیطنتم گـل کـرده بـود. پـاکت حـاوی لبـاس زیـر و دستور عمل استفاده از آن را زیر لباس بلندم پنهان کردم. نمی‌دانستم خـیال دارم چه کار کنم، امّا دلم می‌خواست آن را به کریم نشان بدهم. احساس رقابت دوران کودکی‌ام با علی از نو زنده شده بود. مجسم می‌کردم که چگونه برادرم دیوانه‌وار لباس زیر معجزه‌آسایش را جستجو خواهد کرد.

خواهرانم را دیدم که از پله‌ها پایین می‌آمدند. از چشمانشان حـدس زدم کـه موفقیتی کسب نکرده‌اند. ندا قصد داشت از علی جدا شود.

بر عکس ریمای بینوا، ندا نگران دوری از فرزندانش نبود، زیرا علی فرزندان دخترش را بی‌ارزش می‌دانست و اعلام کرده بود که هر سه دخترش می‌توانند با مادرشان زندگی کنند.

من بدون خداحافظی از خانهٔ برادرم خـارج شـدم. ربـودن وسـیلهٔ شـخصی برادرم، احساس کودکانه‌ای به من بخشیده بود. کاملاً سرحال بودم و درحالی‌که از میان خیابانهای ریاض عبور مـی‌کردیم، خـودم را در نـقش شـاهزاده‌خـانمی از خاندان آل سعود، کاملاً پُرجرئت می‌یافتم.

از سارا پرسیدم که چرا ندا زندگی پُر زرق و برق برادرم را ترک می‌کند، زیـرا خانوادهٔ ندا فاقد ثروت بودند و برای او زندگی در چنان وضعی دشوار بود. تنها زیبایی ندا بود که چنین شوهر ثروتمندی را نصیبش کرده بود.

نورا گفت از آنچه ندا برایش نقل کرده است، دریافته که جـریان طـلاق آنـها به دلیل روابط جنسی‌شان بوده است. ندا اعتراف کرده بود که علت هر سه طلاق او همین مسئله بوده است و علی وقت و بی‌وقت از او انتظار تمکین داشـته است. هفتهٔ گذشته نیز علی قصد همخوابگی با ندا را داشته و در قبال مقاومت ندا گفته بود زن حتی بر روی شتر هم باید از شوهرش تمکین کند! و چون ندا هـمچنان

مقاومت کرده بود، علی او را طلاق داده بود.

ندا اعتراف کرده بود که اگرچه تا حدی به علی علاقه‌مند است، از دیدن حرامزاده‌های او که در گوشه و کنار قصر دیده می‌شوند، خسته شده است، زیرا برادرمان دارای هفده فرزند مشروع و بیست و سه فرزند نامشروع بود و قصر مملو از صیغه‌های علی و فرزندان آنها بود.

با شنیدن گفته‌های سارا به یاد لباس معجزه‌آسای علی افتادم و از شدت خنده اشک از چشمانم جاری شد. خواهرنم با نگرانی از من دلیل خنده‌ام را پرسیدند، با این تصور که ماجراهای آن روز کوچک‌ترین خواهرشان را دیوانه کرده است، امّا من راز خود را از آنها پنهان کردم.

سخن آخر

پروردگارا، مرا عاقبت به خیر گردان،

و به اعمال درستم بهترین فرجام را ببخش،

و بهترین روز زندگی‌ام را نصیبم گردان که روز ملاقات توست.

پروردگارا، از میان ناخواسته‌هایمان، ناخواسته‌هایی که در انتظارشان هستیم،

مرگ را بهترین آنها قرار ده،

و گورمان را بهترین اقامتگاهمان کن،

و پس از مرگ، بهترین زندگی بعد از مرگ را نصیبمان گردان.

ـ دعای یک زائر

بیش از یک هفته بود که خانواده‌هایمان را در مونت‌کارلو ترک کرده بودیم. تا
دو روز دیگر شوهران و فرزندانمان به عربستان بازمی‌گشتند. در آن شب خاص،
ده دختر مادرم در خانهٔ نورا جمع شده بودند، خوشحال از اینکه ریما در میان ما
بود، زیرا او همان روز صبح از بیمارستان مرخص شده و به خانهٔ نورا آمده بود تا
دوران نقاهت را در خانهٔ خواهر بزرگ‌ترش بگذراند.

موقعیتی تلخ و شیرین بود، زیرا ما در بیستمین سالگرد فوت مادرمان به دور
همدیگر جمع شده بودیم. در طول آن سالها هرگز مراسم این روز خاص را

فراموش نکرده بودیم، زیرا حتی پس از بیست سال هنوز هم جای خالی مادرمان را احساس می‌کردیم. در گذشته ما خاطرهٔ مادرمان را با یادآوری داستانهای دوران کودکی‌مان زنده می‌کردیم ــ داستانهای جالبی از نفوذ مادرمان بر زندگی‌مان. آن شب به دلیل غمی که از فاجعهٔ ریما بر قلبمان سنگینی می‌کرد، حال و حوصله نداشتیم و قلب اندوهگینمان خاطرات تلخی را در ذهنمان زنده می‌کرد.

سارا گفت: «بیست سال؟ باورم نمی‌شود که بیست سال است چهرهٔ مادرم را ندیده‌ام.»

همهٔ ما گفتهٔ او را و سرعت گذشت زمان را تأیید کردیم.

ناگهان متوجه شدم که از ده دختر مادرم، هشت تن از آنها بزرگ‌تر از سنّی هستند که مادرمان زندگی را وداع گفت. تنها من و سارا استثنا بودیم. زمانی که این امر را به خواهرانم یادآوری کردم، اخمهایشان در هم رفت و اشک در چشمانشان جمع شد.

نورا گفت: «سلطانه، تو را به خدا دیگر حرفی نزن!»

نورا اکنون صاحب نوه بود، و سن و سال خواهر بزرگ‌ترمان از چند سال پیشتر رازی بود که به زبان آورده نمی‌شد.

ریما از ما خواست که ساکت شویم تا داستانی را که از مادرمان به یاد داشت، برایمان نقل کند. گفت که تا آن روز این ماجرا را پنهان نگه داشته بود، زیرا ترس از آن داشت که من آزرده‌خاطر شوم.

چشمانم با کنجکاوی و علاقه برق می‌زد. به او قول دادم که هر چه بشنوم، آزرده‌خاطر نشوم.

«سلطانه، باید قول بدهی که احساساتت را مهار کنی.»

خندیدم و قبول کردم. به شدّت کنجکاو شده بودم.

ریما گفت زمانی که من هشت ساله بودم، مادرمان او را به اتاقش خوانده و از او خواسته بود که قولی به وی بدهد. ریمای خجالتی از سهیم شدن رازی با مادرمان ناراحت بود، و سرانجام قول داده بود که کسی از گفتهٔ مادرمان خبردار

نخواهد شد.

مادر به او گفته بود که به مسئلهٔ آزاردهنده‌ای پی برده است. «سلطانه دزد است.»

دهانم از حیرت باز مانده بود، در حالی که خواهرانم با صدای بلند می‌خندیدند.

ریما دستش را بلند کرد و همه را دعوت به سکوت کرد تا داستانش را ادامه دهد.

مادرمان مرا در حین ربودن اشیای شخصی دیگران از خانه‌مان یافته بود. او به ریما گفته بود که من اسباب‌بازی، کتاب، شکلات، شیرینی، و حتی چیزهایی که مورد استفاده‌ام نیست، از جمله صفحات موسیقی علی را می‌دزدم و مادر هرچه تلاش کرده است که این عادت زشت را از من بگیرد، موفق نشده است. پس به کمک ریما نیاز داشت تا مرا هدایت کند.

مادر ریما را ناچار به ادای سوگند کرده و از او خواسته بود که هر بار بر سر نماز دعا کند تا خداوند مرا هدایت کند و از گناهانم بگذرد.

ریما با چشمان اشک‌آلود به من نگاه کرد و گفت: «سلطانه، از آن زمان من نگران رفتار گناه‌آلود تو هستم و قولی که به مادر داده‌ام، بر شانه‌ام سنگینی می‌کند، زیرا من مسلمانی هستم که نه تنها پنج بار در روز عبادت می‌کنم، بلکه در موقعیت‌های دیگر هم دست از دعا به درگاه خداوند برنمی‌دارم. من هرگز قولی را که به مادر داده‌ام، زیر پا نخواهم گذاشت. پس تا روزی که از دنیا بروم، باید برایت دعا کنم. حال امیدوارم که دعاهایم مورد قبول پروردگار قرار گرفته باشد و تو دیگر دست به دزدی نزنی!»

صدای قهقههٔ هشت خواهرم اتاق را به لرزه درآورده بود. پس از آنکه آرام شدند، ما دریافتیم که مادرمان چنین قولی را از همهٔ خواهرها گرفته بود! هریک از خواهرانم تصور می‌کردند که تنها فردی هستند که از راز کوچک‌ترین خواهرشان اطلاع دارند، و هیچ یک در طول آن بیست سال، این راز را فاش نکرده بودند.

ناگهان احساس آرامشی بر من حکمفرما شد. به یقین بسیاری از فرشتگان الهی مرا حمایت کرده بودند، زیرا هریک از خواهرانم روزانه پنج بار برایم دعا کرده بودند.

تهانی با خنده و مسخره از من سؤال کرد: «سلطانه، راستی دعاهای ما قبول شده و تو دزدی را کنار گذاشته‌ای؟»

خواهرانم بی‌صبرانه منتظر شنیدن پاسخ منفی من بودند. من به زحمت لبخندم را پنهان کردم. ناگهان لباس معجزه‌آسای علی را به خاطر آوردم که در اتاقم قرار داشت.

خواهرانم از مکث من متعجب شده بودند. نورا گفت: «سلطانه؟»

گفتم: «یک لحظه صبر کن.» و به اتاقم دویدم.

لباس زیر علی را پوشیدم و وارد اتاق خواهرانم شدم و با صدای بلند دستور عمل پوشیدن لباس زیر را خواندم. خواهرانم آنچه را می‌دیدند و می‌شنیدند، باور نداشتند. از شدت خنده اشک از چشمانشان سرازیر بود. سه تن از خواهرانم اتاق را ترک کردند. یکی از آنها ادّعا می‌کرد که خودش را خیس کرده است!

حتی پس از آنکه سه نفر از خدمتکاران نورا به اتاق آمدند تا به علت هیاهو و خندهٔ ما پی ببرند، ما قادر به خویشتنداری نبودیم.

پس از آنکه آرامش بر اتاق حاکم گشت، تلفن زنگ زد و ما به خود آمدیم. نشوا بود که می‌خواست با مادرش، سارا، صحبت کند. او از مونت‌کارلو زنگ می‌زد تا از دخترخاله‌اش، امانی، شکایت کند. امانی در آنجا نیز نشوا را رها نکرده بود و او را به امر معروف و نهی از منکر دعوت می‌کرد.

نشوا مورد اهانت قرار گرفته بود، زیرا امانی، لوازم آرایش و لاک ناخن و عینک او را پنهان کرده و به او گفته بود که چنین وسایلی موجب گمراهی‌اش می‌شود!

نشوا گفت که اگر کسی مانع اعمال امانی نشود، او و سه دوست فرانسوی‌اش به میان گردشگران شهر می‌روند و لباسهایشان را درمی‌آورند تا امانی او را رها

سازد و به فکر هدایتش نباشد.

موضوع گفتگوی خواهرها عوض شد و همگی در مورد تضاد افکار دو دختر خاله به بحث پرداختیم.

من لحظه‌ای اتاق را ترک کردم تا به کریم تلفن کنم و او را میان دو دخترخاله میانجی قرار دهم. کریم گفت که تصمیم گرفته است امانی را لحظه‌ای از خودش دور نکند تا زمانی که به سلامت به ریاض برگردند، زیرا دخترمان همان روز با مدیر هتل مونت‌کارلو رویارو شده و به او اعتراض کرده بود که چرا آسانسورهای جداگانه برای مسافران زن و مرد هتل تدارک ندیده است.

ناباورانه به حرفهای کریم گوش می‌کردم. او حق داشت. دخترمان به محض بازگشت به ریاض، باید تحت نظر درمانگر قرار می‌گرفت. از زمانی که مها با کمک روانکاوی به سلامتی کامل دست یافته بود، شوهرم اعتقاد غریبی به درمان روحی و روانی پیدا کرده بود.

با یادآوری مها نفس راحتی کشیدم. او به دختر مسئولی مبدل شده بود که به چیزی جز تحصیلاتش و برنامه‌ریزی برای زندگی‌ای طبیعی فکر نمی‌کرد.

به اتاق برگشتم. خواهرانم سرگرم گفتگوی داغی در مورد خطر افراطیون مذهبی بودند که اکنون متوجه خانوادهٔ ما و رهبر حکومت شده بودند. هر یک از خواهرانم اعتراف کردند که شوهرانشان نگران فاصلهٔ عمیقی هستند که میان رهبر حکومت و گروههای افراطی مذهبی ایجاد شده و روز به روز هم بالا می‌گیرد. گفته می‌شد که رهبران مذهبیون افراطی افرادی جوان، تحصیل‌کرده و شهری‌اند که درصدد بازگشت به دستورهای قرآن هستند و حاضر به هیچ نوع سازشی نیستند، و با افکار و عقاید رهبران حکومت که طرفدار نوسازی کشور و تقلید از دنیای غرب هستند، کاملاً مخالف‌اند.

من به رغم آنکه در مورد این نهضت تحقیقات مفصلی انجام داده بودم، ساکت ماندم، زیرا دختر خودم یکی از اعضای این نهضت بود و به مخالفت با پادشاه برخاسته بود و مشروعیت آن را زیر سؤال برده بود.

خودم را با قرار دادن بالشها پشت سر ریما مشغول کردم.

از خودم سؤال کردم که چه فجایعی در سرزمینم رخ خواهد داد و من شاهدش خواهم بود؟ آیا دخترم یکی از کسانی خواهد بود که پادشاه را از تخت خود پایین خواهد کشید؟

ریما گفت خبری دارد که مایل است ما را از آن آگاه کند.

امیدوار بودم که ریما راز دیگری را در مورد من آشکار نکند. با چهره‌ای بی‌احساس به او نگاه کردم.

ریما با خونسردی به صحبت پرداخت و گفت که سلیم قصد دارد همسر دیگری اختیار کند.

مادرمان همواره از ازدواجهای مکرر پدرمان دچار شرم و ناراحتی می‌شد. حال ریما نخستین دختر خانواده بود که تن به چنین ماجرایی می‌داد.

چشمانم پُر از اشک شد و قلبم گرفتم، امّا ریما گفت که هیچ‌کس نباید گریه کند، زیرا پس از آن سلیم او را به حال خود خواهد گذاشت و او سعادتمندانه در کنار فرزندانش زندگی خواهد کرد. او با صدای بلند اعلام کرد که از داشتن چنین وضعی بسیار خوشحال است، امّا چشمهایش قصّهٔ دیگری را نقل می‌کرد.

می‌دانستم که ریما سلیم را دیوانه‌وار دوست دارد، و این پاداش زن وفاداری بود که شوهر و فرزندانش را عاشقانه می‌پرستید.

به خاطر ریما، همهٔ خواهرها لبخند زدند و استقامت او را تبریک گفتند.

نورا گفت که ندا از نو به همسری علی درآمده است. برادرمان سند مالکیّت مهمی را امضا کرده و به ندا داده بود. به علاوه، او را به پاریس برده و الماسها و یاقوتهای گرانقیمتی برایش خریده بود که شایستهٔ ملکهٔ انگلستان بود.

تهانی سؤال کرد که علی این مسئلهٔ مذهبی را چگونه حل کرده است. ظاهراً برادرمان یکی از عموزادگانش را خریده و به او پول هنگفتی پرداخته بود تا ندا را عقد کند و بی‌آنکه او را لمس کند، از نو طلاق بدهد. سپس علی او را دوباره به عقد خود درآورده بود. از شنیدن این خبر تعجبی نکردم.

به یاد فرمانهای قرآن در مورد چنین کرداری افتادم و به خواهرانم گفتم که عمل علی مشروع نبوده، زیرا پیامبر فرموده است که خداوند مردانی از این دست

را که چنین اعمالی انجام می‌دهند، مورد لعن قرار داده است، چون آنها به خیال خود پروردگار را فریب می‌دهند.

سارا پرسید، «چه کسی حاضر است دخالت کند؟»

نورا حقیقت را بر زبان آورد. «هیچ کس.» امّا افزود: «خدا خودش می‌داند.»

ما نسبت به علی احساس دلسوزی می‌کردیم، زیرا گناه بزرگی مرتکب شده بود.

شب به پایان می‌رسید. یک بار دیگر زنگ تلفن به صدا درآمد. خدمتکاری وارد اتاق شد و از تهانی خواست که با تلفن صحبت کند.

ما به خیال آنکه باز هم میان فرزندانمان درگیری پیش آمده است، به تهانی گفتیم که حاضر نیستیم جزئیات اعمال احمقانهٔ فرزندانمان را بشنویم.

کمی بعد صدای فریاد تهانی را از کنار تلفن شنیدیم و همگی به سوی او دویدیم. تهانی گوشی را زمین گذاشت، درحالی‌که همچنان گریه می‌کرد و فریاد می‌کشید.

تهانی با اندوه گفت: «سمیرا مُرد.»

هیچ کس قدرت حرف زدن و حرکت نداشت.

آیا واقعیت داشت؟

با انگشتانم به شمارش پرداختم؛ تعداد سالهایی را که دخترک بینوا در زندان خانواده و در دام عموی ظالمش سپری کرده بود.

سارا پرسید: «چند سال؟»

گفتم: «تقریباً پانزده سال.»

تهانی اعتراف کرد: «من گناه بزرگی مرتکب شده‌ام. سالهاست دعا می‌کنم که خداوند عمر عموی سمیرا را کوتاه کند.»

شنیده بودیم که عموی سمیرا پیر و شکسته شده است، و این امید را در دل می‌پروراندیم که هرچه زودتر با زندگی وداع کند و سمیرا رهایی یابد.

با طعنه گفتم: «باید می‌دانستیم که چنین ملعونی به آسانی نخواهد مُرد!»

در طول سالها، افراد زیادی تلاش کرده بودند عموی سمیرا را به آزادی

برادرزاده‌اش متقاعد سازند، امّا هیچ چیز نتوانسته بود تصمیم دیوانه‌وار عمو را تغییر دهد.

سمیرا باهوش، زیبا و خوش رفتار بود. اما آنچه را طبیعت به او بخشیده بود، سرنوشت تلخ از او پس گرفته بود. نتیجهٔ رفتار سبعانهٔ عموی سمیرا، مرگ این دختر جوان و زیبا بود که تنهای تنها، در چهاردیواری اتاقی دربسته و دور از هر نوع تماس انسانی، زندگی را وداع گفته بود.

تهانی که اشک می‌ریخت، سرانجام گفت که سمیرا همان روز به خاک سپرده شده است. عمهٔ سمیرا به تهانی گفته بود که او به رغم زندان طولانی، هنوز هم در زمان مرگ، در زمانی که در کفنی سفید پوشانده شده بود، زیبا بود.

چگونه می‌توانستیم چنین مرگ دردناکی را تحمل کنیم؟

من در حالی که هق هق گریه‌ام بلند شده بود، تلاش می‌کردم گفتهٔ خلیل جبران را در مورد مرگ به خاطر بیاورم. نخست آن را زمزمه کردم، و اندک اندک صدایم را بلندتر و بلندتر کردم، تا آنکه همه کس آن را می‌شنید. «تنها زمانی که از دریاچهٔ سکوت بنوشید، به راستی آواز خواهید خواند. و زمانی که به قلّهٔ کوه رسیدید، شروع به صعود خواهید کرد. و آن‌گاه که خاک جسم شما را طلب کند، به راستی خواهید رقصید.»

من و خواهرانم دستهایمان را به هم دادیم و به خاطر آوردیم که حلقه‌های یک زنجیریم ــ قوی چون قوی‌ترین زنجیرها، و ضعیف چون ضعیف‌ترین آنها.

پیوند خواهری‌مان آن‌قدر قدرتمند بود که دیگر هرگز ساکت نمی‌ماندیم و سرنوشت سیاهی را که مردها بر زنهای بی‌گناه تحمیل می‌کردند، تحمّل نمی‌کردیم.

گفتم: «بگذارید دنیا بداند که زنهای سعودی برای حقوقشان می‌جنگند و کسب قدرت می‌کنند.»

خواهرانم یک به یک به من نگاه کردند. اکنون اطمینان داشتم که آنها اعمال و رفتار مرا درک می‌کنند.

در آن لحظه به خودم قول دادم که روزی اخلاقیات جهان تغییر خواهد کرد و

حقیقت غالب خواهد شد.

نهضت بزرگ احقاق حقوق زنان سعودی تازه آغاز شـده است و در مـقابل مردان نادان ایستادگی خواهد کرد.

مردان سرزمینم برای زنده ماندن من سوگواری خواهند کرد، زیـرا هـرگز از مبارزه با حرکتهای شیطانی آنها علیه زنان سعودی بازنخواهم ایستاد.

ضمیمهٔ یک ـــ

ترتیب زمانی وقایع مهم در عربستان سعودی

۵۷۰ میلادی، حضرت محمّد در مکّه در عربستان متولّد می‌شود.

۶۱۰، وحی خداوند نازل می‌شود و حضرت محمّد از جانب او پیامبر مـردمان اعلام می‌گردد. اسلام متولّد می‌شود.

۶۲۲، حضرت محمّد به دلیل خشم جمعیّتی که به اسلام ایمان نیاورده‌اند، از مکّه به مدینه «هجرت» می‌کند. این بزرگ‌ترین بحران رسالت پیامبر بر روی زمین محسوب می‌شود. تقویم مسلمانان بر اساس واقعهٔ هجرت شکـل می‌گیرد و به یادبود این واقعه، تاریخ «هجری» نامیده می‌شود.

۶۳۲، حضرت محمّد در مدینه با زندگی وداع می‌گوید.

۶۵۰، گفته‌های حضرت محمّد جمع‌آوری می‌شود و به رشتهٔ تحریر در می‌آید. این کتاب مقدّس که قرآن نامیده شده است، کلمات خداوند از زبان پیامبر اوست و به صورت کتاب مقدّس مسلمانان در می‌آید.

۱۴۴۶، بر اساس اسناد و مدارک، نخستین عضو خاندان آل سـعود، جـدّ بـزرگ سلطانه، زندگی بدوی بیابانی را پشت سر می‌گذارد و در درعیّه (ریـاض

قدیم) اقامت می‌کند.

۱۷۴۴، محمّد آل سعود با محمّد آل وهّاب، معلّمی که قویاً معتقد به تفسیر آیات قرآنی است، پیمان یاری می‌بندد و این دو، یک معلّم و یک سرباز جنگی، در کنار همدیگر با ترکیب نیروهای خود، مردم را از نظام خشن و ظالمانهٔ کیفری رها می‌سازند.

۱۸۰۶، پسران محمد آل سعود و محمد آل وهاب با الهام گرفتن از دستورهای قرآن به مکه و مُدینه حمله می‌کنند و این دو شهر را فتح می‌نمایند. با این پیروزی بخش اعظم سرزمین عرب تحت لوای یک حکومت واحد قرار می‌گیرد.

۱۸۶۵ ـ ۱۸۴۳، خاندان آل سعود سلطهٔ خود را به جانب جنوب تا عمّان توسعه می‌دهند.

۱۸۷۱، عثمانی‌ها رهبری استان حَساء را به دست می‌گیرند.

۱۸۷۶، پدربزرگ سلطانه، عبدالعزیز ابن سعود، بنیانگذار پادشاهی عربستان، متولّد می‌شود.

۱۸۸۷، شهر ریاض به دست قبیلهٔ رشید می‌افتد.

۱۸۹۱، قبیلهٔ آل سعود از ریاض می‌گریزند و به بیابان پناه می‌برند.

۱۸۹۴ ـ ۱۸۹۳، قبیلهٔ آل سعود از بیابان عبور می‌کنند و رهسپار کویت می‌شوند.

سپتامبر ۱۹۰۱، عبدالعزیز که اکنون بیست و پنج ساله است، به همراه سربازان جنگی خود از کویت عازم ریاض می‌شود.

ژانویهٔ ۱۹۰۲، عبدالعزیز و مردانش ریاض را فتح می‌کنند. سلسلهٔ جدید آل سعود آغاز می‌شود.

۱۹۱۲، جمعیت اخوان بر اساس مکتب وهابیون بنیانگذاری می‌شود؛ این سازمان به سرعت رشد می‌کند و حمایت اصلی از عبدالعزیز ابن سعود را به عهده می‌گیرد.

۱۹۱۳، استان حَساء توسط عبدالعزیز از عثمانی‌ها پس گرفته می‌شود.

۱۹۱۵، عبدالعزیز با حکومت انگلیس به توافق می‌رسد تا در ازای دریافت پنج‌هزار پوند ماهانه، با ترک‌های عثمانی وارد جنگ شود.

۱۹۲۶، عبدالعزیز در مسجد بزرگ مکّه به عنوان پادشاه حجاز شناخته می‌شود.

۱۹۳۲، با ادغام دو قلمرو پادشاهی حجاز و نَجد، پادشاهی عربستان شکل می‌گیرد و به صورت دوازدهمین کشور بزرگ جهان در می‌آید.

۱۹۳۳، بزرگ‌ترین پسر شاه عبدالعزیز به عنوان ولیعهد انتخاب می‌شود.

مه ۱۹۳۳، آمریکا امتیاز اکتشاف نفت را در سرزمین عربستان از انگلیس می‌گیرد.

۱۹۳۴، عربستان سعودی علیه یمن وارد جنگ می‌شود؛ یک ماه بعد صلح برقرار می‌شود.

۱۵ مه ۱۹۳۴، به منظور گرفتن انتقام جنگ یمن، شاه عبدالعزیز در مسجدی در مکّه مورد حملهٔ سه یمنی مسلح به دشنه قرار می‌گیرد. بزرگ‌ترین پسر عبدالعزیز، سعود، خودش را بر روی پدرش می‌افکند و به جای پدر مجروح می‌شود.

۲۰ مارس ۱۹۳۸، در دمّام عربستان نفت کشف می‌شود.

۱۹۳۹، جنگ در اروپا، استخراج نفت را متوقّف می‌سازد.

۱۹۴۴، تولید نفت عربستان به هشت میلیون بشکه در سال می‌رسد.

۱۴ فوریهٔ ۱۹۴۵، رئیس جمهور روزولت با سلطان عبدالعزیز بر روی عرشهٔ کشتی کوینسی ملاقات می‌کند.

۱۷ فوریهٔ ۱۹۴۵، وینستون چرچیل، نخست‌وزیر بریتانیا، با سلطان عبدالعزیز بر روی عرشهٔ کشتی کوینسی ملاقات می‌کند.

۱۹۴۶، تولید نفت به شصت میلیون بشکه در سال می‌رسد.

۱۴ مه ۱۹۴۸، دولت اسرائیل برپا می‌شود.

۱۴ مه ۱۹۴۸، نخستین جنگ اعراب ـ اسرائیل آغاز می‌شود.

۱۹۴۸، رادیو مکه، نخستین ایستگاه رادیویی عربستان، به رغم اعتراضات شدید علما افتتاح می‌شود.

۱۹۵۲، سلطان عبدالعزیز ورود الکل را برای غیر مسلمانان ساکن عربستان تحریم می‌کند.

۱۹۵۳، سلطان عبدالعزیز، پدربزرگ سلطانه، در هفتاد و هفت سالگی دار فانی را وداع می‌گوید.

۹ نوامبر ۱۹۵۳، بزرگ‌ترین پسر سلطان عبدالعزیز، سعود پنجاه و یک ساله، جانشین پدر می‌شود. برادر ناتنی او، فیصل، ولیعهد می‌شود.

۱۹۶۰، عربستان سعودی یکی از اعضای بنیانگذار اُپک، سازمان کشورهای صادرکنندهٔ نفت، می‌باشد.

دسامبر ۱۹۶۰، شاه سعود برادرش را از مسئولیت‌های سیاسی خلع می‌کند و خود رهبری دولت را به دست می‌گیرد.

۱۹۶۲، برده‌داری در قلمرو عربستان سعودی منسوخ می‌شود، اما بیشتر برده‌ها همچنان نزد خانواده‌هایی که آنها را خریداری کرده‌اند، می‌مانند.

۱۹۶۳، نخستین مدرسهٔ دخترانه گشایش می‌یابد. مذهبیون شدیداً اعتراض می‌نمایند.

۳ نوامبر ۱۹۶۴، شاه سعود از سلطنت برکنار می‌شود و به بیروت می‌رود. فیصل شاه اعلام می‌شود و برادر ناتنی‌اش، خالد، به عنوان ولیعهد انتخاب می‌شود.

۱۹۶۵، به رغم اعتراضات شدید، نخستین ایستگاه تلویزیونی در ریاض افتتاح می‌شود.

سپتامبر ۱۹۶۵، شاهزاده خالد ابن مسعود، برادرزادهٔ شاه فیصل، در رهبری تظاهرات مسلحانه‌ای که علیه افتتاح شبکهٔ تلویزیونی کشور صورت می‌گیرد، کشته می‌شود.

ژوئن ۱۹۶۷، جنگ شش روزه میان اسرائیل و همسایه‌های عربش آغاز می‌شود. عربستان سعودی قوای خود را روانهٔ جنگ می‌کند.

فوریهٔ ۱۹۶۹، شاه سعود ابن عبدالعزیز، پادشاه خلع شده، پس از آن‌که بعد از عزل از سلطنت هر ساله بیش از پانزده میلیون دلار خرج می‌کند، در آتن زندگی را وداع می‌گوید.

۶ اکتبر ۱۹۷۳، جنگ میان اسرائیل و همسایگان عربش آغاز می‌شود. عربستان نیروهای خود را عازم جنگ می‌کند.

۲۰ اکتبر ۱۹۷۳، شاه فیصل، که از کمک نظامی آمریکا به اسرائیل سخت به خشم درآمده است، اعلام جهاد می‌کند و فروش نفت به آمریکا را تحریم می‌نماید.

۲۵ مارس ۱۹۷۵، شاه فیصل توسّط برادرزاده‌اش، شاهزاده فیصل ابن سعود، به قتل می‌رسد. شاهزاده فیصل ابن سعود برادر شاهزاده‌ای است که در

تظاهرات سال ۱۹۶۵ به قتل رسیده است.

۲۵ مارس ۱۹۷۵، ولیعهد شاهزاده خالد تاج سلطنت را به سر می‌گذارد. برادر ناتنی‌اش، شاهزاده فهد، ولیعهد جدید اعلام می‌گردد.

۱۹۷۹، پس از این که مصر با اسرائیل ارتباط برقرار می‌کند، عربستان سعودی روابط دیپلماتیک خود را با این کشور قطع می‌نماید.

نوامبر ۱۹۷۹، به مسجد بزرگ مکّه حمله می‌شود. تظاهر کنندگان به کار کردن زن‌ها در خارج از منزل اعتراض می‌نمایند. در ماه‌های پس از آن، آزادی زنان محدود می‌گردد، زیرا حکومت عربستان سعودی از شورش بنیادگرایان به وحشت افتاده است.

۱۹۸۰، عربستان سعودی رهبری کامل آرامکو را از آمریکا می‌گیرد.

ژوئن ۱۹۸۲، شاه خالد به دلیل بیماری قلبی می‌میرد. فَهَد، ولیعهد او، شاه اعلام می‌شود. برادر ناتنی‌اش، شاهزاده عبدالله، ولیعهد جدید اعلام می‌شود.

۱۹۸۷، عربستان سعودی روابط دیپلماتیک را با کشور مصر از سر می‌گیرد (پس از قطع روابط در سال ۱۹۷۹).

۵ اوت ۱۹۹۰، عراق به کویت حمله می‌کند.

۱۹۹۰، عربستان سعودی حملهٔ عراق به کویت را محکوم می‌نماید و دولت آمریکا را دعوت به دخالت می‌کند. حکومت عربستان به ارتش خارجی و اتباع کویت اجازهٔ اقامت در قلمرو خود را می‌دهد، اما اتباع اردن و یمن را به دلیل حمایت از عراق، از کشورش بیرون می‌کند.

۱۹۹۱، عربستان سعودی وارد جنگ علیه عراق می‌شود.

۱۹۹۴، مسلمان ناراضی، اسامه بن لادن، تبعیت عربستان سعودی را از دست می‌دهد.

۱۹۹۵، شاه فَهَد دچار سکتهٔ قلبی می‌شود و ادارهٔ روزانهٔ کشور به دست ولیعهد، عبدالله ابن عبدالعزیز آل سعود، سپرده می‌شود.

۱۹۹۶، بمبی در قرارگاه نظامی آمریکا در نزدیکی ظهران منفجر می‌شود که ۱۹ کشته و بیش از ۳۰۰ زخمی بر جای می‌گذارد.

۱۹۹۹، بیست زن سعودی برای نخستین بار در تاریخ عربستان سعودی در انجمن مشورتی شرکت می‌کنند.

۲۰۰۰، سازمان عفو بین‌الملل وابسته به سازمان طرفداران حقوق بشر در لندن، بر اساس ضوابط اخلاقی و قانونی، رفتار سعودی‌ها را نسبت به زن‌ها «نامعقول» اعلام می‌دارد.

۲۰۰۱، عربستان با خشم آمریکا رویاروی می‌گردد، زیرا روشن شده است که ۱۵ تن از ۲۱ نفر تروریستهای حادثهٔ ۱۱ سپتامبر، ملیّت عربستان سعودی را داشته‌اند.

ضمیمهٔ دو —

حقایقی در مورد عربستان سعودی

اطلاعات عمومی

رهبر کشور: شاه فهد ابن عبدالعزیز آل سعود

عنوان رسمی: متولی دو مسجد مقدس

مساحت: ۲,۲۱۴,۰۵۷ کیلومتر مربع

جمعیت: ۲۲,۰۲۴,۵۰۵ نفر

شهرهای مهم:

ریاض ــ پایتخت

جده ــ شهر بندری

مکّه ــ مقدس‌ترین شهر اسلام که مسلمانان به جانب آن نماز می‌خوانند

مدینه ــ آرامگاه حضرت محمّد

طائف ــ پایتخت تابستانی

دمّام ــ شهر بندری و مرکز تجاری

ظهران ــ مرکز صنعت نفت

اَلخُبار ــ مرکز تجاری

ینبوع ــ ترمینال صدور گاز طبیعی

حُفوف ــ شهر مهم واحهٔ الحسأ

مذهب: اسلام

اعیاد عمومی: عید فطر ــ پنج روز

عیدالاضحا ــ هشت روز

تاریخچهٔ کوتاه

ملّت عربستان سعودی متشکل از قبایلی است که از تمدن اولیه در شبه‌جزیرهٔ عرب ریشه گرفته‌اند. اجداد سعودیهای امروزی در راههای تجاری قدیمی و معروف می‌زیستند و بخش اعظم آنها امرار معاششان از طریق راهزنی بود. قبایل مختلف در مناطق گوناگون زندگی می‌کردند و تحت فرمان رئیس قبیله قرار داشتند. سپس این قبایل مختلف تحت لوای مذهب واحدی که حضرت محمّد عرضه داشته بود، قرار گرفتند. این حادثه چهارده قرن پیش رخ داد و قبل از آنکه پیامبر در شصت و سه سالگی زندگی را بدرود گوید، اکثریت افراد عرب مسلمان شده بودند.

اجداد حکام فعلی عربستان، در طول قرن نوزدهم میلادی بر بسیاری از مناطق عرب حکومت می‌کردند و پس از آنکه بخش اعظم سرزمینهایشان را عثمانیها از آنها گرفتند، از ریاض رانده و به کویت پناهنده شدند. شاه عبدالعزیز ابن سعود به ریاض برگشت و طی مبارزات شدیدی کشور را فتح کرد. او در سال ۱۹۳۲ عربستان سعودی امروزی را بنیان نهاد.

در سال ۱۹۳۸ چاههای نفتی در عربستان کشف شد و این کشور با سرعتی باورنکردنی یکی از ثروتمندترین ملل جهان شد.

اوضاع جغرافیایی

عربستان سعودی با مساحتی به وسعت ۲,۲۱۴,۰۵۷ کیلومتر مربع، معادل یک سوم مساحت ایالات متحد آمریکا و تمامی مساحت اروپای غربی است.

عربستان سعودی در تقاطع سه قاره واقع شده است: آفریقا، آسیا و اروپا. این کشور از دریای سرخ در غرب تا خلیج فارس در شرق ادامه یافته است. اردن، عراق و کویت در شمال آن واقع شده‌اند و یمن و عمان در جنوب آن قرار دارند. امارات متحد عرب، قطر و بحرین در شرق عربستان قرار گرفته‌اند.

بیابانی خشک و وسیع و بی‌آب با تعداد اندکی جویبارهای دائمی، ربع‌الخالی را تشکیل می‌دهد که بزرگ‌ترین صحرای شنی در سراسر جهان است. کوه‌های استان اسیر با ارتفاع ۲٫۷۰۰ متر در جنوب غربی کشور قرار دارند.

تقویم

عربستان سعودی تقویم اسلامی را به کار می‌گیرد که بر اساس ماه قمری است، نه ماه شمسی.

ماه قمری فاصلهٔ زمانی میان دو بار دیدن ماه کامل است. سال قمری شامل دوازده ماه است، امّا یازده روز کوتاه‌تر از سال شمسی است. به همین دلیل اعیاد مذهبی به تدریج از فصلی به فصل دیگر انتقال می‌یابند.

تقویم قمری از سال مهاجرت پیامبر از مکه به مدینه آغاز شده است.

روز مقدس مسلمانان جمعه است. روزهای کار در عربستان از شنبه شروع می‌شود و پنجشنبه خاتمه می‌یابد.

وضعیت اقتصادی

بیش از یک چهارم منابع نفتی دنیا در عربستان قرار دارد.

در سال ۱۹۳۳ شرکت نفتی استاندارد کالیفرنیا حق اکتشاف نفت در عربستان را به دست آورد. در سال ۱۹۳۸ نفت در چاه شمارهٔ ۷ منطقهٔ دمّام اکتشاف شد، که هنوز هم از آن نفت استخراج می‌شود. شرکت نفتی آمریکا ـ عربستان (آرامکو) در سال ۱۹۴۴ شکل گرفت و به اکتشاف نفت در این سرزمین پرداخت. در سال ۱۹۸۰ عربستان اختیار کامل شرکت آرامکو را به دست آورد.

ثروت نفتی عربستان زندگی‌ای مرفه را برای ملت آن تضمین می‌کرد. با تأمین تحصیلات رایگان و وام بدون بهره برای شهروندان، بسیاری از افراد از زندگی مرفهی بهره‌مند شدند. تمامی اتباع عربستان، از جمله زائران این کشور، از تسهیلات درمانی رایگان بهره‌مند می‌شوند. برنامه‌های دولتی از افراد معلول و بازنشسته حمایت می‌کند. این کشور دارای حکومت سوسیالیستی واقعی است. عربستان سعودی از نظر اقتصادی به کشوری مدرن و مجهز به فن‌آوری نو مبدل گشته است.

پول رایج

ریال واحد پول رایج این کشور است. هر ریال صد حلاله است و به صورت اسکناس و سکه دیده می‌شود. میزان برابری ریال به دلار آمریکا، ۳/۷۴۵۰است.

جمعیت

جمعیت عربستان در حدود ۲۲ میلیون نفر است. همهٔ سعودیها مسلمان‌اند. ۹۵ درصد آنها سنّی هستند و ۵ درصد باقیمانده شیعه. فرقهٔ شیعهٔ عربستان از تبعیضات زیادی رنج می‌برند، زیرا معتقدان سنّی این کشور خصومت غریبی نسبت به شیعیان آن دارند.

زبان رسمی

عربی زبان رسمی این کشور است و از زبان انگلیسی برای اهداف اقتصادی و تجاری استفاده می‌شود.

قانون و حکومت

عربستان سعودی کشوری اسلامی است و قوانین آن بر اساس شریعت، اصول

اسلامی‌ای که از قرآن گرفته شده است، و سنت، مجموعه‌ای از روایات پیامبر، می‌باشد. قرآن راهنمای احکام قانونی در این کشور است.

قدرت اجرایی و قانون‌گذاری به دست پادشاه و هیئت وزرا سپرده شده است. تصمیمات آنها بر اساس شریعت است. همهٔ وزرا و زیردستانشان در مقابل شاه مسئول‌اند.

مذهب

عربستان سعودی زادگاه اسلام، یکی از سه مذهب بزرگ جهان است. مسلمانان به خدای واحد اعتقاد دارند و حضرت محمّد را پیامبر او می‌دانند. عربستان سعودی به عنوان زادگاه اسلام، در میان مسلمانان از حرمت خاصی برخوردار است. هر سال میلیون‌ها مسلمان به مکه سفر می‌کنند و به زیارت کعبه می‌روند. به همین دلیل عربستان یکی از سنّتی‌ترین کشورهای مسلمان جهان است و اتباع آن سخت‌ترین تعبیرات قرآن را پذیرفته‌اند.

هر مسلمان دارای پنج وظیفهٔ مهم است که اصول دین اسلام نامیده می‌شوند. این اصول عبارت‌اند از: ۱) توحید: «هیچ خدایی به جز خدای یگانه نیست و محمّد پیامبر اوست.» ۲) بر هر مسلمان روزانه پنج بار ادای نماز واجب است که رو به مکّه انجام می‌گیرد. ۳) هر مسلمان باید مقدار معینی از درآمدش را تحت عنوان زکات به مستمندان ببخشد. ۴) در ماه نهم هجری قمری هر مسلمان باید روزه بگیرد. این ماه رمضان نامیده می‌شود و مسلمانان باید از طلوع خورشید تا غروب آن از خوردن و آشامیدن اجتناب کنند. ۵) هر مسلمانی که دارای توانایی مالی باشد، دست‌کم یک بار در طول زندگی‌اش باید به سفر حج برود.